teadue
1632

Dello stesso autore in edizione TEA:

Steve Berry

La profezia
dei Romanov

Romanzo

Traduzione di
Beatrice Verri

www.InfiniteStorie.it
il grande portale del romanzo

TEA – Tascabili degli Editori Associati S.p.A., Milano
Gruppo editoriale Mauri Spagnol
www.tealibri.it

Titolo originale
The Romanov Prophecy

Prima edizione TEADUE settembre 2008
Terza edizione TEADUE giugno 2009

LA PROFEZIA DEI ROMANOV

Ad Amy ed Elizabeth

« La Russia è un Paese in cui accadono cose impossibili altrove. »

Pietro il Grande

« Verrà per la Russia un anno di terrore
e la corona cadrà, insieme con la corte
nel fango il trono degli zar affonderà
e i più si nutriranno col sangue e con la morte. »

Michail Lermontov, Predizione (1830)

« La Russia, una nazione misteriosa e oscura, definita da Churchill: 'Un indovinello avvolto in un mistero racchiuso in un enigma'. Remota, inaccessibile agli stranieri, incomprensibile persino a chi vi è nato. Ecco il mito alimentato dagli stessi russi, che preferirebbero continuare a tenere nascosti agli occhi del mondo la loro vera identità e il proprio stile di vita. »

Robert G. Kaiser, Russia: The People & the Power (1984)

« Dopo tutte le difficoltà, tutte le prove e i gravi errori commessi, la storia della Russia alla fine del [XX] secolo va considerata come una sorta di rinascita, di risurrezione. »

David Remnick, Resurrection: The Struggle for
a New Russia (1997)

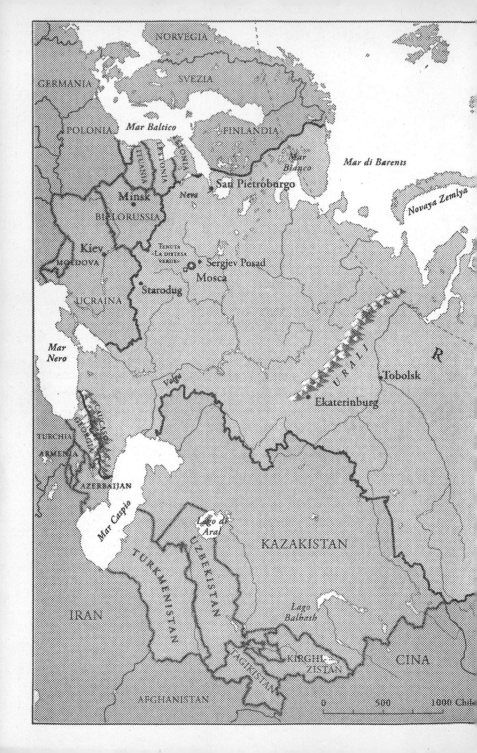

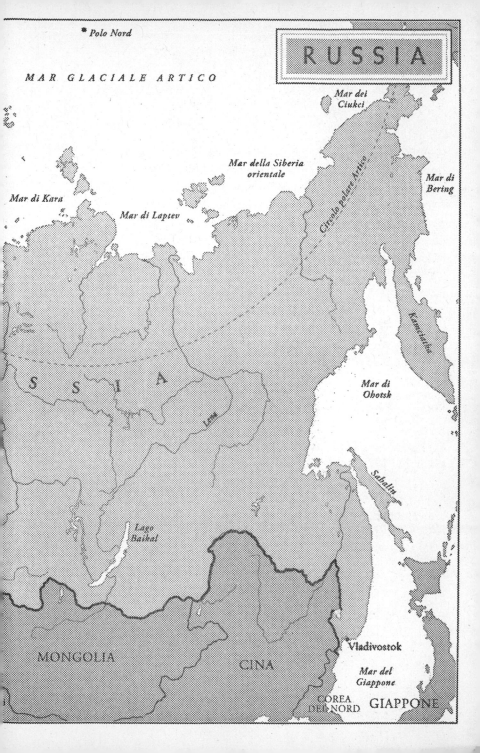

CRONOLOGIA DI ALCUNI EVENTI
DELLA STORIA RUSSA

21 *febbraio 1613*   Michail Fëdorovic Romanov è proclamato
                     zar col nome di Michele III
20 *ottobre 1894*   Nicola II sale al trono
5 *aprile 1898*   Nicola II offre in dono alla madre l'*Uovo con*
                     mughetti, creato appositamente da Carl Fa-
                     bergé
16 *dicembre 1916*   Rasputin è assassinato da Feliks Jusupov
15 *marzo 1917*   Nicola II abdica; lui e la sua famiglia sono
                     arrestati e tenuti prigionieri
ottobre 1917   Rivoluzione bolscevica. Lenin sale al potere
1918   Ha inizio la guerra civile russa: l'Armata
                     Rossa contro la Bianca
17 *luglio 1918*   Nicola II, sua moglie Alessandra e i loro
                     cinque figli sono giustiziati a Ekaterinburg
aprile 1919   Feliks Jusupov fugge dalla Russia
1921   La guerra civile russa si conclude col trion-
                     fo dei Rossi, guidati da Lenin
27 *settembre 1967* Feliks Jusupov muore
maggio 1979   Nei dintorni di Ekaterinburg viene indivi-
                     duato il luogo di sepoltura di Nicola II e
                     della sua famiglia
dicembre 1991   Scioglimento dell'Unione delle Repubbliche
                     Socialiste Sovietiche
luglio 1991   Sono riesumati i resti di Nicola II e della sua
                     famiglia; nella fossa comune non si trovano
                     i cadaveri di due figli dello zar
1994   L'identificazione dei resti è positiva: corri-
                     spondono alla famiglia imperiale, ma non
                     si riesce a trovare traccia dei due cadaveri
                     scomparsi

PROLOGO

Palazzo Aleksandrovskij,
Carskoe Selo, Russia,
28 ottobre 1916

Alessandra, imperatrice di tutte le Russie, udì la porta aprirsi e si voltò di scatto, interrompendo la veglia al capezzale. Per la prima volta, dopo molte ore, distolse lo sguardo dal suo povero bambino, disteso a pancia in giù sotto le lenzuola.

Quando vide l'amico irrompere nella stanza, si abbandonò al pianto. «Finalmente, padre Grigorij. Grazie a Dio. Alessio ha un disperato bisogno di voi.»

Rasputin si precipitò accanto al letto e fece il segno della croce. La casacca di seta blu e i pantaloni di velluto dell'uomo emanavano un odore d'alcol che stemperava il suo afrore abituale, paragonato dalle dame di corte al puzzo delle capre. Alessandra tuttavia non badava agli odori, almeno non a quelli di padre Grigorij.

La donna aveva inviato le guardie a chiamare il religioso diverse ore prima, memore delle voci che lo volevano attratto dalle colonie di zingari presenti nei sobborghi della capitale. Si diceva che Rasputin trascorresse sovente le notti in quei luoghi, a bere e a intrattenersi con le prostitute. Una guardia aveva persino riferito di aver visto il caro padre salire sui tavoli e, con le braghe calate, far mostra del proprio membro, declamando lo straordinario piacere procurato alle dame della corte imperiale da quel generoso organo. Rifiutandosi di dar credito a simili pettegolezzi, Alessandra aveva provveduto ad allontanare subito la guardia dalla capitale.

«Vi ho cercato sin dal tramonto», disse la donna, tentando di attirare l'attenzione dell'uomo.

Però Rasputin si era inginocchiato ed era concentrato sul fanciullo. Alessio era incosciente da quasi un'ora. Era caduto nel tardo pomeriggio, giocando in giardino. Nel giro di un paio d'ore, il male aveva cominciato il suo ciclo.

Alessandra osservò Rasputin mentre questi scostava la coperta per esaminare la gamba destra, che si presentava livida e tumefatta al limite dell'inverosimile. Sotto l'epidermide, il sangue pulsava in modo incontrollato e l'ematoma aveva assunto le dimensioni di un piccolo melone. Il volto scarno del bambino era privo di colore, fatta eccezione per le occhiaie brunastre.

La donna pettinò con delicatezza i capelli castani del figlio. Grazie al cielo, le urla erano cessate. Gli spasmi erano comparsi ogni quarto d'ora, con inquietante regolarità. La febbre alta aveva provocato il delirio, ma era quel gemito costante che straziava più di ogni altra cosa il cuore della madre.

In uno sprazzo di lucidità, il bambino aveva implorato: «Oh, Signore, abbi pietà di me». Poi aveva chiesto alla madre: «Mamma, aiutami!» Infine aveva domandato se il dolore sarebbe cessato col sopraggiungere della morte. Lei non era riuscita a dirgli la verità.

Una volta di più, la zarina avvertì tutto il peso della colpa. Era noto che l'emofilia si trasmetteva per via femminile: suo zio, suo fratello, i suoi nipoti erano tutti morti di quella malattia. Tuttavia lei non si era mai considerata una portatrice, forse perché aveva avuto prima quattro figlie femmine. Soltanto con l'arrivo del figlio maschio, dodici anni prima, la donna aveva appreso la crudele realtà. In precedenza, nessun dottore si era preoccupato di avvertirla della possibile comparsa del morbo. Quanto a lei... Aveva mai posto la domanda? Nessuno era sembrato preoccuparsene. Spesso persino i quesiti diretti erano stati liquidati con risposte elusive. Ecco perché padre Grigorij era così speciale: lo *starec* non si era mai tirato indietro.

Rasputin chiuse gli occhi e si strinse al bambino sofferente. La barba ispida era imbrattata da resti secchi di cibo. L'uomo strinse con forza la croce d'oro, regalo della zarina, che gli pendeva dal collo. Nella stanza illuminata soltanto dalle candele, la donna lo sentì mormorare, senza però riuscire a decifrare le parole. Non osava proferire verbo; sebbene fosse l'imperatrice di tutte le Russie, Alessandra non sfidava mai padre Grigorij.

Soltanto lui era in grado di fermare l'emorragia. Era attraverso Rasputin che Dio proteggeva il suo caro Alessio: lo *zarevič*, l'unico erede al trono, il futuro zar di Russia.

A patto che sopravvivesse.

Il bambino aprì gli occhi.

«Non temere, Alessio. Va tutto bene», sussurrò il religioso con voce calma e suadente, ma anche risoluta. Poi accarezzò il corpo sudato del bambino dalla testa ai piedi. «Ho scacciato il tuo orribile male; ora non soffrirai più. Domani starai bene e potremo di nuovo giocare e divertirci insieme.»

Rasputin continuò ad accarezzare lo *zarevič*.

«Ricordati che cosa ti ho raccontato a proposito della Siberia: è piena di grandi foreste e steppe sconfinate, talmente vaste che nessuno ne ha mai varcato i confini. Tutto ciò appartiene al tuo papà e alla tua mamma e un giorno, quando guarirai e diverrai grande e forte, sarà tuo.» Strinse una mano del bambino tra le sue. «Un giorno ti porterò in Siberia e ti mostrerò ciò di cui parlo. Laggiù la gente è molto diversa, rispetto a qui. Quanta maestosità, Alessio... Devi vederla.» La voce si mantenne calma.

Lo sguardo del bambino s'illuminò. La vitalità sembrò tornare con la stessa velocità con cui era sparita ore prima. Lo *zarevič* si sollevò dal cuscino.

Alessandra s'inquietò, preoccupata che il figlio potesse procurarsi una nuova ferita. «Fa' attenzione, tesoro, te ne prego.»

«Lasciami solo, mamma. Devo ascoltare», ribatté Alessio; rivolgendosi poi a Rasputin: «Raccontatemi un'altra storia, padre».

Rasputin sorrise e cominciò a narrare di cavalli gobbi, soldati senza gambe, cavalieri senza occhi e di una zarina senza fede trasformata in anatra bianca. Gli raccontò dei fiori delle vaste steppe siberiane, terre in cui le piante hanno un'anima e si parlano, in cui anche gli animali hanno il dono della parola. Spiegò come anche lui, da piccolo, avesse imparato a decodificare i sussurri dei cavalli nelle stalle.

«Vedi, mamma. Te lo dicevo che i cavalli parlano.»

Gli occhi della zarina si riempirono di lacrime alla vista del miracolo. «Hai ragione, è vero.» «Mi direte ciò che avete sentito dire ai cavalli, vero?» domandò Alessio. Rasputin gli rispose affermativamente con un sorriso. «Domani. Domani ti dirò di più, ma ora devi riposare.» Continuò ad accarezzare lo *zarevič* sino a farlo addormentare. Infine si alzò. «Il piccolo sopravvivrà.»

«Come fate a esserne certo?»

«Come fate voi, a non esserlo?»

Nell'udire il tono indignato della replica, la donna si pentì subito della propria titubanza. Aveva pensato spesso che la debolezza della sua fede potesse essere la causa della sofferenza del figlio. Forse Dio stava mettendo alla prova la tenacia del suo credo proprio con la maledizione dell'emofilia.

Rasputin girò intorno al letto, s'inginocchiò ai piedi della sua sedia e le afferrò una mano. «Mamma, non dovete rinunciare al Signore. Non dubitate del suo potere.»

Alessandra permetteva soltanto allo *starec* di rivolgersi a lei con un appellativo così informale. Lei era la *Matuška*, la «Piccola Madre»; suo marito, Nicola II, il *Vatjuška*, il «Piccolo Padre». Ecco come la classe contadina concepiva la coppia imperiale: genitori severi. Tutti non facevano che ripetere alla zarina che Rasputin era un semplice contadino. Forse era così, ma era anche l'unico in grado di alleviare la sofferenza di Alessio. Quel contadino siberiano dalla barba arruffata, dalle membra fetide e dalla lunga chioma unta era un messo celeste.

«Dio non ha voluto ascoltare le mie preghiere, padre. Mi ha abbandonato.»

Rasputin si alzò di scatto. «Perché parlate in questo modo?» Afferrò il viso della donna e lo voltò in direzione del letto. «Guardate il piccolo. Lui soffre terribilmente perché voi non credete.»

Nessuno, se non suo marito, avrebbe osato toccarla senza permesso; ma lei non oppose resistenza, anzi ne fu lieta. L'uomo riportò l'ovale della zarina verso di sé e scoccò alla donna uno sguardo intenso. In quelle due iridi azzurre sembrava concentrarsi tutta la personalità dell'uomo. Erano impossibili da eludere: due lumi fosforescenti, penetranti e carezzevoli insieme, distanti eppure intensi. Riuscivano a scandagliare il fondo della sua anima, e lei non era mai stata in grado di resistervi.

«*Matuška*, non dovete parlare del Signore in quel modo. Il piccolo ha bisogno che voi crediate, che riponiate la vostra fede in Dio.»

«La mia fede è in voi.»

La lasciò andare. «Io non sono nulla, se non un semplice strumento di Dio. Non faccio niente.» Lo sguardo si levò. «Soltanto Lui può tutto.»

Con gli occhi colmi di lacrime, la donna si alzò dalla sedia e si lasciò cadere a terra, in preda alla vergogna. Era spettinata e il suo viso, un tempo bellissimo, mostrava un colorito olivastro ed era consumato da anni di preoccupazioni. Sperò che nessuno entrasse nella stanza; soltanto con lo *starec* poteva esprimersi apertamente come donna e come madre. Infine proruppe in pianto e, avvinghiata alle gambe dell'uomo, premette le guance contro quelle vesti che puzzavano di cavalli e di fango. «Soltanto voi potete aiutarlo!» esclamò.

Rasputin s'irrigidì. *Quasi come un tronco d'albero*, pensò lei. Gli alberi erano in grado di resistere al più severo degli inverni russi, per poi fiorire di nuovo, ogni primavera. Quel santo, di certo inviatole da Dio, era il suo albero.

«Mamma, non serve disperarsi. Dio vuole da voi devozione, non lacrime. L'emotività non lo impressiona. Lui esige fede: una fede totale, senza esitazioni...»

La zarina sentì l'uomo tremare, quindi lasciò la presa e sollevò lo sguardo. Rasputin, visibilmente impallidito, roteava gli occhi all'indietro ed era scosso da un brivido in tutto il corpo. Le gambe finirono per cedergli, facendolo crollare a terra.

«Che cosa avete?» domandò Alessandra.

Non ebbe risposta.

Allora la donna lo afferrò per la casacca e lo scosse. «Parlatemi, *starec*.»

Rasputin riaprì piano gli occhi. «Vedo cumuli di cadaveri... Diversi granduchi e centinaia di conti. La Neva si tingerà di sangue.»

«Che intendete dire, padre?»

«Una visione. L'ho avuta di nuovo. Vi rendete conto che tra poco tempo io morirò in condizioni di terribile agonia?»

Che cosa stava dicendo?

L'uomo afferrò la zarina per le braccia e la tirò a sé. Il suo volto era sfigurato dal terrore, ma lo sguardo non era rivolto alla donna, bensì più lontano, oltre il presente.

«Lascerò questa vita prima del nuovo anno. Ricordate, mamma: se sarò ucciso da un comune assassino, lo zar non avrà nulla da temere. Rimarrà sul trono e i vostri figli saranno al sicuro, destinati a regnare ancora per centinaia di anni. Se invece sarò ucciso dai boiari, le loro mani resteranno macchiate dal mio sangue per venticinque anni. Fratello contro fratello, tutti si uccideranno in preda all'odio, finché non ci saranno più nobili in tutto il Paese.»

Alessandra era spaventata. «Padre, perché pronunciate tali parole?»

Gli occhi di Rasputin si fissarono sulla donna. «Se il responsabile del mio assassinio sarà un parente dello zar, nessun membro della vostra famiglia sopravvivrà più di due anni. Saranno tutti uccisi dal popolo russo. Mettetevi in salvo e dite ai vostri parenti che ho sacrificato la mia vita per loro.»

«Padre, ciò che dite non ha senso.»

«È una visione che ho avuto molte altre volte. La notte è scura per la sofferenza che ci attende. Ma io non la vedrò. La mia ora è vicina, ma, per quanto amara, non la temo.»

L'uomo ricominciò a tremare.

«O Signore, il male è tanto grande da far tremare il mondo per la fame e la malattia. La madre Russia è destinata alla perdizione.»

La donna riprese a scuoterlo. «Padre, non dovete parlare così... Alessio ha bisogno di voi.»

Rasputin riacquistò la calma.

«Non temete, mamma. Ho avuto anche un'altra visione, ma di salvezza. È la prima volta che mi appare. Oh, che profezia... la vedo con chiarezza.»

PARTE PRIMA

1

Mosca, ai giorni nostri,
martedì 12 ottobre,
ore 13.24

In soli quindici secondi, la vita di Miles Lord cambiò per sempre.

Dapprima avvistò la berlina: una Volvo station wagon di un blu talmente scuro da sembrare nero. Poi notò che le ruote anteriori svoltavano a destra, per aggirare il traffico intenso della Nikol'skij prospekt. Quindi il finestrino posteriore, riflettente al pari di uno specchio, si abbassò: l'immagine distorta degli edifici circostanti lasciò posto a un rettangolo scuro penetrato dalla canna di un'arma da fuoco.

La pistola sparò alcuni colpi.

Miles Lord si gettò a terra, disteso. Nell'urtare contro l'asfalto sporco di olio, percepì le urla tutt'intorno. A quell'ora, la zona era gremita di persone intente a far spese, a visitare la città o a recarsi al lavoro; tutte stavano correndo in cerca di un riparo, mentre i proiettili si facevano largo tra i cadenti edifici in pietra d'epoca staliniana.

Si voltò sul dorso e cercò con lo sguardo Artemij Belij, il suo commensale. Aveva incontrato il russo due giorni prima; era un giovane avvocato impiegato al ministero della Giustizia, e gli era parso simpatico. Avevano mangiato insieme, tra avvocati, sia a cena la sera precedente sia a colazione quella mattina, discutendo della nuova Russia e dei prossimi, importanti cambiamenti. Entrambi erano entusiasti di vivere in prima persona un momento storico tanto significativo. Lord aprì la bocca per lanciare un grido di avvertimento, ma non fece in tempo a emettere suoni. Vide il torace di Belij esplodere e il sangue, misto a pezzi di muscolo, spargersi sulla vetrata retrostante.

Il continuo *ra-ta-ta-ta* dell'arma automatica gli aveva ricordato le sparatorie tra gangster che si vedevano nei vecchi film. La vetrata s'infranse, ricoprendo il marciapiede di frammenti di vetro appuntiti, e il corpo di Belij gli si accasciò addosso. Le ferite emanavano un odore amaro e pungente, che ricordava quello del rame. Si scostò di dosso il russo esanime e osservò con inquietudine il flusso purpureo che penetrava attraverso il suo abito e gli colava dalle mani. Conosceva appena quell'uomo... Se fosse stato sieropositivo?

La Volvo inchiodò.

Lord si voltò verso destra.

Le portiere si aprirono e due uomini scesero in fretta dalla vettura. Entrambi impugnavano armi automatiche e indossavano l'uniforme blu e grigia con risvolti rossi della milizia, la polizia russa; nessuno dei due tuttavia portava il regolamentare berretto grigio bordato di rosso. L'individuo sceso dal sedile anteriore aveva l'arcata sopracciliare sporgente, un folto cespuglio di capelli e un grosso naso a patata che lo facevano somigliare all'Uomo di Cro-Magnon. L'altro invece era un tipo tozzo, col viso butterato e coi capelli lucidi pettinati all'indietro. L'occhio destro di quest'ultimo attirò l'attenzione di Lord; l'eccessiva distanza tra pupilla e sopracciglio creava un evidente effetto di collasso della palpebra: sembrava che l'uomo avesse un occhio chiuso e l'altro aperto. Tale caratteristica era la sola nota espressiva su un volto altrimenti poco eloquente: somigliava incredibilmente a Droopy, il cane dei disegni animati di Tex Avery.

Droopy si rivolse a Cro-Magnon in russo, dicendo: «Quel *čudak* è sopravvissuto».

Aveva sentito bene?

Čudak.

L'equivalente russo di «sporco negro».

Da quand'era arrivato a Mosca, otto settimane prima, non aveva visto altri volti di colore, a parte il proprio, perciò sapeva che il fatto avrebbe potuto creargli problemi. Gli venne in mente una frase che aveva letto in una guida turistica della Russia. *Le persone dotate di un incarnato scuro si aspettino di destare un certo grado di curiosità.* Un bell'eufemismo, senza dubbio.

Cro-Magnon condivise l'affermazione del collega con un cenno del capo. I due erano distanti soltanto una trentina di metri e Lord non aveva intenzione di restarsene lì a scoprire che cosa volevano. Si alzò e prese a correre nella direzione opposta. Gettando una rapida occhiata alle spalle, scorse i due che prendevano la mira. Vedendo profilarsi un incrocio, Lord ricoprì con un salto la distanza restante, proprio mentre udiva l'arma sparare da dietro.

I proiettili colpirono la pietra, creando nuvole di polvere nell'aria freddissima.

La gente si gettò di nuovo a terra per proteggersi.

Balzando sul marciapiede, Lord passò accanto a un *tolkuki*, un mercato rionale che si snodava a perdita d'occhio lungo la strada.

«Correte, sparano!» gridò in russo.

Una venditrice ambulante di bambole colse il messaggio al volo e si trascinò verso un portone vicino, avvolgendo una sciarpa intorno al volto segnato. Un gruppetto di cinque o sei ragazzini intenti a vendere bibite e giornali si fiondò in una drogheria. I commercianti abbandonarono i propri banchi e si dispersero come scarafaggi. La comparsa improvvisa della *mafija* non era un evento eccezionale; si sapeva che, soltanto a Mosca, c'erano più di cento bande a essa affiliate. Assistere a sparatorie, accoltellamenti o esplosioni era diventato normale come trovarsi imbottigliati nel traffico; uno dei tanti rischi di lavorare per strada.

Lord si tuffò nella prospekt affollata, dove il traffico costringeva le vetture ad avanzare con lentezza esasperante, trasformando sempre di più la congestione in caos. Udì il suono di un clacson e vide un taxi inchiodare a pochi centimetri da lui. Appoggiò pesantemente le mani insanguinate sul cofano, mentre l'autista continuava a strombazzare. Giratosi, vide i due inseguitori che svoltavano l'angolo con le armi in pugno. La folla si aprì all'improvviso, rendendolo un facile bersaglio. Si accovacciò dietro il taxi, mentre i proiettili colpivano l'autista.

Il clacson smise di suonare.

Lord si sollevò a guardare il volto del taxista, coperto di sangue e premuto frontalmente contro il finestrino del passeggero: aveva un occhio spalancato, e il vetro era tinto di schizzi. Gli inseguitori si trovavano a una cinquantina di metri, dall'altro lato della prospekt in fermento. L'avvocato esaminò gli esercizi commerciali situati su entrambi i lati del viale: un grande negozio di abbigliamento maschile, una boutique di vestiti per bambini e diversi antiquari. Cercava un luogo in cui poter far perdere le tracce e scelse McDonald's. Per qualche strano motivo, i due archi dorati gli infusero un senso di sicurezza.

Corse lungo il marciapiede e spalancò le porte a vetri. Centinaia di persone sedevano accalcate intorno ai tavolini piccoli e alti fino al petto, o nei séparé. Molte di più facevano la coda alle casse. Gli venne in mente che per un certo periodo quello era stato il ristorante più affollato del mondo.

L'odore di hamburger, patate fritte e sigarette si mischiava ai suoi rapidi e affannosi respiri. Alcune donne, scorgendo le sue mani e l'abito insanguinati, cominciarono a gridare che gli avevano sparato. A quel punto tra la folla serpeggiò il panico, e tutti presero a spingere con foga verso l'uscita. Lord cominciò ad avanzare tra la calca a spallate, ma si rese subito conto dell'errore. Così decise di farsi largo attraverso la sala e puntare alla scala che conduceva ai bagni. Divincolatosi dalla morsa della folla terrorizzata, si precipitò al piano inferiore, scendendo tre gradini per volta, facendo scivolare la mano destra, bagnata di sangue, lungo il corrimano d'acciaio.

«Largo! Fate largo!» ordinarono cupe voci russe dal piano di sopra.

Si udirono spari.

Poi altre grida e il rumore di passi affrettati.

Giunto al fondo delle scale, Lord si trovò dinanzi tre porte: una conduceva al bagno delle donne, un'altra a quello degli uomini. Aprì la terza e si ritrovò in un ampio magazzino, coi muri rivestiti da lucide piastrelle bianche, come il resto del locale. In un angolo c'erano tre persone strette intorno a un tavolo e intente a fumare. Notò le magliette: il volto di Lenin si sovrapponeva agli archi gialli di McDonald's. Incrociò i loro sguardi.

«Sparano! Al riparo!» gridò in russo.

Senza dire una sola parola, i tre si allontanarono dal tavolo, precipitandosi verso il lato opposto della stanza. Il primo dei tre spalancò una porta, da cui uscirono tutti. Lord si fermò un solo istante per chiudere a chiave l'entrata, poi li seguì. Si ritrovò in un vicolo retrostante l'edificio che ospitava il locale. Quasi si aspettava di veder spuntare uno zingaro o un veterano di guerra pluridecorato; a Mosca, in ogni recesso o anfratto trovavano dimora i gruppi sociali più emarginati.

I tetri palazzi circostanti, rivestiti di pietra grezza e logora, erano anneriti da decenni di emissioni incontrollate dei gas di scarico delle automobili. Si era spesso interrogato sugli effetti nocivi provocati da quei fumi ai polmoni. Cercò di riordinare i pensieri: si trovava a un centinaio di metri a nord della Piazza Rossa. Dov'era la più vicina fermata della metropolitana? Quella era senz'altro la via di fuga più sicura. Le stazioni della metropolitana erano sempre piene di poliziotti. Ma erano proprio i poliziotti a stargli alle calcagna... O forse no? Aveva letto che spesso i mafiosi si travestivano con le uniformi della milizia. Solitamente le strade brulicavano di polizia armata fino ai denti con manganelli e armi automatiche, eppure quel giorno non aveva visto nessuno.

Udì un tonfo provenire dall'interno dell'edificio.

Stavano forzando la porta d'ingresso del magazzino, quella che dava sui bagni. Si mise a correre in direzione del viale principale, proprio mentre dall'interno echeggiavano alcuni spari.

Raggiunto il marciapiede, svoltò a destra, correndo nei limiti imposti dal suo abbigliamento; con un braccio si sbottonò il colletto e allentò la cravatta, così da poter respirare più facilmente. I suoi inseguitori avrebbero girato l'angolo da un momento all'altro, quindi deviò rapidamente a destra e saltò la recinzione metallica che delimitava uno dei parcheggi disseminati nel cuore di Mosca.

Rallentò per guardarsi intorno: il parcheggio era pieno di Lada, Chaika e Volga; c'erano anche qualche Ford e poche berline tedesche. Quasi tutte le vetture erano malandate e sporche di fuliggine. Lord si voltò; i suoi inseguitori avevano girato l'angolo a un centinaio di metri da lui e gli stavano correndo incontro.

Si precipitò verso il centro del parcheggio erboso. Le pallottole colpirono di rimbalzo le macchine alla sua destra. Si riparò dietro una Mitsubishi scura e sbirciò dal paraurti posteriore. I due si trovavano dall'altra parte del prato; Cro-Magnon era fermo con la pistola puntata, mentre Droopy stava correndo verso la recinzione.

Un motore si avviò. Uscì fumo dal tubo di scappamento e si accesero le luci dei freni.

Una Lada color crema, posteggiata dall'altra parte della corsia centrale, fece marcia indietro in tutta fretta. Lord notò che il guidatore aveva un'espressione impaurita. Probabilmente, sentendo gli spari, aveva deciso di tagliare la corda.

Droopy saltò la recinzione.

Lord uscì dal nascondiglio e saltò sul cofano della Lada, aggrappandosi con le mani ai tergicristalli. Ringraziò il cielo che la vettura ne fosse dotata; per quanto ne sapeva, molti li tenevano nascosti nel vano portaoggetti per non farseli rubare. Il guidatore lo guardò con aria allarmata, ma continuò ad accelerare e a dirigersi verso il viale trafficato. Attraverso il lunotto posteriore, Lord scorse Droopy che, a cinquanta metri di distanza, si preparava a far fuoco e Cro-Magnon che scavalcava la recinzione. Ripensando al taxista, decise che non era giusto coinvolgere il guidatore della Lada; così, quando l'automobile uscì sul viale a sei corsie, scese dal cofano, rotolando sul marciapiede.

Un secondo dopo fu raggiunto dalle pallottole.

La Lada svoltò a destra e si dileguò a tutto gas.

Lord continuò a rotolare finché non si ritrovò sulla strada, sperando che un leggero avvallamento nell'asfalto bastasse a eludere la traiettoria dei proiettili.

La terra e il cemento si polverizzarono al contatto con le pallottole.

Una folla in attesa dell'autobus si disperse.

Lord si girò a sinistra e vide un autobus procedere diritto a una decina di metri di distanza. Il veicolo azionò i freni ad aria compressa, facendo stridere le gomme. L'odore di zolfo proveniente dal tubo di scarico era soffocante. Quando l'autobus si fermò, Lord riprese a rotolare su se stesso; la vettura si era frapposta tra lui e gli uomini armati, e non c'erano macchine sulla corsia più esterna.

Si alzò e guardò le sei corsie: il traffico scorreva in un'unica direzione. Attraversò il viale, facendo attenzione a percorrere una traiettoria perpendicolare rispetto all'autobus. A metà strada fu costretto a fermarsi per far passare una fila di veicoli; nel giro di pochi istanti, gli altri due avrebbero aggirato l'autobus. Allora attraversò in fretta le ultime corsie e raggiunse il marciapiede con un salto.

Si trovò di fronte a un cantiere edile in piena attività; contro il cielo pomeridiano, in rapido annuvolamento, si stagliavano quattro piani di travi spoglie. Continuava a non vedere poliziotti, a parte i due che gli stavano alle costole. Nella frenesia del traffico si udiva il rumore di gru e betoniere. A differenza di quanto succedeva ad Atlanta, dove lui viveva, la zona del cantiere non era delimitata da nessun tipo di recinzione.

Rallentando la corsa, si rese conto che gli inseguitori stavano attraversando il viale. Gli operai continuarono a lavorare senza prestargli la minima attenzione. Lord si chiese quanti uomini di colore con indosso abiti insanguinati si aggirassero normalmente in quel posto di lavoro... Ma in fondo era un atteggiamento tipico della nuova Mosca.

Dietro di lui, gli uomini armati avevano raggiunto il marciapiede e si trovavano a meno di quaranta metri di distanza.

Di fronte, una betoniera rimescolava la malta grigia sotto la supervisione di un operaio che indossava il casco di protezione. L'apparecchio poggiava su un'ampia piattaforma lignea, imbracata con le catene a un cavo, agganciato alla gru, che si snodava per l'altezza di quattro piani. L'operaio addetto alla miscelazione indietreggiò per lasciar salire l'intera piattaforma.

Più in alto vado meglio è, pensò Lord. Si mise a correre e, con un balzo, si aggrappò al fondo della piattaforma in ascesa. Uno strato di cemento incrostato rendeva difficile mantenere la presa, ma il solo pensiero di Droopy e del suo compare bastò a rendere salde le sue dita.

La piattaforma si librò, e l'uomo si ritrovò appeso in aria.

Il movimento sbilanciato provocò un ondeggiamento e le catene cigolarono per il sovrappeso; Lord riuscì ugualmente a salire e ad appiattirsi contro la betoniera. A causa del peso aggiuntivo e del movimento, però, la betoniera si rovesciò, inondandolo con una colata di malta.

Lui si sporse a guardare.

Gli inseguitori avevano assistito alla sua impresa. Ormai si trovava a una quindicina di metri d'altezza e continuava a salire. I due si fermarono e presero la mira. Percependo sotto di sé il legno incrostato di malta, Lord si voltò a guardare la betoniera.

Non aveva altra scelta.

S'infilò rapidamente nel buco, facendo tracimare la malta umida. Una melma fredda lo avvolse, e un brivido gli percorse il corpo, già tremante.

Udì gli spari.

Le pallottole danneggiarono il fondo della piattaforma e scalfirono l'acciaio della betoniera. Lord s'immerse nel cemento e udì l'urto del piombo contro l'acciaio.

Poi, all'improvviso, l'eco delle sirene. Sempre più vicino.

Gli spari cessarono.

Sbirciando in direzione del viale, vide tre auto della polizia dirigersi a tutta velocità a sud, verso il cantiere; gli uomini armati avevano anch'essi udito le sirene e si erano subito fermati. Poi scorse la Volvo blu scura – da cui era iniziato tutto – percorrere in fretta il viale dalla direzione opposta. Droopy e Cro-Magnon indietreggiarono verso la vettura; avevano l'aria di chi si trattiene a stento dall'offrire qualche pallottola di addio.

Infine li vide salire sulla Volvo e andare via. Soltanto allora si mise sulle ginocchia e trasse un sospiro di sollievo.

2

Lord scese dall'automobile della polizia. Si trovava di nuovo sulla Nikol'skij prospekt, nel luogo in cui era iniziata la sparatoria. Al cantiere lo avevano fatto scendere e poi innaffiato per togliergli la malta e il sangue di dosso. Aveva detto addio alla giacca e alla cravatta. La camicia, un tempo candida, e i pantaloni scuri erano fradici e macchiati di grigio; in quel gelido pomeriggio, facevano sul suo corpo l'effetto di un impacco ghiacciato. Uno degli operai aveva recuperato una coperta di lana, e lui vi ci si era avvolto; peccato che fosse semiammuffita e puzzasse di cavallo. Considerato l'accaduto, si meravigliò di aver riacquistato la calma.

La prospekt era gremita di vetture della polizia e di ambulanze; le sirene lampeggiavano e ovunque si vedevano agenti in uniforme. Il traffico era paralizzato, perché la polizia aveva bloccato entrambi i lati della strada, così come tutti gli accessi a McDonald's.

Lord fu presentato a un uomo piccolo e muscoloso, col collo taurino e con due basettoni fulvi ben rasati che crescevano su guance paffute. La fronte era solcata da rughe profonde, il naso era storto, forse per una frattura trascurata, e l'incarnato mostrava il pallore olivastro tipico dei russi. Sotto un soprabito color carbone, indossava un abito grigio troppo largo e una camicia scura; le scarpe erano sporche e consumate.

«Sono l'ispettore Orleg. *Milicija*», si presentò, tendendo una mano. «Lei era qui quando hanno sparato?»

L'ispettore gli si era rivolto in un inglese con forte accento russo e Lord fu incerto se rispondere in russo, cosa che avrebbe senz'altro semplificato la conversazione. Molti russi ritenevano che gli americani – soprattutto quelli di colore, considerati fenomeni da baraccone – fossero troppo arroganti o pigri per imparare la loro lingua. Tuttavia, negli ultimi dieci anni, era stato a Mosca una dozzina di volte e aveva imparato a tenere per sé la propria competenza linguistica; poteva così approfittarne per cogliere i commenti scambiati tra gli avvocati e gli uomini d'affari che si ritenevano protetti dalla barriera idiomatica. In quel momento, era molto sospettoso nei confronti di chiunque. Prima di allora aveva avuto a che fare con la polizia soltanto per controversie relative ai parcheggi, anche se una volta si era visto costretto a sborsare cinquanta rubli per invalidare l'accusa di un'improbabile infrazione del codice stradale. Capitava spesso che la polizia moscovita «alleggerisse» gli stranieri. *Che cosa si aspetta da uno che guadagna cento rubli al mese?* si era sentito domandare da un poliziotto intento a intascare cinquanta dollari.

«Le persone che hanno sparato erano della polizia», disse in inglese.

Il russo scosse la testa. «Erano travestiti da poliziotti. La *milicija* non spara alla gente.»

«Quei due sì.» Intravide, alle spalle dell'ispettore, il cadavere insanguinato di Artemij Belij. Il giovane russo era accasciato sul marciapiede in una posizione supina assai scomposta; aveva gli occhi aperti e rivoli rossastri fuoriuscivano dai buchi nel torace. «Quante persone sono rimaste coinvolte?»

«*Pjat'*.»

«Cinque? Quanti morti?»

«*Četyre*.»

«Non sembra essere turbato dal fatto che quattro persone siano rimaste uccise in una sparatoria in pieno giorno, per di più in mezzo a una strada pubblica...»

Orleg alzò le spalle. «C'è poco da fare. È impossibile riuscire a tenere sotto controllo la Protezione.»

«Protezione» era il termine con cui s'indicava comunemente la *mafija* che infestava Mosca e buona parte della Russia occidentale. Lord non aveva mai compreso a fondo l'etimologia di quel vocabolo... Forse si riferiva al meccanismo del pagamento del pizzo, o forse era una semplice metafora del vertice dell'assurda piramide sociale russa. Fatto sta che le macchine più belle, le dacie più grandi e i vestiti più eleganti appartenevano ai mafiosi. Nessuno di loro si curava di nascondere la propria ricchezza; al contrario, tendevano a ostentare la prosperità di fronte al governo e alla gente. Si trattava di una classe sociale a parte, formatasi con eccezionale rapidità. I membri della comunità finanziaria a lui noti consideravano il pagamento del pizzo uno dei tanti compiti di un dirigente, indispensabile alla sopravvivenza dell'azienda quanto una buona forza lavoro o un magazzino ben organizzato. Più di un conoscente del posto gli aveva spiegato che quando un signore vestito Armani ti faceva visita e pronunciava le parole: *Bog zaveščaet delit'sja* – «Dio c'insegna a cavarcela» – andava preso sul serio.

«A me interessa sapere perché quegli uomini le stavano dando la caccia», disse Orleg.

Lord indicò Belij. «Perché non lo coprite?»

«Ormai non gli importa più.»

«Ma a me sì. Lo conoscevo.»

«Come?»

Cercò il portafoglio. La tessera plastificata di riconoscimento che gli avevano fornito settimane prima era sopravvissuta al bagno di malta. La porse a Orleg.

«Lei fa parte della Commissione per lo zar?» chiese l'ispettore. Ma la domanda implicita era: «Che c'entra un americano in una questione così profondamente russa?»

A Lord, quell'uomo piaceva sempre meno. La presa in giro gli sembrò il modo migliore di esternare i propri sentimenti. «Io parte della Commissione per lo zar.»

«Il suo ruolo?»

«È un'informazione riservata.»

«Ma potrebbe essere rilevante per il caso.»

Il sarcasmo della sua prima risposta era passato inosservato. «Allora si rivolga direttamente alla commissione.»

Orleg indicò il cadavere. «E questo qua?»

Lord spiegò che Artemij Belij era un avvocato del ministero della Giustizia, assegnato alla commissione per facilitare l'accesso agli archivi. Dal punto di vista personale, sapeva soltanto che non era sposato, che viveva in un appartamento comunale a nord di Mosca e che un giorno gli sarebbe piaciuto visitare Atlanta.

Si avvicinò a guardare il corpo.

Era da un pezzo che non vedeva un cadavere mutilato; ma aveva visto di peggio durante la missione in Afghanistan come riservista; sei mesi che poi erano diventati un anno. Era stato scelto – come avvocato, non come combattente – per la sua competenza linguistica; faceva parte di una delegazione politica inviata in appoggio a un contingente del dipartimento di Stato, incaricato di agevolare la transizione di governo seguita alla caduta del regime talebano. Il suo studio legale aveva ritenuto importante avere un membro coinvolto nell'operazione: un vantaggio d'immagine e un buon passo avanti per la sua carriera. Tuttavia Lord aveva desiderato offrire un contributo maggiore, per non limitarsi ad avere a che fare con pratiche e documenti. Così aveva deciso di aiutare a seppellire i morti. Gli afghani avevano subito perdite ingenti, assai maggiori rispetto alle cifre diffuse dalla stampa. La sua pelle ricordava ancora il sole cocente e la sferza del vento, che acceleravano la decomposizione complicando il già lugubre compito. La morte non era una cosa piacevole, indipendentemente dal luogo in cui avveniva.

«Proiettili esplosivi», puntualizzò Orleg alle sue spalle. «Entrano piccoli ed escono grandi. Si portano via un bel po' di roba, uscendo.» La voce dell'ispettore non era velata dalla minima compassione.

Lord notò lo sguardo fisso e l'occhio vitreo dell'uomo, il quale emanava un vago odore di alcol e menta. Gli aveva dato fastidio il commento impertinente con cui aveva risposto alla sua richiesta di coprire il cadavere. Così si tolse la coperta di spalle e, chinatosi, la distese su Belij.

«Noi i morti li copriamo», disse a Orleg.

«Qui ce ne sono troppi, inutile prendersi il disturbo.»

Il poliziotto era il ritratto del cinismo; probabilmente ne aveva viste di tutti i colori... Il governo aveva perso il controllo poco per volta e lui lavorava, come la maggior parte dei russi, retribuito soltanto con la promessa di un pagamento futuro o con dollari americani provenienti dal mercato nero. Settant'anni e più di comunismo avevano lasciato un segno. *Besporjadok*: «anarchia». Un marchio indelebile che aveva deturpato per sempre il Paese, trascinandolo verso lo sfacelo.

«Il ministero della Giustizia è un obiettivo sensibile», asserì Orleg. «S'immischia sempre, ma bada poco alla sicurezza. Erano stati avvertiti.» Indicò il corpo. «Non è né il primo né l'ultimo avvocato a morire.»

Lord non replicò.

«Forse il nuovo zar risolverà tutti i nostri problemi?» proseguì l'altro.

L'americano si alzò, affiancò l'ispettore e lo guardò negli occhi. «Chiunque è in grado di fare meglio di così.»

Orleg lo scrutò con sguardo truce, senza dare segno di condividere quell'affermazione. «Non mi ha risposto. Perché quegli uomini le davano la caccia?» tornò a chiedere.

Lord ripensò alla frase pronunciata da Droopy mentre scendeva dalla Volvo: «Quel *čudak* è sopravvissuto». Avrebbe dovuto dirlo all'ispettore? In lui c'era qualcosa che non lo convinceva. Ma forse tali sospetti erano soltanto una comprensibile conseguenza di quanto appena accaduto. Decise di tornare in albergo e raccontare tutto a Taylor Hayes.

«Non ne ho idea... Forse perché li ho osservati da vicino. Senta, ha visto il mio tesserino di riconoscimento e sa dove trovarmi. Sono bagnato fradicio, ho un freddo tremendo e ciò che resta del mio vestito è zuppo di sangue. Vorrei cambiarmi. Uno dei suoi uomini potrebbe accompagnarmi al Volkhov?»

L'ispettore non rispose immediatamente, ma rimase a guardarlo con aria calcolatrice. *Probabilmente lo fa apposta*, pensò Lord.

Infine Orleg gli restituì il tesserino. «Ma certo, Mr Avvocato della commissione. Come vuole. Le farò mettere a disposizione una macchina.»

Lord fu condotto all'entrata principale dell'Hotel Volkhov da una pattuglia della polizia. Il portiere lo fece entrare senza dire una parola. Il pass dell'albergo era distrutto, ma lui non aveva bisogno di mostrarlo. Era l'unico uomo di colore residente in quell'edificio, dunque facilmente riconoscibile. I suoi abiti, in condizione pietosa, destarono tuttavia un certo grado di stupore e curiosità.

Il Volkhov era stato costruito nei primi anni del XX secolo, in epoca pre-rivoluzionaria. Si trovava nella zona centrale di Mosca, a nord-ovest del Cremlino e della Piazza Rossa, di fronte al Teatro Bolscioj. Nel periodo comunista, dalle stanze situate sul lato della strada si potevano vedere il colossale Museo di Lenin e il monumento a Karl Marx. Negli ultimi dieci anni, grazie al contributo congiunto di finanziatori americani ed europei, l'albergo era stato restaurato e riportato alla sua antica gloria. Il maestoso ingresso e i saloni, ornati di dipinti murali e lampadari di cristallo, conferivano all'edificio un'atmosfera che ricordava i fasti dell'epoca zarista. Tuttavia i quadri alle pareti – eseguiti da pittori russi – tradivano l'anima capitalista del luogo, perché erano in vendita. Inoltre, l'aggiunta di una moderna sala conferenze, di un centro benessere e di una piscina coperta proiettava ancor più l'antica struttura nel nuovo millennio.

Lord si diresse verso la reception e domandò se Taylor Hayes fosse in camera sua. Gli risposero che si trovava nella sala riunioni. Dopo un attimo di esitazione, in cui fu incerto se cambiarsi d'abito, decise di non poter aspettare un minuto di più. Attraversò la hall e, dalla parete vetrata, vide Hayes seduto di fronte a un computer.

Hayes era uno dei quattro soci anziani a capo dello studio Pridgen & Woodworth. Tale studio, che aveva alle sue dipendenze quasi duecento avvocati, era una delle più grandi «fab-

briche legali» del Sud-Est degli Stati Uniti: alcune tra le assicurazioni, le banche e le società più importanti del mondo pa-
gavano l'onorario allo studio con cadenza mensile. Gli uffici
occupavano due piani di un elegante grattacielo blu nel centro
di Atlanta.

In possesso di una laurea in Legge e di un master in Scienze
commerciali, Hayes godeva della reputazione di grande
esperto di economia globale e di diritto internazionale. La natura lo aveva dotato di un fisico asciutto e atletico, e la sua età
era tradita soltanto da qualche chiazza candida nei capelli scuri. Era una presenza fissa, in qualità di opinionista di rilievo,
alla CNN, dove «bucava lo schermo». I suoi occhi grigio-az-
zurri esprimevano con vigore una personalità che, a Lord, era
apparsa da subito un misto tra lo showman, lo spaccone e l'accademico.

Di rado il suo mentore si presentava in tribunale, e ancor
più di rado partecipava alle riunioni settimanali dei circa cinquanta avvocati impiegati al settore internazionale dello studio. Lord aveva spesso lavorato a contatto con Hayes, seguen-
dolo nelle trasferte in Europa e in Canada; aveva condotto ricerche e redatto documenti per suo conto. Tuttavia soltanto
nelle ultime settimane avevano trascorso un po' più di tempo
insieme, e aveva cominciato a chiamarlo «Taylor» invece che
«Mr Hayes».

Hayes era sempre in trasferta e viaggiava almeno tre settimane al mese per soddisfare le esigenze della nutrita schiera
di clienti internazionali, disposti a pagare 450 dollari l'ora per
una consulenza a domicilio. Dodici anni addietro, quando
Lord era entrato nello studio, Hayes aveva subito apprezzato
il giovane. In seguito, Lord era venuto a sapere che era stato
proprio Taylor a chiedere che venisse assegnato al settore internazionale; di certo una laurea con lode alla facoltà di Legge
dell'University of Virginia, un master in Storia dell'Europa
orientale alla Emory University e un'ottima conoscenza delle
lingue erano qualifiche non comuni. Hayes aveva cominciato
a mandarlo in giro per l'Europa, soprattutto nei Paesi dell'Est.
Lo studio Pridgen & Woodworth, infatti, rappresentava un
ampio portafoglio di clienti che investivano massicciamente

nella Repubblica Ceca, in Polonia, in Ungheria, nelle Repubbliche baltiche e in Russia. I clienti soddisfatti determinavano un costante avanzamento di carriera all'interno dello studio, forse un giorno sarebbe diventato capo del settore internazionale; sempre che, naturalmente, riuscisse a sopravvivere fino a quel giorno.

Lord spalancò la porta a vetri ed entrò nella sala riunioni. Hayes lo adocchiò dalla postazione del computer e gli chiese: «Che diavolo ti è successo?»

«Non qui.»

Nella sala erano presenti circa dieci persone. Il capo colse al volo il messaggio e, senza aggiungere una sola parola, lo seguì verso uno dei tanti saloni disseminati al pianterreno, caratterizzato da uno straordinario soffitto in vetro istoriato e da una fontana di marmo rosa. Nelle settimane precedenti, si erano spesso riuniti intorno a quei tavoli, tanto che ormai quella stanza era diventata il loro punto d'incontro ufficiale.

Lord attirò l'attenzione di un cameriere e si toccò la gola, segno con cui si ordinava la vodka. Ne aveva davvero un disperato bisogno.

«Racconta, Miles», lo esortò Hayes.

Lui gli spiegò l'accaduto nei dettagli, incluso il commento di uno degli uomini armati e l'ipotesi dell'ispettore Orleg sul fatto che l'obiettivo della sparatoria fosse Belij, in quanto membro del ministero della Giustizia. Poi aggiunse: «Taylor, credo che quei tizi puntassero a me».

Hayes scosse la testa. «Non puoi saperlo. Forse si sono accorti che li hai visti bene in faccia e hanno deciso di eliminare il testimone. Il caso vuole che fossi l'unica persona di colore lì presente.»

«C'erano migliaia di persone in quel viale. Perché eliminare soltanto me?»

«Perché eri con Belij. Quell'ispettore ha ragione: probabilmente l'obiettivo era lui. Devono averlo tenuto sott'occhio tutto il giorno per aspettare il momento migliore in cui entrare in azione.»

«Non possiamo esserne certi.»

«Miles, hai conosciuto Belij appena due giorni fa: non sai

niente di lui. La gente qui muore ogni secondo, per una miriade di cause innaturali.»

Lord diede uno sguardo alle chiazze scure sui suoi vestiti e ripensò all'AIDS. Il cameriere portò la bevanda e Hayes gli porse un po' di rubli. Lord inspirò e mandò giù una bella sorsata, lasciando che quell'alcol, così potente, gli calmasse i nervi. Amava la vodka russa, era davvero la migliore del mondo. «Prego Dio che quel ragazzo non fosse sieropositivo. Ho ancora addosso il suo sangue.» Posò il bicchiere. «Credi che dovrei lasciare il Paese?»

«Vuoi farlo?»

«No, cazzo. Qui sta per essere scritto un capitolo importante della storia; non ho nessuna intenzione di partire e mollare tutto. Voglio raccontare questa esperienza ai miei nipoti: quando lo zar di tutte le Russie fu riabilitato sul trono, io c'ero.»

«Allora non partire.»

Un'altra sorsata di vodka. «D'altro canto, un giorno vorrei anche riuscire a vederli, i miei nipotini.»

«Come hai fatto a fuggire?» domandò Hayes.

«Ho corso come un disperato. È stato il pensiero di mio nonno, oggetto della 'caccia al negro', a darmi la forza di continuare a correre.»

Sul volto di Hayes comparve uno sguardo stranito.

«Lo sport preferito dei razzisti del Sud negli anni '40», spiegò Lord. «Prendi un negro, portalo nella foresta, fagli dare una bella sniffatina da parte dei cani e lasciagli una mezz'oretta di vantaggio.» Ancora un sorso di vodka. «Quei bastardi non sono mai riusciti ad acciuffare mio nonno.»

«Vuoi che ti metta a disposizione una guardia del corpo?» chiese Hayes.

«Forse è una buona idea.»

«Io preferirei che rimanessi a Mosca. Le cose qui rischiano di complicarsi parecchio e io ho bisogno di te.»

Anche Lord desiderava restare. Perciò cercò di convincersi del fatto che Droopy e Cro-Magnon lo avessero inseguito soltanto perché era stato testimone di un delitto, niente di più. Doveva per forza essere così... Quale altra ragione poteva sussistere? «Ho lasciato il mio materiale agli archivi. Pensavo di uscire solo un attimo, per un pranzo veloce.»

«Manderò qualcuno a recuperarlo», propose Hayes.

«No. Preferisco farmi una doccia e poi andare a prenderlo io stesso. In ogni caso, non avevo ancora finito le mie ricerche.»

«Hai trovato qualcosa d'interessante?»

«Non esattamente. Sto solo cercando di mettere insieme i pezzi», rispose Lord. «Ti farò sapere se spunta fuori materiale di rilievo. Il lavoro mi distrarrà dalle preoccupazioni.»

«Che ne dici, te la senti di fare il briefing domani?»

«Puoi scommetterci.»

Hayes sorrise. «Questo sì che si chiama reagire... Sapevo che eri un duro.»

4

Ore 14.30

Hayes si fece largo a spallate attraverso la fiumana di pendolari che defluiva dal convoglio della metropolitana. I binari, deserti fino a un istante prima, brulicavano di migliaia di moscoviti diretti verso le quattro scale mobili che conducevano in superficie, quasi duecento metri più su. La vista era impressionante, ma era il silenzio ad attirare ogni volta la sua attenzione. Non si sentiva altro che il rumore dei tacchi sul pavimento e lo sfregamento dei soprabiti. Di tanto in tanto si udiva una voce isolata, ma, nel complesso, era una triste processione quella degli otto milioni d'individui che ogni mattina sfilava all'interno e ogni sera all'esterno del sistema di trasporto sotterraneo più affollato del mondo.

La metropolitana era stata l'orgoglio di Stalin. Un tentativo di celebrare la conquista del socialismo costruendo, negli anni '30, il tunnel più lungo e più largo mai completato. Le stazioni disseminate per la città erano diventate vere e proprie opere d'arte, con decorazioni floreali a stucco, pilastri neoclassici in marmo, lampioni elaborati, oro e vetro. Nessuno aveva mai indagato sul costo di un'opera simile e della relativa manutenzione. Quella follia costituiva un sistema di trasporto indispensabile; richiedeva miliardi di rubli l'anno per la manutenzione, ma faceva entrare nelle casse dello Stato soltanto pochi copechi a corsa. Eltsin e i suoi successori avevano tentato di alzare il prezzo, ma la reazione pubblica era stata talmente furibonda da costringerli a cedere. Ecco qual era il problema in Russia, pensò Hayes: troppo populismo per una nazione tanto instabile. Puoi anche commettere errori, ma non puoi permetterti di esitare. Hayes era convinto che i russi avrebbero rispettato di più i propri capi di Stato, se quelli avessero alzato le tariffe e poi sparato in faccia ai contestatori. Era una lezione che molti zar e leader comunisti non avevano imparato, in particolare Nicola II e Mikhail Gorbačëv.

Sceso dalla scala mobile, Hayes seguì la calca e uscì all'aria, nel pomeriggio frizzante. Si trovava a nord del centro, al di là dell'autostrada a quattro corsie – curiosamente chiamata l'Anello dei Giardini – che circondava la città. La stazione da cui si stava allontanando era un ovale fatiscente rivestito di vetro e piastrelle e col tetto piatto... non un fiore all'occhiello dell'epoca staliniana, insomma. In effetti, l'intera zona non era menzionata nelle guide turistiche. Di fronte all'ingresso della stazione c'era un'interminabile schiera di uomini e donne dal volto contratto, coi capelli arruffati e coi vestiti ridotti a fetidi brandelli; cercavano di vendere di tutto – dagli articoli da toilette alle musicassette pirata al pesce essiccato – per racimolare pochi rubli o, ancor meglio, dollari americani. Hayes si domandava spesso se qualcuno osasse sul serio acquistare quelle carcasse di pesce, avvizzite e salate, il cui aspetto suscitava ancora più disgusto dell'odore nauseabondo. L'unico luogo in cui pescare nei paraggi era la Moscova e, per quanto ne sapeva a proposito delle politiche russe di smaltimento delle scorie, era impossibile dire quali sorprese avrebbe riservato il pasto.

Si abbottonò il soprabito e procedette di buon passo lungo il marciapiede sconnesso, cercando di confondersi con l'ambiente. Si era cambiato d'abito, sostituendo il completo elegante con pantaloni di velluto a coste verde oliva, una camicia scura a righe diagonali e un paio di scarpe da tennis nere. Qualsiasi traccia di occidentalità avrebbe provocato seri problemi.

Giunse al club presso cui era stato indirizzato, nel cuore di un fatiscente isolato, vicino a un panettiere, una drogheria, un negozio di dischi e un gelataio. Nessuna insegna indicava la sua esistenza, a parte una piccola scritta in cirillico che prometteva agli avventori divertimento assicurato.

L'interno era scarsamente illuminato; l'unico, vano tentativo di conferire al locale un minimo di atmosfera era costituito dalla presenza di un rivestimento in finto noce alle pareti. L'aria tiepida era permeata da una nebbia bluastra. Al centro della stanza dominava un enorme labirinto in compensato, una stranezza che lui aveva già notato nei più ricercati ritrovi dei nuovi ricchi. Di solito erano mostruosità al neon, ricavate in strutture di marmo e laterizio; quella invece era la versione povera, realizzata con semplici tavole e illuminata da impianti fluorescenti che emanavano raggi bluastri.

Intorno alla struttura era radunata una folla: non esattamente il tipo di persone che si ritrovavano a gustare salmone, aringhe e insalata di barbabietola in locali più decorosi, sorvegliati da guardie armate, per poi giocarsi migliaia di dollari alla roulette o a black-jack in un privé. In quei posti bisognava sborsare fino a duecento bigliettoni soltanto per varcare la soglia; peccato che per la maggior parte dei lavoratori – quantomeno per gli operai delle fabbriche e delle fonderie vicine – duecento dollari corrispondessero a sei mesi di stipendio.

«Arriva proprio al momento giusto», disse Feliks Orleg in russo.

Hayes non aveva notato l'avvicinarsi dell'ispettore; la sua attenzione era rivolta al labirinto. Indicando la folla, chiese, sempre in russo: «Che cosa guardano?»

«Lo vedrà.»

Avvicinandosi, Hayes notò che la struttura era suddivisa in tre intricati labirinti. Da alcune porticine situate all'estremità uscirono tre ratti. I roditori sembrarono capire al volo ciò che ci si aspettava da loro e cominciarono a correre, sotto le urla e gli ululati degli uomini accalcati intorno. Quando uno degli spettatori allungò un braccio per assestare un colpo laterale alla struttura, comparve dal nulla un uomo corpulento con le braccia da pugile e lo fermò.

«La versione moscovita del Kentucky Derby», osservò Orleg.

«Va avanti per l'intera giornata?»

I ratti correvano, affrontando curve e svolte improvvise.

«Per tutto il maledetto giorno. Buttano via quel poco che guadagnano.»

Un ratto tagliò il traguardo, e una parte degli astanti proruppe in grida esaltate. Hayes si chiese quanto potevano aver vinto, ma poi decise di venire al punto. «Voglio sapere cos'è accaduto oggi.»

« Il *čudak* era come un ratto; correva velocissimo per la strada. »

« Non doveva avere la possibilità di correre. »

Orleg mandò giù una sorsata di vodka. « Pare che gli uomini abbiano mancato il bersaglio. »

La folla si stava placando, pronta per un'altra corsa. Hayes indirizzò Orleg verso un tavolo vuoto nell'angolo opposto della stanza. « Non sono in vena di constatazioni saccenti. Bisognava ucciderlo: era tanto difficile? »

Orleg assaporò in bocca un altro sorso, prima di deglutirlo. « Come ho già detto, quegli idioti hanno mancato Lord e, quando si sono messi a inseguirlo, lui è scappato. In modo piuttosto creativo, a quanto mi hanno riferito. Non è stato facile, per me, sgombrare tutta quell'area dalla polizia per diversi minuti. Hanno avuto una buona occasione... e invece sono morti tre cittadini russi. »

« Credevo che fossero professionisti. »

Orleg rise. « Bastardi, sì, ma non killer professionisti. Sono gangster. Che altro si aspettava? » Svuotò il bicchiere. « Vuole che facciamo un altro tentativo con Lord? »

« Merda, no. Anzi non voglio che gli torciate neppure un capello », rispose Hayes.

Orleg non replicò, ma dal suo sguardo si capiva che non gli piaceva prendere ordini dagli stranieri.

« Lasciatelo in pace », ribadì Hayes. « Non dovevamo neppure coinvolgerlo. Si è convinto che il bersaglio fosse Belij. Meglio così, lasciamoglielo credere. »

« I miei uomini hanno detto che il suo avvocato aveva l'aria di chi ci sa fare. »

« Era uno sportivo, al college: giocava a football e praticava l'atletica. Ma due kalashnikov avrebbero dovuto comunque avere la meglio su di lui. »

Orleg si appoggiò allo schienale della sedia. « Magari potrebbe occuparsene direttamente lei. »

« Forse lo farò, ma per ora tenga alla larga quei due idioti. Hanno avuto la loro occasione, non voglio altri colpi. Se non si atterranno all'ordine, li assicuri che non gradiranno la visita dei superiori. »

L'ispettore scosse la testa. «Quand'ero ragazzo, davamo la caccia ai ricchi per torturarli. Ora siamo pagati per proteggerli.» Sputò per terra. «Tutto questo mi fa vomitare.»

«Chi ha parlato di ricchi?»

«Crede che non sappia ciò che sta succedendo?»

Hayes si avvicinò. «Lei non sa un cazzo, Orleg. Si faccia un favore e la pianti di ficcare il naso. Esegua gli ordini. È meglio per la sua salute.»

«Americani bastardi. Il mondo gira al contrario, ormai. Mi ricordo un'epoca in cui temevate che non vi lasciassimo neppure uscire dal nostro Paese. Ora lo possedete tutto.»

«Proceda come stabilito. I tempi cambiano; o sta al passo o esce di scena. Voleva essere un protagonista? Prego. Ma ci vuole obbedienza.»

«Non si preoccupi di me, avvocato, ma del suo problema con Lord...»

«Non è affar suo. So io come gestirlo.»

5

Ore 15.35

Lord fece ritorno agli archivi russi, situati in un tetro edificio di granito rosa che un tempo aveva ospitato l'Istituto del marxismo-leninismo. Ormai era il Centro per la conservazione e lo studio dei documenti di Storia contemporanea, l'ennesimo esempio della propensione – tipicamente russa – per i titoli prolissi.

In occasione della sua prima visita, era rimasto sorpreso nel trovare sul frontone dell'ingresso principale le immagini di Marx, Engels e Lenin, accompagnate dalla scritta AVANTI, VERSO LA VITTORIA DEL COMUNISMO. Infatti, in ogni parte del Paese – per le città, per le strade e sugli edifici – le vestigia dell'epoca comunista erano state sostituite dall'aquila a due teste che la dinastia dei Romanov aveva sfoggiato per trecento anni; gli avevano detto che la statua in granito rosso di Lenin era una delle ultime rimaste in Russia.

Una doccia calda e un altro po' di vodka gli avevano calmato i nervi; aveva indosso l'unico completo di ricambio che si era portato da Atlanta, un abito grigio ferro leggermente gessato.

Prima della caduta del comunismo, gli archivi erano considerati un luogo proibito, assolutamente inaccessibile se non ai più fedeli sostenitori del regime; tale limitazione era in parte sopravvissuta e Lord doveva ancora capire perché. Gli scaffali erano pieni per lo più d'insulsi documenti personali, libri, lettere, diari, registri del governo e altro materiale inedito: tutti scritti insignificanti, privi di valore storico. A complicare ulteriormente la situazione, c'era la totale assenza di un sistema di catalogazione alfabetica, sostituito soltanto da un'organizzazione sommaria in base all'anno, a una determinata persona o all'indicazione geografica. Un sistema non-sistema, del tutto caotico e di certo ideato più per confondere le idee che per aiutare a orientarsi. Sembrava che tutti volessero nascondere il passato e, probabilmente, era proprio così.

Oltretutto non si poteva neppure chiedere aiuto. Il personale dell'archivio, che era lì dai tempi del regime, apparteneva all'ex gerarchia del partito: pochi individui che avevano goduto di privilegi inaccessibili agli altri cittadini. Era rimasto un gruppetto di anziane signore, molte delle quali – secondo Lord – agognavano il ritorno all'ordine totalitario. La mancanza di assistenza era il motivo per cui era ricorso all'aiuto di Artemij Belij, grazie al quale era riuscito a concludere molto di più negli ultimi due giorni che nelle settimane passate.

Tra gli scaffali di metallo si aggiravano con indolenza pochi individui. La maggior parte delle testimonianze storiche, soprattutto quelle relative a Lenin, era stata un tempo relegata nei sotterranei, dietro porte di acciaio; Eltsin aveva posto fine a tale segretezza, ordinando di spostare tutto in superficie e di aprire l'edificio anche ad accademici e giornalisti. Tuttavia un'ampia sezione – costituita dai cosiddetti Fascicoli Protetti – continuava a restare nascosta; proprio come avveniva negli Stati Uniti coi documenti TOP SECRET, non potevano essere consultati, nemmeno appellandosi al Freedom of Information Act. In quanto membro della Commissione per lo zar, Lord possedeva le credenziali per accedere a qualsiasi documento considerato segreto da parte dello Stato; il pass che gli aveva procurato Hayes, infatti, trasmetteva al portatore l'autorizzazione governativa a consultare anche i Fascicoli Protetti.

Sedutosi al tavolo riservato, dunque, si sforzò di concentrarsi sulle pagine che aveva sott'occhio. Il suo compito era sostenere la rivendicazione al trono di Stefan Baklanov, discendente dei Romanov e candidato favorito per il conferimento del titolo di zar da parte della commissione. Dal momento che costui aveva stretti legami con importanti società occidentali – molte delle quali erano clienti di Pridgen & Woodworth –, Hayes aveva inviato Lord agli archivi per assicurarsi che non vi fosse nulla che permettesse di contestare la candidatura di Baklanov. L'ultima cosa che volevano era un'indagine governativa sul suo conto o il diffondersi d'insinuazioni circa la connivenza della famiglia Baklanov coi simpatizzanti dei tedeschi durante la seconda guerra mondiale. Nulla doveva mettere in dubbio la devozione del candidato nei confronti della Russia e del suo popolo.

Le ricerche avevano condotto Lord a occuparsi di Nicola II, l'ultimo zar Romanov, e degli avvenimenti accaduti il 16 luglio 1918 in Siberia. Nelle settimane passate aveva letto in proposito molte cronache, edite e inedite, ma erano tutte quantomeno contraddittorie tra loro. Aveva studiato approfonditamente ciascun resoconto, eliminando le palesi falsità e facendo una cernita dei fatti, così da radunare le informazioni utili. I suoi appunti, sempre più nutriti, avevano ormai dato alla luce una narrazione complessiva degli eventi di quella notte così determinante per il corso della storia russa.

Svegliato di soprassalto da un sonno profondo, Nicola vide un soldato accanto al suo letto. Dato che negli ultimi mesi aveva dormito poco e male, rimase particolarmente infastidito dall'intrusione. Ma non poteva farci nulla. Una volta era lo zar di tutte le Russie, la personificazione terrestre dell'Onnipotente; nel marzo dell'anno precedente, tuttavia, era stato costretto a fare l'impensabile per un monarca divino: abdicare di fronte alla violenza. Il governo provvisorio che lo aveva sostituito era formato per lo più da esponenti liberali della Duma e da una coalizione di socialisti radicali. Doveva trattarsi di un organo temporaneo, in attesa dell'elezione di un'assemblea costituente. I tedeschi tuttavia avevano permesso a Lenin di attraversare il loro territorio e di rientrare in Russia, nella speranza che seminasse il caos negli ambienti politici.

E così era accaduto.

Lenin aveva rovesciato il debole governo provvisorio, dando origine a quella che le guardie chiamavano con orgoglio la Rivoluzione d'Ottobre.

Perché il kaiser, suo cugino, gli stava facendo questo? Lo odiava a tal punto? Vincere la guerra mondiale era tanto importante da sacrificare una dinastia regnante?

Evidentemente sì.

Due mesi dopo essere salito al potere, Lenin aveva firmato la tre-

gua coi tedeschi. La Russia aveva così abbandonato lo scenario della Grande Guerra, lasciando gli Alleati privi di un fronte orientale da cui frenare l'avanzata tedesca. Inghilterra, Francia e Stati Uniti non potevano esserne contenti. Era chiaro il gioco pericoloso al quale stava giocando Lenin: promettere al popolo la pace per guadagnarsi la sua fiducia, ma allo stesso tempo ritardarne l'attuazione per tenere buoni gli Alleati e, d'altra parte, non offendere il kaiser, suo vero alleato. Il trattato di Brest-Litovsk, firmato cinque mesi prima, era devastante: la Germania guadagnava un quarto dei territori russi, nonché un terzo della popolazione del Paese. Quella firma aveva suscitato un profondo risentimento; stando a quello che si dicevano le guardie, i nemici dei bolscevichi si erano coalizzati sotto un unico vessillo bianco, colore scelto appositamente in contrasto con la bandiera rossa dei comunisti. Un gran numero di reclute si era già unito ai Bianchi; in particolare erano stati coinvolti i contadini, che continuavano a vedersi negare la terra.

Era scoppiata la guerra civile. Bianchi contro Rossi.

E lui non era altri che il semplice signor Romanov, prigioniero dei bolscevichi Rossi.

In un primo momento era stato condotto, insieme con la sua famiglia, al Palazzo Aleksandrovskij a Carskoe Selo, non lontano da Pietrogrado. Poi erano stati spostati a Tobol'sk, nella Russia centrale, una cittadina sul fiume, piena di chiese imbiancate e capanne di tronchi d'albero. La gente del posto si era mostrata sinceramente fedele e molto rispettosa dello zar e della sua famiglia; ogni giorno erano molti quelli che si radunavano fuori della dimora di confino, levandosi il cappello e facendosi il segno della croce. Non un solo giorno era trascorso senza che fossero offerte torte, candele e icone. Le stesse guardie, membri dell'onorevole reggimento fucilieri, si erano rivolte a loro con gentilezza e avevano trascorso un po' di tempo a parlare o a giocare a carte. Ai Romanov era consentito leggere libri e riviste, persino tenere la corrispondenza. Il cibo era prelibato, e avevano a disposizione ogni tipo di comodità. In fondo, non era stata affatto male come prigionia.

Poi, settantotto giorni dopo, un altro spostamento. Lì, a Ekaterinburg, sulle pendici orientali degli Urali, nel cuore della madre Russia, dove dominavano i bolscevichi. Diecimila soldati dell'Armata Rossa pattugliavano le strade, e la popolazione locale si accaniva fieramente contro lo zar. L'abitazione di un ricco commerciante di nome Ipatiev era stata sequestrata e trasformata in una prigione improvvisata. La «casa a destinazione speciale», l'aveva sentita chiamare Nicola. Era stata eretta un'alta recinzione di legno, i vetri di tutte le finestre erano stati cosparsi di calce e le aperture erano state chiuse con spranghe di ferro: chi di loro avesse tentato di aprirle sarebbe stato immediatamente fucilato. Tutte le porte interne erano state rimosse, sia dalle stanze da letto sia dai bagni. Nicola si trovava costretto ad ascoltare gli insulti diretti ai suoi familiari e a osservare gli sconci disegni scarabocchiati sui muri, raffiguranti sua moglie e Rasputin. Il giorno precedente era quasi giunto alle mani con uno di quei bastardi impertinenti; la guardia aveva scritto sul muro della camera da letto delle figlie: IL NOSTRO ZAR NICOLA, TESTARDO PIÙ DI UN MULO, HA SBATTUTO GIÙ DAL TRONO IL SUO REGALE CULO.

Ne aveva abbastanza.

« Che ore sono? » chiese alla guardia che gli si parava di fronte.

« Le due del mattino. »

« Che succede? »

« È necessario che la sua famiglia si sposti. L'Armata Bianca si sta avvicinando alla città e ci attaccherà da un momento all'altro. Non è sicuro risiedere ai piani alti, nel caso ci siano sparatorie in strada. »

Quelle parole riempirono Nicola di entusiasmo. Stando ai sussurri delle guardie, l'Armata Bianca aveva preso d'assalto la Siberia, conquistando una città dopo l'altra e guadagnando terreno rispetto ai Rossi. Nei giorni passati, si poteva udire a distanza il rombo dell'artiglieria. Quel rumore gli aveva ridato la speranza... Forse i suoi generali sarebbero arrivati e la situazione si sarebbe rimessa a posto.

« Alzatevi e vestitevi », ordinò la guardia.

Quando l'uomo uscì, Nicola svegliò la moglie. Alessio dormiva dall'altro lato della modesta stanza da letto.

Lo zar e lo zarevič s'infilarono in silenzio gli abiti di foggia militare – camicia, pantaloni, stivali e bustina – mentre Alessandra si ritirò nella stanza delle fanciulle. Il bambino non poteva camminare, a causa dell'ennesimo attacco di emofilia, perciò fu Nicola a condurlo personalmente nell'atrio.

Comparvero le sue quattro figlie; ognuna di loro era vestita con una gonna nera e una camicia bianca. Seguì la zarina che, zoppicando, si aiutava col bastone; ormai riusciva a camminare a stento, poi-

ché la sciatalgia che l'attanagliava dall'infanzia aveva preso il sopravvento. Lo stato pressoché costante di ansia in cui la donna viveva per
la malattia di Alessio le aveva logorato la salute; le chiome, un tempo
color nocciola, si erano ingrigite e gli occhi avevano perso quell'adorabile bagliore che aveva affascinato il marito fin dal loro primo incontro, nell'età dell'adolescenza. Il respiro era sempre più rapido e
spesso si trasformava in affanno, tingendo le labbra di blu. Quando
Alessandra si lamentava del cuore e della schiena, lui si chiedeva se
quelle sofferenze fossero reali o il prodotto dell'indicibile dolore della
donna, che ogni giorno si chiedeva se la morte sarebbe giunta a strap-
parle suo figlio.

« Che succede, papà? » chiese Olga.

Aveva ventidue anni ed era la sua primogenita. Riflessiva e intelligente, somigliava sotto molti aspetti alla madre e di tanto in tanto si
mostrava triste e ombrosa.

« Forse siamo salvi », rispose lui.

Sul volto grazioso della fanciulla si dipinse un'espressione entusiasta. Tatiana, più giovane di un anno, e Maria, più giovane di
due, si avvicinarono, stringendo i cuscini. Tatiana, alta e dal porta-
mento maestoso, era la più autoritaria delle ragazze – la chiamavano
« l'istitutrice » –, nonché la preferita della madre. Maria, dagli occhi
grandi, era bella, aggraziata e un po' vanitosa; la sua ambizione era
sposare un soldato russo e avere venti bambini.

Nicola invitò tutti al silenzio con un cenno.

Anastasia, diciassettenne, era rimasta indietro con la madre e
King Charles, il cocker spaniel che i carcerieri le avevano permesso
di tenere. La ragazza, piccola e paffuta, aveva la fama di ribelle, ma
il padre non aveva mai saputo resistere al fascino dei suoi occhioni
azzurri.

Gli altri quattro prigionieri li raggiunsero in fretta: il dottor Bot-
kin, medico di Alessio; Trup, il domestico personale di Nicola; Demidova, la cameriera di Alessandra; Karitonov, il cuoco. Anche Demidova stringeva un cuscino, ma Nicola sapeva che non era uguale agli
altri: nascondeva infatti al suo interno uno scrigno coi gioielli, e la
donna aveva l'ordine di non perderlo mai di vista. Anche sua moglie
e le ragazze nascondevano nei corsetti diamanti, smeraldi, rubini e fili
di perle.

Alessandra gli si avvicinò, barcollando. «Sai che cosa sta succedendo?»

«I Bianchi sono vicini», rispose Nicola.

Il volto teso della donna manifestò uno stupore sincero. «Può mai essere?»

«Di qua, prego», disse una voce familiare dalle scale. Voltandosi, Nicola vide Jurovskij.

L'uomo era arrivato dodici giorni addietro, accompagnato da una squadra della polizia segreta bolscevica, per sostituire l'ex comandante e le sue indisciplinate guardie operaie. In un primo momento, il cambiamento era sembrato positivo; ma Nicola si era subito reso conto che si trattava di professionisti, forse magiari, prigionieri di guerra dell'esercito austro-ungarico impiegati dai bolscevichi per svolgere compiti detestabili ai russi. Jurovskij, il capo, era un uomo scuro, con capelli neri, barba nera e un'inquietante flemma che caratterizzava il suo modo di fare e di parlare. Impartiva gli ordini con calma; lo avevano ribattezzato «il comandante bue», ma Nicola aveva capito subito che si trattava di un uomo cui piaceva tormentare la gente.

«Dobbiamo fare in fretta», li esortò Jurovskij. «Abbiamo poco tempo.»

Il gruppo scese una scala di legno che conduceva al pianterreno. Alessio dormiva profondamente, appoggiato alla spalla del padre. Anastasia liberò il cane, che corse via.

Furono condotti all'esterno e indirizzati, attraverso il cortile, verso un seminterrato con una finestra arcuata. Le pareti intonacate erano coperte da una squallida carta da parati a strisce. Non c'era nessuna mobilia.

«Aspettate qui. Le vetture sono in arrivo», disse Jurovskij.

«Dove andiamo?» chiese Nicola.

«Via di qui», si limitò a rispondere il carceriere.

«Non ci sono sedie?» domandò Alessandra. «Non ci è consentito sederci?»

Jurovskij alzò le spalle e diede un ordine a uno dei suoi uomini; comparvero due sedie. Su una sedette Alessandra, e Maria sistemò un cuscino dietro la schiena della madre; sull'altra sedette Nicola con Alessio. Tatiana mise un cuscino dietro il fratello per farlo stare più comodo. Demidova invece continuò a tenere stretto il suo cuscino, incrociando sempre di più le braccia.

In lontananza si udì ancora il rombo dell'artiglieria. Quel rumore infuse nuove speranze a Nicola.

«State fermi», ordinò Jurovskij. «Dobbiamo fotografarvi. C'è chi crede che siate già fuggiti.»

Il comandante posizionò ciascun membro della famiglia: le figlie in piedi dietro la madre seduta, Nicola di fianco ad Alessio, e i quattro aiutanti della famiglia dietro lo zarevič. In sedici mesi era stato ordinato loro di fare molte cose strane; essere svegliati nel cuore della notte per fare una fotografia sembrava soltanto l'ennesima bizzarria. Nessuno parlò quando Jurovskij uscì dalla stanza chiudendo la porta.

Dopo un istante l'uscio si riaprì.

Non entrò un fotografo con un treppiede, bensì undici uomini armati seguiti dallo stesso Jurovskij. L'uomo aveva la mano destra in tasca e con la sinistra reggeva un foglio.

Cominciò a leggere: «Considerato il fatto che i vostri parenti continuano l'offensiva contro la Russia, il Comitato esecutivo degli Urali ha deciso di giustiziarvi».

Nicola non riusciva a sentire bene, a causa del fracasso prodotto da un veicolo che stazionava fuori col motore acceso. Strano. Guardò prima i familiari, poi Jurovskij e infine chiese: «Cosa? Cosa?»

L'altro, senza mutare espressione, si limitò a ripetere la dichiarazione, con lo stesso tono monotono. Poi estrasse la mano destra dalla tasca.

Nicola vide la pistola.

Una Colt.

La canna si avvicinò alla sua testa.

6

Quella sera, leggendo, Lord avvertì per tutto il tempo una morsa allo stomaco. Cercò d'immaginare l'inizio dell'esecuzione, il terrore provato dai condannati. Nessuna via di scampo, soltanto l'inevitabile incontro con una morte orribile. Era stato ricondotto a quell'evento da una scoperta effettuata all'interno dei Fascicoli Protetti. Dieci giorni prima, aveva trovato per caso un appunto su un fragile foglio di carta comune, scritto nel vecchio stile calligrafico russo e vergato con inchiostro nero, sbiadito e poco leggibile. Era contenuto in una borsa di pelle color cremisi, accuratamente chiusa con una cucitura. Sull'esterno, un'etichetta avvertiva: ACQUISITO IL 10 LUGLIO 1925. DA NON APRIRSI FINO AL PRIMO GENNAIO 1950. Era impossibile stabilire se quel monito fosse stato rispettato.

Frugando nella valigetta, Lord trovò la copia che aveva attentamente tradotto. La data in cima al foglio si riferiva al 10 aprile 1922.

La situazione con Jurovskij si sta facendo problematica. Non credo che i rapporti ufficiali, provenienti da Ekaterinburg, siano attendibili; l'informazione riguardo Feliks Jusupov lo conferma. È un peccato che la guardia bianca che hai persuaso a parlare non si sia mostrata più disponibile. Forse troppo dolore è controproducente. L'accenno a Kolja Maks è interessante; ho già sentito questo nome, in passato. Il villaggio di Starodub è stato menzionato anche da altre due guardie bianche, anch'esse persuase con metodi analoghi. Sta succedendo qualcosa, ne sono certo, ma temo che il mio corpo non reggerà abbastanza a lungo da farmi scoprire di che si tratta. Sono molto preoccupato per il futuro che seguirà la mia morte e ho paura che i nostri sforzi possano essere vanificati. Stalin è inquietante: possiede una rigidità assoluta e, quando prende una decisione, mette da parte qual-

siasi sentimento. Se sarà lui a guidare la nostra nuova nazione, il nostro sogno potrebbe trasformarsi in un incubo.

Mi chiedo se qualcuno dei membri della famiglia imperiale sia riuscito a scampare alla strage di Ekaterinburg. Il compagno Jusupov ne sembra convinto. Forse vuole dare una buona notizia alla prossima generazione. Forse la zarina non era così stupida come credevamo. Forse i vaneggiamenti dello starec hanno più significato di quanto pensassimo. Nelle ultime settimane, riflettendo sui Romanov, mi sono ritrovato a ripetere le parole di un antico poema:

Polvere è ogni prode,
ogni spada la ruggine corrode,
l'anima lor, crediamo, coi santi in cielo gode.*

Sia lui sia Artemij Belij ritenevano che quel documento fosse stato redatto da Lenin. Non ci sarebbe stato nulla di sorprendente: i comunisti avevano conservato migliaia di scritti di Lenin. Quel particolare documento tuttavia non avrebbe dovuto trovarsi nel luogo in cui Lord l'aveva rinvenuto, ossia tra le carte sequestrate dai nazisti e rientrate dopo la seconda guerra mondiale. In Russia, gli eserciti invasori di Hitler non avevano trafugato soltanto opere d'arte, ma anche tonnellate di materiale d'archivio. I documenti depositati a Leningrado, Stalingrado, Kiev e Mosca erano stati tutti portati via. Soltanto nel dopoguerra, quando Stalin aveva inviato la sua commissione straordinaria a reclamare il patrimonio della nazione, gran parte del materiale rubato aveva fatto ritorno nella madrepatria.

Però, all'interno della sacca di pelle cremisi, c'era anche un altro documento importante: un foglio di pergamena bordato da una cornicetta di fiori e foglie. La calligrafia era chiaramente femminile e il testo era scritto in inglese.

28 ottobre 1916.
Mio caro, anima mia, dolce angelo, io ti amo, sono sempre con te, giorno e notte, e sento che cosa tu e il tuo povero cuore state attraver-

---

* Si tratta di versi inediti di Samuel Coleridge, celebri per essere stati citati da Walter Scott nell'ottavo capitolo di *Ivanhoe*. (N.d.T.)

sando. Dio abbia pietà di te, ti dia la forza e la saggezza necessarie ad affrontare questo momento. Lui non ti abbandonerà. Ci aiuterà, ricompenserà questa terribile sofferenza e porrà fine a questa separazione, in un momento in cui abbiamo tanto bisogno di stare vicini.

Il nostro amico se n'è appena andato. Ha salvato Baby ancora una volta. Oh, buon Gesù, grazie a Dio lo abbiamo con noi. Il dolore era immenso e il mio cuore si è straziato ad assisterlo, ma ora Baby dorme tranquillo. Mi è stato assicurato che domani starà bene.

Qui c'è il sole, non una nuvola in cielo; significa che dobbiamo avere fiducia e speranza. Anche quando intorno a noi tutto è nero come la pece, Dio è con noi. Non conosciamo la Sua via, né possiamo immaginare come ci aiuterà, ma di sicuro ascolterà ogni preghiera. Il nostro amico insiste molto su questo.

Devo rivelarti che, poco prima di andarsene, il nostro amico è caduto preda di una strana convulsione. Io mi sono molto spaventata, temevo che si fosse ammalato... Come avrebbe fatto Baby senza di lui? È caduto a terra e ha cominciato a bisbigliare qualcosa sul fatto che avrebbe lasciato questo mondo prima del nuovo anno e che vedeva cumuli di cadaveri, diversi granduchi e centinaia di conti. Ha visto che la Neva si tingerà di sangue. Le sue parole mi hanno terrorizzata.

Con lo sguardo rivolto al cielo, mi ha detto che se fosse stato ucciso dai boiari, le loro mani sarebbero rimaste insanguinate per venticinque anni. Fratello contro fratello, tutti si uccideranno in preda all'odio, finché non ci saranno più nobili in tutto il Paese. Ma il momento più inquietante è stato quando ha profetizzato che, se il responsabile del suo assassinio fosse stato un nostro parente, nessun membro della nostra famiglia sarebbe sopravvissuto per più di due anni: saremmo stati tutti uccisi dal popolo russo.

Mi ha fatto alzare e mi ha ingiunto di mettere le sue parole per iscritto. Poi mi ha detto di non temere, che ci sarebbe stata salvezza: l'individuo più colpevole di tutti capirà di aver sbagliato e farà in modo che il nostro sangue risorga. Le sue farneticazioni, poi, hanno sconfinato nell'incomprensibile e, per la prima volta, mi sono chiesta se l'alcol – ne emanava un forte odore – non gli avesse dato alla testa. Ha preso a dire che soltanto un corvo e un'aquila potranno riuscire là dove gli altri falliranno, e che l'innocenza delle bestie li proteggerà e indicherà loro la via, determinando il successo finale. Ha aggiunto che Dio mostrerà la strada con cui svelare la verità. Con mio gran terrore, ha affermato infine che dovranno morire in dodici prima che la risurrezione possa dirsi completa.

Ho cercato d'interrogarlo, ma lui è rimasto in silenzio e ha insistito affinché mettessi per iscritto la profezia e ti raccontassi la visione. Da ciò che ha rivelato, sembra che debba accaderci qualcosa; io ho tentato di rassicurarlo, dicendogli che papà aveva il controllo totale del Paese, ma invano. Le sue parole mi hanno tormentato tutta la notte. Oh, tesoro mio, ti abbraccio forte e non lascerò che nessuno tocchi la tua anima lucente. Ti bacio, ti bacio, ti bacio e ti benedico. Spero che tornerai presto da me.

La tua mogliettina.

L'autrice era Alessandra, l'ultima zarina di Russia. Come il marito Nicola, la donna aveva tenuto un diario per diverse decine di anni e, dopo l'esecuzione, a Ekaterinburg, erano state ritrovate quasi settecento lettere scritte dai due sposi; quelle pagine private offrivano un'inedita e interessante prospettiva della corte. Lord aveva già letto altri estratti dei diari e un gran numero di lettere; di recente, infatti, molti libri ne avevano riportato alcune parti, citandole alla lettera, parola per parola. Sapeva che il «nostro amico» era un modo segreto con cui i due si riferivano a Rasputin, nella convinzione che le lettere venissero controllate da terze persone; la fiducia incondizionata che riponevano in Rasputin, però, non era condivisa da nessuno.

«Che profonda concentrazione», disse una voce in russo.

Lord sollevò lo sguardo.

Dall'altra parte del tavolo vide un uomo, più anziano di lui. Aveva la carnagione chiara, gli occhi azzurri, un petto gracile e i polsi coperti di efelidi. Era mezzo calvo e una lanugine ingrigita ricopriva la nuca olivastra, da orecchio a orecchio. Indossava un paio di occhiali con la montatura d'acciaio e un farfallino. Lord si ricordò subito di averlo visto mentre esaminava alcuni documenti; era uno dei tanti individui che sembrava lavorare sodo quanto lui.

«In effetti, per un attimo sono tornato indietro al 1916. Leggere queste cose è come fare un viaggio nel tempo», replicò Lord.

L'uomo sorrise. Lord stimò che avesse almeno sessant'anni. «Sono d'accordo. È uno dei motivi per cui mi piace venire qui: il ricordo dei tempi passati.»

Conquistato dalla simpatia dell'interlocutore, Lord si alzò. «Sono Miles Lord.»

«So bene chi è lei.»

Colto da un brivido di sospetto, Lord perlustrò la stanza con un'occhiata.

L'altro sembrò accorgersi del suo timore. «Stia tranquillo, Mr Lord: non ho cattive intenzioni. Sono soltanto uno storico annoiato che è lieto di conversare un po' con qualcuno coi suoi stessi interessi.»

Lord si rilassò. «Come fa a conoscermi?»

«Lei non è il preferito delle signore che si occupano dell'archivio», rispose l'uomo, sorridendo. «Non amano ricevere ordini da un americano...»

«... di colore?»

Un altro sorriso. «Purtroppo questo Paese non è molto aperto, quanto a scambi interculturali. Siamo un popolo dal colorito pallido. Le sue credenziali di membro della commissione, tuttavia, non possono essere ignorate.»

«E lei chi è?»

«Semjon Paščenko, professore di Storia all'Università statale di Mosca.» L'uomo tese la mano, e Lord la strinse. «Dov'è il signore che era con lei i giorni scorsi? Un avvocato, credo... Abbiamo fatto due chiacchiere tra gli scaffali.»

Lord esitò un attimo, poi optò per la sincerità. «È stato ucciso stamattina a colpi di pistola, sulla Nikol'skij prospekt.»

Il volto dell'interlocutore si velò di un'espressione turbata. «Ne ho sentito parlare alla televisione. È terribile...» Scosse la testa. «Se non si trova un rimedio al più presto, questo Paese si trascinerà alla rovina da solo.»

Lord si sedette e invitò l'altro a fare lo stesso.

«È rimasto coinvolto anche lei?» chiese Paščenko.

«Mi trovavo anch'io lì», rispose Lord, tenendosi volutamente sul vago.

Paščenko scosse ancora il capo. «Questo genere di avvenimenti non spiega chi siamo davvero. Gli occidentali come lei devono ritenerci un popolo barbaro.»

«Niente affatto. Ogni Paese attraversa periodi difficili. Anche noi abbiamo avuto i nostri, durante l'espansione a ovest e anche negli anni '20 e '30 del XX secolo.»

«Credo tuttavia che la situazione attuale sia ben più grave di semplici 'dolori di crescita'», osservò l'altro.

«Gli ultimi anni sono stati particolarmente difficili per la Russia. Era già abbastanza dura quando c'era un governo – anche se Eltsin e Putin hanno cercato di mantenere l'ordine – ma ora, in assenza della più pallida sembianza di autorità, si è sull'orlo dell'anarchia.»

Paščenko annuì. «Purtroppo, niente di nuovo per noi.»

«Lei è un accademico?»

«Uno storico. Ho dedicato la mia vita allo studio della nostra amata madre Rus'.»

Lord sorrise nell'udire quell'epiteto antico. «Immagino che in certi periodi la sua disciplina sia stata privata dello spazio che merita.»

«Purtroppo sì. I comunisti avevano una visione particolare della storia.»

Gli venne in mente una frase che aveva letto: «La Russia è un Paese dal passato imprevedibile». «Insegnava, ai tempi?»

«Ho insegnato per trent'anni e li ho visti passare tutti: Stalin, Khruščëv, Brežnev. Ognuno di loro ha inflitto al Paese un danno particolare. Ciò che è accaduto è immorale, eppure, ancora oggi, non riusciamo a liberarcene. Ogni giorno la gente si mette ancora in fila per passare accanto al corpo di Lenin.» Paščenko abbassò la voce. «Un macellaio venerato come un santo. Ha notato i fiori depositati accanto alla sua statua, qui fuori?» Scosse il capo. «Disgustoso.»

Lord decise di calibrare le parole. Sebbene vivessero nell'era post-comunista – destinata a trasformarsi presto in neo-zarista –, lui era pur sempre un americano che lavorava grazie alle credenziali fornitegli dal vacillante governo russo. «Qualcosa mi dice che se domani la Piazza Rossa fosse invasa dai carri armati, il personale di questo archivio andrebbe subito a fare il tifo.»

«Non sono altro che miserabili accattoni», replicò Paščenko. «Hanno goduto di una situazione privilegiata, custodito i segreti dei leader e, in cambio, hanno ricevuto un alloggio di prima scelta, qualche pezzo di pane in più e un po' di ferie supplementari in estate. Bisogna lavorare e guadagnare quello che ci si merita... Non è questo ciò che professa l'America?»

Lord non rispose. «Che cosa ne pensa della Commissione per lo zar?» chiese invece.

«Ho votato sì. Come potrebbe uno zar peggiorare la situazione?»

Era l'atteggiamento più diffuso.

«È insolito incontrare un americano che parli la nostra lingua così bene.»

Lord alzò le spalle. «Il vostro è un Paese affascinante.»

«Ha sempre avuto un interesse particolare in proposito?»

«Fin da bambino, da quando ho cominciato a leggere di Pietro il Grande e Ivan il Terribile.»

«E ora fa parte della nostra Commissione per lo zar. Sta per scrivere la storia.» Paščenko indicò i fogli sul tavolo. «Sono piuttosto vecchi. Fanno parte dei Fascicoli Protetti?»

«Li ho trovati entrambi un paio di settimane fa.»

«Riconosco la calligrafia: quella l'ha scritta Alessandra. Scriveva le lettere e i diari in inglese. I russi la odiavano perché era una principessa di stirpe tedesca; una critica che, personalmente, ho sempre ritenuto ingiusta. Alessandra è stata una donna incompresa.»

Lord porse il foglio al suo interlocutore. Aveva deciso che valeva la pena vedere cosa poteva dirgli. Paščenko lesse la lettera e, commentò: «Di solito la sua prosa è colorita, ma in questo caso è dolce. Lei e Nicola si sono scritti molte lettere romantiche».

«Mi dispiace maneggiarle... Mi sento un intruso. Prima ho letto qualcosa a proposito dell'esecuzione. Quel Jurovskij doveva essere veramente perfido.»

«Suo figlio ha sempre sostenuto che il padre si fosse pentito del coinvolgimento. Ma come si fa a credergli, dopo che ha trascorso vent'anni a tenere lezioni ai bolscevichi sulle modalità dell'esecuzione, fiero di se stesso?»

Lord offrì a Paščenko l'appunto di Lenin. «Dia uno sguardo a questo.»

Dopo aver letto con calma il foglio, il russo osservò: «Sicuramente è stato vergato da Lenin. Conosco bene anche questo stile. Curioso...»

«Proprio ciò che ho pensato anch'io.»

Gli occhi di Paščenko s'illuminarono. «Di certo non crederà alle storie sulla sopravvivenza di due membri della famiglia reale all'esecuzione di Ekaterinburg...»

Lord alzò le spalle. «A tutt'oggi i corpi di Alessio e Anastasia non sono stati ritrovati. E ora questo...»

Paščenko sorrise. «Gli americani vedono complotti ovunque.»

«Al momento, il mio lavoro consiste proprio in questo.»

«Deve sostenere la candidatura di Stefan Baklanov, vero?»

Lord non riuscì a nascondere lo stupore.

Paščenko indicò l'ambiente circostante. «Di nuovo le donne, Mr Lord: sanno tutto. Registrano ogni sua consultazione e, mi creda, non senza osservarla. Ha già incontrato il nostro... erede al trono?»

L'altro scosse il capo.

«Baklanov è inadatto a regnare quanto lo era Michele III trecento anni fa. È troppo debole», commentò lo storico. «Ma a differenza del povero Michele, che faceva prendere le decisioni a suo padre, Baklanov farà tutto da solo. E saranno in molti ad approfittare dei suoi fallimenti.»

Il professore non aveva tutti i torti, rifletté Lord. Da quanto aveva letto sul conto di Baklanov, quell'uomo era più che altro interessato a un ritorno d'immagine e di prestigio legato alla figura dello zar; non sembrava importargli molto del governo della nazione.

«Posso darle un suggerimento, Mr Lord?»

«Certo.»

«È già stato agli archivi di San Pietroburgo?»

«No.»

«Potrebbe esserle utile dare un'occhiata da quelle parti. In quel luogo sono conservati molti scritti di Lenin, oltre alla maggior parte delle lettere e dei diari dei coniugi imperiali.»

Indicando i fogli, aggiunse: «Forse scoprirà il significato dei documenti che ha trovato».

Sembrava un buon consiglio. «Grazie, lo farò.» Guardò l'orologio. «Mi scusi, ma devo leggere ancora un po' di cose prima dell'orario di chiusura. Grazie della piacevole chiacchierata. Sarò da queste parti ancora per qualche giorno, potremmo parlare di nuovo.»

«Anch'io entro ed esco spesso di qui. Se non le dispiace, resterei seduto ancora un po'. Posso rileggere quei due fogli?»

«Certo.»

Al suo ritorno, dieci minuti dopo, gli scritti di Alessandra e di Lenin erano sul tavolo, ma Semjon Paščenko era andato via.

7

Ore 17.25

Una BMW scura raccolse Hayes di fronte al Volkhov. Dopo un percorso di un quarto d'ora, attraverso strade stranamente poco trafficate, l'autista svoltò in un cortile chiuso da un cancello. Dall'altra parte del giardino si ergeva una dimora neoclassica, costruita ai primi dell'Ottocento, che un tempo era stata uno dei fiori all'occhiello di Mosca. Durante il periodo comunista l'edificio aveva ospitato la sede del Centro per la letteratura e le arti di Stato; dopo la caduta, come molti altri beni, era stato venduto all'asta e acquistato per pochi spiccioli da uno dei nuovi ricchi del Paese.

Hayes scese dalla macchina e disse all'autista di aspettare. Come al solito, due uomini armati di kalashnikov pattugliavano il cortile. La facciata azzurra dell'edificio, ornata di stucchi, sembrava grigia alla fioca luce del tardo pomeriggio. Hayes trasse un respiro – inspirando anche una boccata amara di ossido di carbonio – e percorse con passo risoluto il vialetto lastricato che attraversava il giardino, splendido in autunno. Entrò in casa attraverso una porta di legno di pino.

L'interno era tipico delle residenze di quel periodo. Il pianterreno aveva una disposizione piuttosto irregolare: sul lato verso la strada erano disposti, l'uno accanto all'altro, vari locali per i ricevimenti formali; sul retro invece c'erano diverse stanze private. L'arredo era quello originale.

Destreggiandosi in un labirinto di corridoi angusti, Hayes giunse al salone dove si svolgevano abitualmente gli incontri. Quattro uomini lo attendevano, bevendo e fumando sigari. Lui li aveva incontrati l'anno precedente e, da allora, tutte le loro conversazioni si erano svolte con nomi in codice. Hayes era chiamato Lincoln, e gli altri quattro erano Stalin, Lenin, Khruščëv e Brežnev. L'idea era stata presa da una famosa stampa in cui erano ritratti zar, imperatrici e primi ministri radunati intorno a un tavolo per discutere – bevendo e fumando anch'essi – della madre Russia; il disegnatore si era divertito a immaginare come ogni singola personalità si sarebbe adattata a un simile evento. I quattro uomini avevano scelto con cura i propri soprannomi, compiacendosi all'idea che le loro riunioni non fossero poi così diverse da quella ritratta nel dipinto... Il destino della madrepatria, in fondo, era davvero nelle loro mani.

I quattro porsero il proprio benvenuto all'ospite, e Lenin gli versò un po' di vodka da una caraffa riposta in un raffinato secchiello per il ghiaccio. Gli fu anche offerto un vassoio di salmone affumicato accompagnato da funghi marinati, ma Hayes rifiutò. «Mi dispiace, ma ho brutte notizie da darvi», esordì. E raccontò del fallito agguato a Lord.

«C'è anche un'altra questione», intervenne Brežnev. «Fino a oggi non sapevamo che questo avvocato fosse africano.»

Hayes si meravigliò dell'osservazione. «No, è americano. Ma se si riferisce al colore della sua pelle... non vedo quale sia il problema.»

Stalin si protese in avanti; a dispetto del suo nome in codice, rappresentava sempre il punto di vista più razionale. «Gli americani faticano a comprendere la sensibilità russa nei confronti del destino.»

«Che cosa c'entra il destino in tutto ciò?»

«Ci racconti di Miles Lord», lo esortò Brežnev.

L'intera faccenda infastidiva molto Hayes. Si era stupito della leggerezza con cui gli avevano ordinato di uccidere Lord, senza sapere nulla sul suo conto. In occasione del loro ultimo incontro, Lenin gli aveva fornito il numero di telefono dell'ispettore Orleg, dicendogli di contattarlo e di organizzare con lui l'omicidio. L'ordine lo aveva turbato – un così valido assistente non sarebbe stato facile da sostituire –, ma la posta in palio era troppo alta per preoccuparsi di un solo uomo. Quindi aveva eseguito l'ordine. Quelle osservazioni sulla razza, però, gli sembravano prive di senso.

«È entrato nel mio studio subito dopo la laurea in giurisprudenza. Membro della confraternita Phi Beta Kappa all'University of Virginia, nutre da sempre un grande interesse per la Russia e, anche per questo, ha conseguito un master in Storia dell'Europa orientale. Possiede inoltre un'ottima conoscenza delle lingue – è dannatamente difficile trovare un avvocato che parli il russo – e, per questi motivi, ho pensato da subito che potesse diventare un numero uno. Non mi sbagliavo; molti clienti si fidano esclusivamente di lui.»

«Informazioni personali?» chiese Khruščёv.

«È nato e cresciuto nel South Carolina, in una famiglia benestante. Suo padre era uno di quei pastori che viaggiano di città in città per predicare il ritorno alle origini della religione; da quello che mi ha detto Lord, non sono mai andati d'accordo. Miles ha quasi quarant'anni e non si è mai sposato. Conduce una vita piuttosto sobria e lavora sodo: è uno dei nostri dipendenti più produttivi. Non mi ha mai dato problemi.»

Lenin si appoggiò allo schienale della sedia. «Perché la Russia lo incuriosisce tanto?»

«Che diavolo ne so... Da come parla, sembra che nutra da sempre un sincero interesse per l'argomento. È appassionato di storia, ha l'ufficio pieno di libri, di saggi. Ha persino tenuto conferenze in un paio di università e in qualche riunione di avvocati. Ora lasciate che sia io a fare una domanda: perché volete sapere tutto ciò?»

Stalin si sedette. «Ormai non ha più importanza, dato quello che è successo oggi. Il problema Lord dovrà attendere: dobbiamo occuparci di quanto accadrà domani.»

Hayes non aveva ancora intenzione di lasciar cadere l'argomento. «Per inciso, non ero affatto d'accordo a uccidere Lord. Vi avevo detto che me ne sarei occupato io, che avrei tenuto tutto sotto controllo, qualsiasi fosse stata la vostra preoccupazione.»

«Come vuole», ribatté Brežnev. «Abbiamo deciso che Mr Lord sarà un problema suo.»

«Bene, allora siamo d'accordo. Non sarà affatto un problema. Ma nessuno mi ha ancora spiegato perché lo avete considerato tale.»

«Il suo assistente si è dedicato allo studio approfondito dei documenti d'archivio», osservò Khruščёv.

«Sono io che gli ho detto di farlo. Secondo vostre precise istruzioni, peraltro...»

L'ordine era semplice: reperire qualsiasi elemento che rischiasse di compromettere la candidatura al trono di Stefan Baklanov. Con tale obiettivo, Lord aveva lavorato sei settimane per dieci ore al giorno, relazionando sempre al suo superiore ogni singola scoperta. Hayes sospettava che qualche informazione da lui riferita avesse acceso l'interesse del gruppo.

«Non è necessario che lei sia a conoscenza di tutto», intervenne Stalin. «Del resto, non credo neppure che lo voglia. Le basti sapere che, a nostro giudizio, l'eliminazione di Mr Lord era il modo più semplice di gestire la questione. Tale ipotesi è fallita, perciò siamo disposti a seguire il suo consiglio. Per ora.»

L'affermazione fu seguita da un ghigno beffardo. Hayes non apprezzava affatto la condiscendenza con cui lo trattavano quei quattro: non era un fattorino, bensì uno dei cinque «Cancellieri Segreti», come li aveva ribattezzati. Decise tuttavia di nascondere il proprio fastidio e di cambiare argomento. «Presumo che si sia deciso per il carattere assoluto del potere del nuovo monarca.»

«La questione è ancora oggetto di discussione», replicò Lenin.

Hayes aveva capito che alcuni aspetti della loro operazione erano peculiarmente russi e potevano essere determinati soltanto dai russi. In ogni caso, finché tali decisioni non avessero messo a rischio l'enorme capitale investito dai suoi clienti – e il relativo compenso che lui stesso prevedeva d'intascare – la faccenda non gli interessava. «Come procede l'influenza sulla commissione da parte nostra?» domandò.

«Nove membri voteranno secondo le nostre direttive», rispose Lenin. «Gli altri otto sono stati contattati.»

«Secondo le regole, ci vuole l'unanimità», ricordò Brežnev.

Lenin sospirò. «Mi chiedo come faremo a raggiungerla.»

L'unanimità era stata posta come una delle condizioni fondamentali per la costituzione della Commissione per lo zar. La gente aveva approvato sia il ritorno dello zar sia la creazione della commissione, a patto che tutti i diciassette membri fossero d'accordo nella scelta. Un solo voto contrario sarebbe stato in grado di vanificare qualsiasi tentativo di broglio.

«Gli altri otto saranno dalla nostra entro il giorno della votazione», asserì Stalin.

«I vostri uomini ci stanno lavorando?» chiese Hayes.

«Proprio adesso, mentre noi stiamo parlando.» Stalin beve un sorso dal suo bicchiere. «Ma avremo bisogno di altri fondi, Mr Hayes. Quegli uomini richiedono costosi incentivi.» Quasi tutte le azioni dei Cancellieri Segreti venivano finanziate da fondi occidentali. La cosa cominciava a infastidire Hayes, soprattutto in considerazione del fatto che, sebbene toccasse a lui pagare tutti i conti, la sua voce in capitolo era assai limitata. «Quanto?» volle sapere.

«Venti milioni di dollari.»

Si sforzò di rimanere calmo. Soltanto un mese prima aveva sborsato altri dieci milioni. Si chiese in quale proporzione i soldi servissero davvero a corrompere i membri della commissione, e quanta parte di essi invece finisse nelle tasche dei signori accanto a sé... Ma non osò esporre quelle perplessità.

Stalin gli porse due tesserini di riconoscimento. «Ecco i pass della commissione; garantiranno a lei e a Mr Lord libero accesso al Cremlino e al Palazzo dei Diamanti. Avete gli stessi privilegi dei membri della commissione.»

Il fatto lo impressionò: non avrebbe mai pensato di assistere alle riunioni in prima persona.

Khruščëv sorrise. «Abbiamo creduto che la sua presenza fosse un bene per noi. Ci sarà un sacco di stampa americana: le sarà facile non dare nell'occhio e tenerci informati. Nessun membro della commissione conosce lei né la portata della sua rete di relazioni. I suoi agganci saranno utili per le nostre discussioni future.»

«Abbiamo anche deciso di espandere il suo ruolo», riferì Stalin.

«In che modo?» chiese l'americano.

«È molto importante che, in fase di delibera, la commissione non sia distratta in nessun modo. Noi faremo in modo che la durata della sessione sia il più breve possibile, ma c'è il rischio che si verifichino influenze esterne.»

In occasione degli ultimi incontri, Hayes aveva capito che qualcosa turbava quei quattro. Stalin si era tradito, in proposito, con la frase che aveva pronunciato qualche minuto prima: «Gli americani faticano a comprendere la sensibilità russa nei confronti del destino».

«Che cosa devo fare?» domandò.

«Tutto ciò che si riveli necessario. All'occorrenza, ciascuno di noi può fare in modo d'intervenire sui problemi attraverso le istituzioni che rappresenta; tuttavia dobbiamo mantenere un certo grado di estraneità ai fatti. Purtroppo, a differenza della vecchia Unione Sovietica, la nuova Russia non tiene per sé i suoi segreti. Tutti i documenti sono liberamente consultabili, la stampa è invadente e l'influenza estera massiccia. Lei, d'altra parte, gode di grande prestigio a livello internazionale: chi mai sospetterebbe un suo coinvolgimento in attività illecite?» Stalin increspò le labbra in un sorriso beffardo.

«E come farò a gestire gli eventuali problemi che mi si presenteranno?»

Stalin estrasse un bigliettino dalla tasca della giacca; sopra c'era scritto un numero di telefono. «Chiamando questo numero, troverà persone pronte a buttarsi nella Moscova, se lei glielo ordinasse. Le suggeriamo di fare buon uso di una simile lealtà.»

8

Mercoledì 13 ottobre

Quella mattina Lord guardò le mura rosse del Cremlino attraverso i vetri oscurati della Mercedes. Sulla torre dell'orologio, le campane suonarono otto rintocchi. Stava attraversando la Piazza Rossa in compagnia di Taylor Hayes. Il loro autista era un russo dai folti capelli crespi che, se non fosse stato Hayes a combinare lo spostamento, gli avrebbe comunicato una certa inquietudine.

La piazza era deserta. L'accesso alla spianata era interdetto fino all'una del pomeriggio – orario di chiusura al pubblico del mausoleo di Lenin – come segno di rispetto nei confronti dei comunisti, alcuni dei quali facevano ancora parte della Duma. Quel gesto simbolico, ai suoi occhi del tutto insignificante, sembrava sufficiente a soddisfare l'ego di quanti un tempo avevano dominato una nazione di centocinquanta milioni di abitanti.

Una guardia in uniforme, notato l'adesivo arancione sul parabrezza della vettura, fece cenno all'autista di oltrepassare la Porta del Salvatore. Era emozionante entrare nel Cremlino da quell'ingresso. La Torre Spasskaja, di fronte a lui, era stata eretta nel 1491 da Ivan III, il quale si era dedicato a un imponente restauro dell'intero complesso. Quel portale, che aveva aperto a tutti i nuovi zar e zarine la strada verso l'atavico seggio del potere, era diventato l'ingresso ufficiale dei membri della Commissione per lo zar.

Lord era ancora scosso al ricordo – così vivido nella sua mente – dell'inseguimento di cui era stato oggetto il giorno prima, non lontano da quel luogo. A colazione, Hayes gli aveva assicurato che la sua incolumità era garantita, e lui contava sul fatto che il suo capo mantenesse la promessa. Si fidava di Hayes e lo rispettava. Desiderava con tutto se stesso prendere parte a un simile evento storico ma, d'altra parte, si chiese se non stesse commettendo una follia.

Cosa avrebbe detto suo padre, se avesse potuto vederlo in quel momento? Il reverendo Grover Lord non amava gli avvocati, che definiva «le locuste della società». Una volta si era recato in visita alla Casa Bianca, come parte di un gruppo di religiosi invitati a essere testimoni della firma con cui il presidente s'impegnava in un inutile tentativo di ripristinare la preghiera nelle scuole pubbliche. Meno di un anno dopo, la Corte Suprema aveva cassato il provvedimento, definendolo incostituzionale. «Locuste senza Dio», aveva sentenziato suo padre dal pulpito, in preda all'ira.

Grover Lord non voleva che suo figlio diventasse un avvocato e aveva dimostrato il suo dissenso non finanziando con un solo centesimo i suoi studi in giurisprudenza. Così Miles si era visto costretto a mantenersi da solo, ricorrendo a borse di studio e lavori serali. Aveva ottenuto buoni voti e si era laureato con lode, per poi trovare subito un ottimo impiego e fare rapidamente carriera. Stava per essere testimone della storia, alla faccia di Grover Lord, pensò.

La vettura avanzò nel cortile del Cremlino.

Lord ammirò l'ex presidio del Soviet Supremo, un compatto edificio rettangolare in stile neoclassico su cui non svettava più il rosso vessillo bolscevico. Al suo posto, l'aquila imperiale a due teste svolazzava, sospinta dalla brezza mattutina. Notò inoltre l'assenza del monumento di Lenin che un tempo s'innalzava sulla destra, e richiamò alla mente il tumulto che ne aveva accompagnato la sua rimozione; per una volta, Eltsin aveva ignorato il dissenso popolare, destinando alla fusione l'icona di ferro.

La costruzione che lo circondava era stupefacente: il Cremlino riassumeva in sé la passione russa per le proporzioni enormi. Ogni volta si stupiva nel vedere piazze tanto grandi da poter contenere piattaforme missilistiche, campane giganti – impossibili da ospitare in un campanile americano – e razzi così potenti da risultare incontrollabili. Grandezza non significava soltanto bellezza, ma anche gloria.

L'automobile rallentò e girò a destra. A sinistra, si ergevano la cattedrale dell'Arcangelo e quella dell'Annunciazione, a destra quelle della Dormizione e dei Dodici Apostoli; tutti edifici enormi, commissionati da Ivan III, il quale non a caso si era meritato l'appellativo «il Grande». Lord sapeva che all'interno di quelle antiche costruzioni – sormontate da cupole d'oro ed elaborate croci bizantine – erano stati scritti molti capitoli della storia russa. Le aveva visitate, certo, però mai avrebbe pensato che un giorno avrebbe percorso la Piazza delle Cattedrali in una limousine di rappresentanza per partecipare alla volontà nazionale di ristabilire la monarchia in Russia. Niente male per il figlio di un predicatore del South Carolina.

«Eccezionale», proruppe Hayes.

«Puoi ben dirlo», replicò Lord con un sorriso.

La vettura si fermò e i due scesero incontro al gelo mattutino. Il cielo era limpido e azzurro, una cosa insolita per l'autunno russo. Lord si ritrovò a sperare che fosse di buon auspicio.

Non era mai stato all'interno del Palazzo dei Diamanti, poiché i turisti non erano ammessi. Si trattava di uno dei pochi edifici del Cremlino ad aver conservato la sua forma originale. Era stato costruito nel 1491 per volere di Ivan il Grande, che aveva battezzato il suo capolavoro in ragione del rivestimento costituito da moduli di pietra calcarea a forma di diamante.

Lord si abbottonò il soprabito e seguì Hayes su per la cerimoniale Scala Rossa; lo scalone originale era stato distrutto da Stalin e quello attuale era una ricostruzione eseguita di recente in base ai dipinti dell'epoca. Era da lì che, un tempo, gli zar accedevano all'adiacente cattedrale della Dormizione per essere incoronati; proprio da quel punto esatto, poi, Napoleone aveva guardato gli incendi che avevano devastato Mosca nel 1812.

Si diressero verso la Sala Grande. Lord aveva visto quell'antica stanza soltanto in fotografia e, mentre seguiva Hayes all'interno, concluse che nessuna di quelle immagini rendeva giustizia al posto. Sapeva che la superficie dell'ambiente misurava cinquecento metri quadrati: la stanza più grande della Mosca quattrocentesca era stata progettata apposta per impressionare i dignitari stranieri. Quel giorno i lampadari di ferro ardevano di una luce abbagliante, gettando un'aura dorata sull'imponente pilastro centrale e sulle sontuose pitture murali ispirate a soggetti biblici o alla saggezza degli zar.

Lord immaginò di trovarsi lì nel 1613.

La stirpe dei Rjurikidi, che aveva regnato per settecento anni e aveva annoverato personaggi come Ivan il Grande e Ivan il Terribile, si era estinta. Era seguito il cosiddetto «periodo dei torbidi»: dodici anni di angoscia in cui molti avevano cercato di ristabilire una dinastia reale. Infine i boiari, stufi del caos, erano giunti a Mosca – all'interno delle stesse mura che ora lo circondavano – e avevano scelto una famiglia destinata a regnare: i Romanov. Michele, il primo zar della stirpe, si era trovato dinanzi una nazione in aperto tumulto; mentre ladri e briganti infestavano le foreste, e la carestia e i malanni devastavano l'intero Paese, il commercio era cessato, l'esazione delle tasse era stata abbandonata e le casse del tesoro erano quasi vuote.

Un panorama non troppo distante da quello attuale, pensò Lord.

Settant'anni di comunismo avevano avuto lo stesso effetto negativo di dodici anni senza zar.

Immaginò di essere un boiaro coinvolto nella decisione, avvolto in raffinate vesti di velluto e broccato, con in testa un cappello di zibellino, e seduto su una delle panche di quercia disposte lungo le pareti dorate.

«Sorprendente», sussurrò Hayes. «Nel corso dei secoli questi idioti non sono riusciti a coltivare il grano per più di una stagione, ma hanno costruito tutto questo.»

Un angolo della sala era occupato da una fila di tavoli disposti a ferro di cavallo e rivestiti di velluto rosso. Lord contò diciassette sedie dallo schienale alto e notò che ciascuna era occupata da un delegato. Non c'erano donne nella commissione. Non c'erano neppure state elezioni regionali: la campagna elettorale era durata soltanto un mese, poi l'intera nazione, chiamata al voto, aveva scelto diciassette persone che fungessero da rappresentanti della comunità all'interno della commissione. In pratica, una gara di popolarità su vasta scala, ma anche il modo più semplice di evitare che una singola fazione determinasse l'esito del voto.

Seguì Hayes verso una fila di sedie e si accomodò in mezzo ai giornalisti accreditati. La televisione riprendeva le sedute in diretta. L'assemblea fu richiamata all'ordine dal delegato che il giorno prima era stato nominato presidente della commissione. L'uomo si schiarì la voce e cominciò a leggere: «Il 16 luglio 1918 il nostro insigne zar Nicola II e tutti i suoi eredi furono strappati a questa vita. Il nostro compito consiste nel riscattare gli anni successivi restituendo alla nazione il suo zar. Il popolo ha nominato questa commissione affinché scegliesse la persona che guiderà il Paese. Una scelta non senza precedenti: un altro gruppo di uomini si riunì in questo luogo nel 1613 per eleggere il primo Romanov, Michele. I suoi successori hanno regnato in questa nazione quasi fino agli anni '20 del XX secolo. Siamo qui riuniti per rendere giustizia del male commesso in quel periodo. Ieri sera abbiamo pregato insieme con Adriano, patriarca di tutte le Russie, il quale ha chiesto a Dio di guidare la nostra impresa. Dichiaro di fronte ai presenti che questa commissione lavorerà con onestà, trasparenza e correttezza. Sarà stimolato il dibattito, poiché soltanto discutendo si potrà far emergere la verità. Chiunque abbia qualcosa da dire di fronte a questa commissione si faccia avanti e sarà ascoltato».

Lord assistette pazientemente all'intera seduta mattutina, trascorsa tra osservazioni preliminari, questioni parlamentari e programmazione dei lavori. I delegati stabilirono che l'indomani fosse presentata una prima lista di nomi; ciascuno di loro avrebbe provveduto personalmente all'introduzione di ogni candidato. Sarebbero poi seguiti tre giorni di ulteriori candidature e dibattiti. Quindi una votazione avrebbe ridotto la rosa a tre nomi soltanto; dopo altri due giorni d'intense discussioni, si sarebbe passati alla scelta finale. Secondo quanto stabilito dal referendum nazionale, l'unanimità era richiesta soltanto nel voto definitivo; tutte le altre votazioni avrebbero seguito il principio maggioritario. Se dopo i sei giorni non fosse stato scelto nessun candidato, il processo sarebbe ricominciato da capo. Tutti però sembravano concordi sul fatto che, per ragioni di sicurezza nazionale, ci si sarebbe impegnati a scegliere qualcuno al primo tentativo.

Subito prima di mezzogiorno, Lord e Hayes uscirono dalla Sala Grande. Hayes fece strada verso uno dei portoni più lontani, dove li attendeva l'autista dalla chioma folta che li aveva accompagnati quella mattina.

«Miles, ti presento Ilya Zinov. Sarà la tua guardia del corpo quando lascerai il Cremlino.»

Lord studiò attentamente quel russo enigmatico: un gelido barlume apparve sul suo volto inespressivo. Il collo dell'uomo era largo quanto la mandibola, ed era confortante notare il fisico forte e atletico.

«Ilya ti proteggerà, è molto fidato. È un ex soldato e sa come muoversi in città.»

«Ti ringrazio molto, Taylor.»

Hayes guardò l'orologio. «È quasi mezzogiorno, devi andare a preparare il briefing. Io resterò ancora un po' qui a vedere come si mettono le cose, ma sarò in albergo prima che tu cominci.» Hayes si rivolse a Zinov. «Tenga d'occhio il ragazzo, come d'accordo.»

9

Ore 12.30

Lord entrò nella sala riunioni del Volkhov. L'ambiente a pianta rettangolare, privo di finestre, era occupato da una quarantina di uomini e donne sobriamente vestiti, ai quali i camerieri stavano offrendo da bere. L'aria tiepida odorava di fumo stantio, come il resto dell'albergo. Ilya Zinov attendeva fuori delle doppie porte che davano sulla hall; Lord si sentiva più tranquillo, sapendo che il russo corpulento si trovava nei paraggi. Di fronte a sé, vide volti segnati dalla preoccupazione. Conosceva bene la situazione delicata in cui si trovavano: incoraggiati a investire nella rinascita della Russia dall'impaziente governo americano, non avevano saputo rinunciare all'irresistibile richiamo di un mercato giovane. Tuttavia la costante precarietà politica, la minaccia quotidiana della *mafija* e il pagamento del pizzo – che continuava a consumare i guadagni – avevano trasformato una rosea opportunità d'investimento in un incubo. Quelle persone erano le più attivamente coinvolte nella costruzione della nuova Russia e rappresentavano diversi settori: trasporti, edilizia, bibite analcoliche, industria mineraria, petrolio, comunicazioni, informatica, fast food e banche. Lo studio Pridgen & Woodworth era stato incaricato di tutelare l'interesse collettivo degli investitori, ognuno dei quali si fidava ciecamente del talento di Taylor Hayes per la negoziazione e dei suoi contatti nella Russia emergente. Era la prima volta che Lord incontrava tutti quei clienti insieme, pur avendone già conosciuti molti personalmente.

Hayes lo seguì all'interno della sala e gli diede una leggera pacca sulla spalla. «Okay, Miles. Fagli vedere chi sei.»

Lord si diresse al centro della stanza ben illuminata. «Buon pomeriggio. Mi chiamo Miles Lord.» Il silenzio calò sull'assemblea. «Ho già conosciuto alcuni di voi... Ma a tutti voglio dire: è un piacere avervi qui. Taylor Hayes ha pensato che un briefing potesse essere d'aiuto per rispondere a eventuali quesiti da parte vostra. La situazione si è sbloccata in fretta e potremmo non avere il tempo d'incontrarci nei giorni a venire...»

«Può scommetterci che abbiamo delle domande», esclamò una donna biondissima con l'accento nasale del New England. Lord la riconobbe: era la responsabile delle operazioni della Pepsico nell'Europa orientale. «Voglio sapere che cosa sta succedendo. I vertici della mia azienda sono furiosi per tutto questo pasticcio.»

Non a torto, pensò Lord, mantenendo un'espressione neutra. «Non vuole nemmeno concedermi l'opportunità di cominciare?»

«Non vogliamo discorsi, ma informazioni.»

«Posso fornirvi i dati grezzi aggiornati: la produzione industriale su scala nazionale è scesa del quaranta per cento; l'inflazione sta raggiungendo il centocinquanta per cento; il tasso di disoccupazione è basso, circa al due per cento, ma il vero problema è la *sotto* occupazione...»

«Abbiamo già sentito questa solfa», intervenne un altro amministratore delegato, sconosciuto a Lord. «I chimici infornano il pane e gli ingegneri stanno alla catena di montaggio; questo schifo sta su tutti i giornali di Mosca.»

«Tuttavia non c'è limite al peggio», aggiunse Lord. «Secondo un detto popolare, Eltsin e i suoi successori sono riusciti in un ventennio laddove altri hanno fallito per ben settantacinque anni: hanno fatto venire alla gente la voglia di comunismo.» Si udirono alcune risate. «Il comunismo ha radici ancora molto profonde. Ogni novembre, in occasione dell'anniversario della rivoluzione, si organizzano impressionanti manifestazioni nostalgiche. Sicurezza contro il crimine, povertà minima e garanzie sociali hanno una certa presa su una nazione in ginocchio... Tuttavia la prospettiva più inquietante consisterebbe nell'ascesa al potere di un leader fanatico, fascista: non comunista né democratico, ma demagogo. Il rischio è grave, soprattutto considerando il grande potenziale nucleare della Russia.»

Alcune persone annuirono. Almeno lo stavano ascoltando.

«Com'è potuto accadere tutto ciò?» chiese un omino dall'aria severa. Lord lo individuò come appartenente all'ambiente informatico. «Non sono mai riuscito a capire come si sia giunti a questo punto.»

Lord andò verso la parete frontale. «I russi sono da sempre legati a un forte concetto di nazione; il loro nazionalismo è sempre stato lontano dall'individualismo e dalle regole di mercato: è un'idea più spirituale, più profonda.»

«Sarebbe tutto più facile se si riuscisse a occidentalizzare l'intero Paese», ribatté un altro convenuto.

L'idea dell'occidentalizzazione della Russia aveva sempre fatto accapponare la pelle a Lord. Non sarebbe mai stata una nazione interamente associabile all'Occidente e nemmeno all'Oriente; era, da sempre, una sorta di mélange unico. Era convinto del fatto che l'investitore intelligente avrebbe dovuto comprendere tale orgoglio russo. Dopo aver esposto il proprio punto di vista, dunque, riprese a rispondere alle domande.

«Il governo russo si è reso conto di dover ricorrere a qualcosa che stia al di sopra della politica, che rappresenti un punto di comune accordo a livello nazionale. Un concetto che possa anche essere utile a governare. Diciotto mesi fa la Duma ha avanzato un'ipotesi di questo tipo ed è rimasta sorpresa nell'apprendere il risultato di un'inchiesta svolta dall'Istituto per l'opinione pubblica e la ricerca di mercato. 'Dio, lo zar, il Paese.' In altre parole, restaurare la monarchia. Radicale? Certo. Ma quando il tema è divenuto oggetto di un referendum popolare, la quasi totalità della popolazione ha risposto positivamente.»

«Per quale motivo, secondo lei?» domandò un altro.

«Credo ci sia, anzitutto, una gran paura del ritorno del comunismo; si è visto qualche anno fa, quando Zjuganov ha quasi vinto la sfida contro Eltsin. La maggioranza dei russi non vuole un ritorno al totalitarismo, come conferma qualsiasi inchiesta; ciò non esclude il rischio che un populista possa approfittare di un periodo tanto difficile e accaparrarsi l'incarico con false promesse.

«Poi c'è una seconda ragione, più profondamente radicata. La gente ritiene che l'attuale forma di governo sia incapace di risolvere i problemi del Paese e, francamente, credo non abbia torto. Prendete la criminalità: sono certo che ognuno di voi paga il pizzo a uno o più clan mafiosi. Non avete scelta. O si paga, o si torna a casa in una cassa da morto.» Gli tornarono in mente i fatti del giorno precedente, ma non ne fece parola; Hayes gli aveva consigliato di tenere per sé l'accaduto. I partecipanti all'assemblea – gli aveva detto – erano già abbastanza nervosi per conto proprio, senza bisogno di sapere che il loro avvocato era in pericolo di vita. «Secondo la credenza comune, se non rubi ci rimetti. Meno del venti per cento della popolazione si prende il disturbo di pagare le tasse. In pratica, siamo in presenza di un insanabile collasso interno. Ecco perché la gente ritiene che qualsiasi cosa sia meglio del presente. Senza contare l'influenza di una certa nostalgia per lo zar.»

«È una follia!» esclamò un uomo. «Un maledetto re!»

Lord conosceva bene l'opinione americana nei confronti dell'autocrazia. Eppure la combinazione di tatari e slavi che si mescolava nel popolo russo sembrava richiedere una guida autocratica, ed era proprio la battaglia per la supremazia ad aver mantenuto salda la società russa nel corso dei secoli.

«La nostalgia è facilmente comprensibile», proseguì. «Soltanto negli ultimi dieci anni è emersa la vera storia di Nicola II e della sua famiglia. La Russia è convinta della profonda ingiustizia di ciò che è accaduto nel luglio 1918. I russi si sentono traditi dall'ideologia che per anni ha dipinto lo zar come l'incarnazione del male.»

«D'accordo, lo zar ritornerà...» cominciò a dire qualcuno.

«Non esattamente», lo interruppe Lord. «Questo è un fraintendimento creato dalla stampa. Ecco perché Hayes ha ritenuto che questa riunione potesse essere utile.» Si rese conto di aver attirato l'attenzione di tutti. «Il *concetto* del ritorno dello zar implica due domande fondamentali: chi diventerà zar e quali caratteristiche avrà il potere di quest'uomo?»

«O di questa donna...» soggiunse una signora.

Lord scosse il capo. «No, almeno di questo siamo sicuri: dovrà per forza essere un uomo. Una legge del 1797 dichiara che il trono è trasmissibile soltanto per via maschile. Presumibilmente quella legge sarà rispettata.»

«Allora provi lei a rispondere alle due domande», intervenne un uomo.

«La prima è semplice: l'identità del candidato al trono sarà scelta dai diciassette membri della Commissione per lo zar. I russi si fidano dei loro rappresentanti, anche se in passato si limitavano più che altro ad approvare ciecamente le decisioni del Comitato centrale dei Soviet. Questa commissione invece lavorerà in maniera del tutto indipendente dal governo, il quale, del resto, è ormai praticamente inesistente.»

«Saranno presentati alcuni candidati e le relative motivazioni. Al momento, il più quotato è il nostro aspirante erede, Stefan Baklanov: è un uomo dalla mentalità totalmente occidentale, pur essendo un diretto discendente dei Romanov. Voi ci pagate affinché la commissione scelga la sua candidatura. Taylor sta lavorando molto per sollecitare questa soluzione, e io stesso ho trascorso le ultime settimane negli archivi russi per assicurarmi che non ci sia nulla in grado di danneggiare la sua causa.»

«Strano che vi lascino accesso libero e incondizionato», osservò qualcuno.

«Non più di tanto», replicò Lord. «In realtà noi non facciamo parte della commissione, anche se le nostre credenziali lo lasciano intendere. Siamo qui per tutelare i *vostri* interessi e garantire l'elezione di Stefan Baklanov. Anche qui, come a casa, la persuasione è un'arte.»

Si alzò un uomo nella fila in fondo. «Mr Lord, qui ci giochiamo tutto. Si rende conto dell'importanza dell'evento? Stiamo parlando del passaggio da una semidemocrazia all'autocrazia; le conseguenze di un simile cambiamento sono destinate a riversarsi sui nostri investimenti.»

Aveva la risposta pronta. «In questo momento non abbiamo idea di quanta autorità verrà concessa allo zar. Non sappiamo ancora se sarà un rappresentante o il governatore di tutte le Russie.»

«Sia obiettivo, Lord», ribatté un uomo. «Questi idioti non possono essere davvero intenzionati a consegnare il potere politico assoluto in mano a un'unica persona.»

«Invece è proprio questa la prospettiva che incontra il pubblico consenso.»

«Non può essere», intervenne un altro.

«Potrebbe anche non rivelarsi un male», aggiunse subito Lord. «La Russia è in rovina e necessita d'investimenti esteri. Per voi potrebbe essere più semplice trattare con un autocrate che con la *mafija*.»

«E quel problema si risolverà?»

«Possiamo soltanto sperare.»

«Che cosa ne pensa, Taylor?» domandò qualcuno.

Hayes si alzò da dietro un tavolo e avanzò verso il centro della stanza. «Credo che Miles abbia assolutamente ragione. Stiamo per essere i testimoni del ritorno al potere dello zar di tutte le Russie, della rinascita della monarchia assoluta. Gran cosa, direi.»

«Gran rischio», aggiunse un uomo.

Hayes sorrise. «Non preoccupatevi. Ci pagate un bel po' di soldi per tutelare i vostri interessi. La commissione è disposta a contrattare. Porteremo a termine l'incarico che ci avete assegnato. Dovete soltanto fidarvi di noi.»

10

Ore 14.30

Il palazzo sorgeva nel centro di Mosca: un modernissimo edificio a pianta rettangolare rivestito di vetro grigio. Hayes entrò nella piccola sala riunioni al sesto piano. Gli piacevano i luoghi scelti per i loro incontri; i suoi benefattori sembravano dilettarsi col lusso.

Stalin sedeva al tavolo per le riunioni, fatto a forma di bara. Dmitrij Jakovlev rappresentava la *mafija* nei Cancellieri Segreti. L'uomo, sui quarantacinque anni, con una folta chioma color del grano che si riversava sulla fronte abbronzata, trasmetteva un'immagine carismatica e autoritaria. Per una volta, i circa trecento clan presenti nella Russia occidentale avevano acconsentito a nominare un unico rappresentante a tutela degli interessi comuni; la posta in gioco era troppo alta per cavillare sul protocollo. I criminali capivano l'importanza della sopravvivenza e sapevano che un monarca assoluto, col pieno appoggio del suo popolo, avrebbe potuto fare molto per loro.

Hayes si rese conto che, da molti punti di vista, Stalin era il fulcro di tutto: i clan mafiosi esercitavano la propria influenza all'interno del governo, delle finanze e dell'esercito. I russi avevano persino battezzato tale realtà con un'espressione che a Hayes piaceva molto: *vory v zakone*, «ladri con una legge». La loro violenza tuttavia era una minaccia reale, poiché un omicidio su commissione era un modo di risolvere le dispute assai più rapido ed economico del tribunale.

«Com'è andata la sessione di apertura?» domandò Stalin in un perfetto inglese.

«La commissione si è organizzata, come previsto. Si metterà al lavoro domani. Secondo il programma, la votazione definitiva si avrà tra sei giorni.»

Il russo sembrò impressionato. «Meno di una settimana, come aveva previsto lei.»

«So quello che faccio. Il trasferimento è stato eseguito?» L'esitazione della risposta lasciò trasparire un certo fastidio. «Non sono abituato a modi così diretti.»

La parte finale della frase, sebbene taciuta, apparve chiara: non era abituato a essere trattato in maniera così informale da uno *straniero*. Hayes decise di trattenere la propria irritazione e di recuperare le distanze. «Non intendevo mancarle di rispetto, ma i pagamenti non sono stati eseguiti, a dispetto degli accordi, e io sono abituato a rispettare i patti.»

Sul tavolo c'era un foglio. Stalin lo fece scivolare verso di lui. «Ecco il nuovo conto svizzero di Zurigo da lei richiesto. Stessa banca. Cinque milioni di dollari, versati questa mattina. Tutti i pagamenti sono stati eseguiti come previsto.»

Hayes ne fu lieto. Aveva rappresentato per dieci anni la mafia nelle sue varianti americane. Milioni di dollari erano stati riciclati attraverso istituzioni finanziarie statunitensi: la maggior parte tramite investimenti in aziende «pulite» in cerca di capitale, altri mediante l'acquisto di azioni, obbligazioni, oro e opere d'arte. Le sue parcelle avevano fatto guadagnare milioni a Pridgen & Woodworth, e doveva dire grazie all'elasticità delle leggi americane e alla sconfinata apertura mentale dei burocrati. Nessuno conosceva la fonte dei pagamenti, e l'attività non aveva mai attirato l'attenzione di nessuna istituzione pubblica. Hayes aveva sfruttato il suo ruolo per ampliare il proprio potere nello studio e attrarre un'ampia schiera di clienti stranieri; si rivolgevano a lui perché conosceva la dinamica degli affari nella nuova Russia. Sfruttava paura e angoscia e sapeva che l'insicurezza poteva rivelarsi un vantaggio, se la si sapeva alleviare.

«Sta cominciando a guadagnarci molto, Taylor», osservò Stalin.

«Come le ho già detto, non sono disposto a correre rischi per puro piacere.»

«Evidentemente no.»

«Cosa significa quello che ha detto ieri circa un'espansione del mio ruolo nella vicenda?»

«L'ho spiegato. Potremmo aver bisogno di risolvere alcune questioni, e lei cade a proposito... con la sua apparente estraneità.»

«Voglio che mi riveliate ciò che mi tenete nascosto.»

«Al momento non ha davvero nessuna importanza. Non deve preoccuparsi; stiamo solo prendendo qualche precauzione.»

Hayes estrasse dalla tasca dei pantaloni il biglietto che gli era stato consegnato il giorno prima. «Avrò bisogno di chiamare?»

Stalin ridacchiò. «La definizione di lealtà che io le ho fornito – di uomini pronti ad annegare nel fiume a un suo ordine – le piace?»

«Voglio sapere perché dovrei averne bisogno.»

«Speriamo che la circostanza non si presenti. Ora mi parli della concentrazione del potere. Oggi se n'è discusso nella commissione?»

«Il potere sarà concentrato tutto nelle mani dello zar, ma ci sarà un consiglio dei ministri e una Duma con cui sarà necessario confrontarsi.»

Stalin rifletté sulle informazioni ricevute. «A quanto pare la nostra è una natura fluttuante. Monarchia, repubblica, democrazia, comunismo... Nulla sembra funzionare qui.» Dopo una breve pausa, aggiunse con un sorriso: «Per fortuna».

Hayes chiese ciò che davvero gli interessava: «Che mi dice di Stefan Baklanov? Collaborerà?»

Stalin guardò l'orologio. «Avrà presto una risposta alla sua domanda.»

11

Tenuta «La distesa verde»,
ore 16.30

Hayes ammirò il fucile: era un Fox a doppia canna sovrapposta, col manico in noce turco levigato a mano fino a risultare splendente. Il calcio, dritto e sottile, aveva l'estremità a coda di castoro e il calciolo in gomma dura. Provò il sistema di caricamento e sparo, a tamburo e con espulsori automatici. Sapeva che il prezzo di quel gioiello variava dai settemila dollari per il modello base ai venticinquemila per quello da competizione. Davvero un'arma meravigliosa.

«Tocca a lei», disse Lenin.

Hayes appoggiò il fucile sulla spalla e prese la mira tra la foschia del nuvoloso cielo pomeridiano. Stabilizzò la canna con un tocco leggerissimo.

«Pull», gridò.

La macchina sparò in aria il piattello. Hayes seguì il puntino nero con lo sguardo, avanzò e sparò.

L'obiettivo si disintegrò in una pioggia di frammenti.

«Lei è un buon tiratore», osservò Khruščëv.

«Sono appassionato di caccia.»

Ogni anno trascorreva almeno nove settimane in giro per il mondo per battute di caccia: caribù e oche in Canada; fagiani e pecore selvatiche in Asia; cervi rossi e volpi in Europa; bufali e antilopi in Africa. Per non parlare delle anatre, dei cervi e dei galli cedroni che cacciava abitualmente nelle foreste settentrionali della Georgia e tra le montagne del North Carolina. Il suo ufficio di Atlanta era cosparso di trofei. Il ritmo serrato degli ultimi due mesi tuttavia non gli aveva lasciato un attimo libero per sparare, quindi era contento di aver partecipato a quell'escursione.

Aveva lasciato Mosca subito dopo l'incontro con Stalin; una

vettura con autista lo aveva condotto a una tenuta situata quasi cinquanta chilometri a sud della capitale. La casa padronale, un grazioso edificio di mattoni rossi venato di rami d'edera, apparteneva a un altro membro dei Cancellieri Segreti: Georgij Ostanovič, meglio noto a Hayes come Lenin.

Ostanovič proveniva dall'esercito. Era un uomo magro, dal colorito cadaverico e con due occhi grigio ferro nascosti dietro lenti spesse. Sebbene non indossasse mai l'uniforme, era un generale; all'inizio della guerra in Cecenia aveva condotto al fronte le truppe, in occasione dell'assalto di Groznyj. Durante quel conflitto aveva perso un polmone, e da allora ansimava a ogni passo. Dopo la guerra aveva criticato apertamente il debole programma militare di Eltsin ed era riuscito a non perdere rango e autorità soltanto grazie alla caduta di quest'ultimo. Gli alti ufficiali, preoccupati del proprio futuro sotto il regno del nuovo zar, avevano considerato fondamentale garantire la presenza dell'esercito in un eventuale complotto. Ostanovič, dunque, era il rappresentante dell'intero corpo militare.

Lenin prese posizione e si preparò a sparare.

«Pull», gridò.

Dopo un istante, colpì dritto l'obiettivo.

«Eccellente», commentò Hayes. «Al tramonto è molto più difficile tirare.»

Stefan Baklanov, l'erede al trono, se ne stava in disparte, con in mano il suo fucile monocolpo aperto. Era un uomo piccolo, calvo e tarchiato, con gli occhi verde chiaro e una folta barba alla Hemingway. Si stava avvicinando ai cinquanta e il suo volto, del tutto inespressivo, preoccupava Hayes. Nella sfera politica, aveva poca importanza il fatto che un candidato fosse o no in grado di governare; l'essenziale è che desse l'impressione di saperlo fare. Sebbene fosse sicuro che tutti i diciassette membri della Commissione per lo zar sarebbero infine stati corrotti e i loro voti assicurati, Hayes credeva comunque necessario presentare all'esame un candidato adeguato, che si rivelasse capace di governare... o quantomeno di eseguire con efficienza gli ordini impartiti dalle persone che lo avevano posto sul trono.

Baklanov si avvicinò al segno. Lenin e Khruščёv indietreggiarono.

«Sono curioso», disse Baklanov con la sua voce da baritono. «La monarchia sarà assoluta?»

«Non ci sono alternative possibili», rispose Lenin.

Hayes aprì il fucile ed estrasse la cartuccia esplosa. Sulla terrazza in mattoni soprelevata, i quattro uomini erano soli. I retrostanti boschetti di abeti e faggi erano adorni di note ramate, tipicamente autunnali. Dietro un padiglione, in lontananza, un branco di bisonti si confondeva nell'ampia pianura.

«Mi sarà concesso il comando assoluto dell'esercito?» domandò Baklanov.

«Entro limiti ragionevoli», rispose Lenin. «Non siamo all'epoca di Nicola. Bisogna tenere conto... dei tempi moderni.»

«Ma potrò controllare i militari?»

«Che intenzioni avrebbe in proposito?» chiese Lenin.

«Non sapevo di dover rendere conto delle mie intenzioni.»

Hayes notò che Lenin non aveva affatto apprezzato il palese sarcasmo.

«Mi rendo conto, generale, che a suo avviso l'esercito manca di fondi adeguati e che le nostre capacità di difesa sono state minate dall'instabilità politica», continuò Baklanov. «Tuttavia io non credo in un destino basato sul potere militare. I comunisti hanno mandato in rovina il Paese costruendo bombe mentre le strade si sgretolavano e la gente moriva di fame. In futuro dovremo soddisfare quei bisogni primari.»

Hayes sapeva di avere appena udito ciò che Lenin non avrebbe voluto ascoltare. Il salario degli ufficiali, di mese in mese più basso, era inferiore al guadagno dei venditori ambulanti. Le caserme ormai non erano altro che squallidi caseggiati e gli armamenti non erano più aggiornati da anni; anche l'equipaggiamento più sofisticato era obsoleto.

«Naturalmente, generale, occorrerà assegnare fondi per colmare le lacune passate. Un esercito efficiente è necessario... per una buona difesa.» Era un chiaro segnale che Baklanov era disposto a scendere a compromessi. «Tuttavia mi chiedo: le proprietà imperiali saranno restituite?»

Hayes si trattenne dal sorridere. L'erede al trono sembrava

godere dell'imbarazzo dei suoi ospiti. Il termine *zar*, antico adattamento russo del latino *caesar*, gli sembrava quantomai appropriato. Quell'uomo avrebbe potuto essere un perfetto imperatore romano; possedeva una naturale arroganza che tendeva a sconfinare nella stupidità. Forse Baklanov dimenticava che, alla fine, la pazienza dei collaboratori nei confronti di Cesare si era esaurita.

«Che cosa aveva in mente?» chiese Khruščëv.

Khruščëv, cioè Maxim Zubarev, faceva parte del governo. Aveva modi insolenti e sbruffoni; Hayes ipotizzava derivassero da una reazione all'intimo disagio causatogli dall'avere un muso equino e due rugosissimi occhi scuri. Rappresentava un nutrito gruppo di funzionari della burocrazia centrale di Mosca, preoccupato dell'importanza del proprio ruolo all'interno della nuova monarchia. Zubarev aveva capito, e lo aveva spiegato più volte, che l'ordine nazionale resisteva soltanto perché la gente continuava a tollerare l'autorità dell'attuale governo finché la Commissione per lo zar non avesse terminato il proprio lavoro. I ministri intenzionati a sopravvivere a tale metamorfosi avrebbero dovuto adattarsi, e in fretta; da ciò derivava il bisogno di prendere parte alla manipolazione segreta del sistema.

Baklanov si rivolse a Khruščëv. «Vorrei recuperare la proprietà dei palazzi posseduti dalla mia famiglia all'epoca della rivoluzione: erano proprietà dei Romanov, rubate da ladri.»

Lenin sospirò. «Come crede di riuscire a mantenerle?»

«Io? Ci penserà lo Stato, naturalmente. Tuttavia si potrebbe stilare una sorta di accordo, simile a quello della monarchia inglese. La maggior parte rimarrà accessibile al pubblico, e il ricavato dei biglietti d'ingresso verrà usato per il mantenimento. Però tutte le proprietà e le immagini della corona apparterranno allo zar, e il pubblico dovrà pagare per accedervi. In questo modo la famiglia reale inglese guadagna milioni ogni anno.»

«Perché no?» replicò Lenin, scrollando le spalle. «La gente di certo non può permettersi quelle mostruosità.»

«Naturalmente riconvertirò il Palazzo di Caterina a Carskoe Selo in residenza estiva», aggiunse Baklanov. «Quanto a Mosca, pretendo il controllo esclusivo del complesso del Cremlino. Il Palazzo dei Diamanti sarà la sede di corte.»

«Si rende conto di quanto verrebbe a costare una follia del genere?» domandò Lenin.

«Il popolo non vorrà che il suo zar viva in una casupola», ribatté Baklanov. «I costi sono affar vostro, signori. La pompa e i fasti sono condizioni essenziali per esercitare l'autorità di re.»

Hayes ammirava l'audacia di quell'uomo. Gli ricordava Jimmy Walker intento ad attaccare i boss della Tammany Hall nella New York degli anni '20. Tuttavia quella condotta non era rimasta impunita; Walker aveva finito per rassegnarsi, l'opinione pubblica lo aveva giudicato un imbroglione e la Hall lo aveva estromesso per disobbedienza agli ordini.

Baklanov appoggiò il calciolo del fucile sul lucidissimo stivale destro. Hayes si soffermò un istante a notare il completo di lana – comprato a Savile Row, se non andava errato –, la camicia di cotone Charvet, la cravatta Canali e il cappello di feltro con inserto in camoscio. Se non altro, il russo sapeva come presentarsi.

«I comunisti hanno passato anni a indottrinarci sulle nefandezze e sulla malvagità dei Romanov. Tutte bugie, fino all'ultima parola», affermò Baklanov. «Il popolo vuole una monarchia con tutti i crismi, allora che essa sia notata dal resto del mondo. Ciò si può raggiungere soltanto con fasti e spettacolarità. Si potrebbe cominciare con un'incoronazione solenne, per poi continuare con un gesto di fedeltà del popolo al suo sovrano... Una cosa come un milione di anime radunate nella Piazza Rossa. Dopodiché si passerà ai palazzi.»

«Che ci dice della corte?» chiese Lenin. «Trasferirà la capitale a San Pietroburgo?»

«Senza dubbio. Sono stati i comunisti a scegliere Mosca. Il ritorno simboleggerà il cambiamento.»

«Avrà un assortimento di granduchi e duchesse?» continuò Lenin, senza preoccuparsi di mascherare il proprio disgusto.

«Certo. Devo assicurare la successione.»

«Ma lei non tiene conto della sua famiglia? La disprezza?» lo incalzò Lenin.

«I miei figli riceveranno il diritto di nascita. A parte ciò, creerò una nuova classe dirigente; non vedo modo migliore di ricompensare i patrioti che hanno reso possibile tutto ciò.»

Intervenne Khruščëv. «Tra noi c'è chi vuole una classe boiara creata dalle file dei nuovi ricchi e dei clan criminali. La gente invece si aspetta che lo zar metta un freno alla *mafija*, non che la ricompensi.»

Hayes si chiese se Khruščëv sarebbe stato tanto audace anche in presenza di Stalin. Quest'ultimo era stato escluso intenzionalmente dall'incontro, insieme con Brežnev; era stata un'idea di Hayes, una variante del copione «poliziotto buono-poliziotto cattivo».

«Sono d'accordo», replicò Baklanov. «Un passaggio graduale sarà un beneficio per tutti. Mi preme di più che i miei discendenti diretti ereditino il titolo e proseguano la dinastia dei Romanov.»

I tre figli maschi di Baklanov avevano dai venticinque ai trentatré anni. Sul piano umano detestavano il padre, ma la prospettiva che il primogenito diventasse *zarevič* e gli altri due granduchi aveva posto una tregua in famiglia. La moglie era un'irrecuperabile alcolista, ma era ortodossa, di origini russe e con sangue reale. Aveva trascorso gli ultimi trenta giorni a disintossicarsi in un centro benessere austriaco e aveva ripetutamente assicurato tutti di essere disposta a dire addio alla bottiglia pur di diventare la zarina di tutte le Russie.

«La prosecuzione della dinastia è interesse comune», osservò Lenin. «Il suo primogenito sembra una persona ragionevole; ha promesso di rispettare la sua linea di governo.»

«E quale sarebbe la mia linea di governo?»

«Fare esattamente cosa le diremo noi», rispose Hayes, che aveva atteso il momento giusto per mettere in chiaro le cose. Era stufo di gironzolare in punta di piedi intorno a quel bastardo.

Baklanov s'infuriò palesemente per quei modi rudi.

Bene, pensò Hayes. *Dovrà farci l'abitudine.*

«Non sapevo che un americano avesse un ruolo in questa transizione.»

Hayes recuperò un'espressione neutra. «Questo americano è colui che la mantiene.»

Baklanov guardò Lenin. «È la verità?»

«Noi non abbiamo intenzione d'investire un solo rublo su di lei, gli stranieri sì. Si sono offerti loro, noi abbiamo accettato», spiegò Lenin. «Hanno molto più da perdere, o da guadagnare, su ciò che accadrà negli anni a venire.»

«Le assicuriamo che diventerà zar e che avrà potere assoluto», proseguì Hayes. «La Duma sarà impotente come un toro castrato. Ogni proposta di legge dovrà essere approvata da lei e dal Consiglio di Stato.»

Baklanov annuì compiaciuto. «La filosofia di Stolypin: rendere la Duma un'appendice inutile, che si limiti a sottoscrivere la politica del governo, non a svolgere una funzione di controllo o amministrazione. Potere supremo al sovrano.»

Pëtr Stolypin era stato tra gli ultimi primi ministri di Nicola II: un difensore dell'ordine zarista sanguinario a tal punto che col suo nome erano stati ribattezzati il cappio usato per impiccare i contadini rivoltosi e i vagoni ferroviari con cui si trasportavano in Siberia gli esuli politici. Tuttavia Stolypin era stato assassinato con un colpo di pistola all'Opera di Kiev, sotto gli occhi di Nicola II.

«Forse il destino di Stolypin può essere d'insegnamento?» lo provocò Hayes.

Baklanov non replicò, ma l'espressione del suo volto barbuto lasciò intendere che la minaccia era stata colta. «Come verrà composto il Consiglio di Stato?» chiese.

«Metà per elezione, metà per sua scelta», rispose Lenin.

«Un tentativo d'inserire un elemento democratico nel processo delle pubbliche relazioni», evidenziò Hayes. «Però ci assicureremo che il consiglio sia controllabile. Per quanto riguarda la politica, lei dovrà fare riferimento solo ed esclusivamente a noi. Mantenere l'unità all'interno del progetto ha richiesto sforzi incredibili. Lei è il fulcro, ce ne rendiamo conto. La discrezione è nell'interesse di tutti, perciò stia certo che non riceverà critiche in pubblico da parte nostra. La sua obbedienza tuttavia non potrà e non dovrà essere messa in discussione.»

«E se, una volta in possesso dello scettro, rifiutassi di collaborare?» domandò Baklanov, in tono di sfida.

«In tal caso, andrà incontro al destino dei suoi antenati», rispose Lenin. «Vediamo un po': Ivan VI ha trascorso la vita in esilio, Pietro II è stato picchiato a morte e Paolo I strangolato, Alessandro II è morto sotto una bomba in un attentato terroristico e Nicola II è stato giustiziato. A voi Romanov non va molto bene, quanto a omicidi. Non dovrebbe essere difficile organizzare una morte adatta al suo rango. Dopodiché si vedrà se il prossimo Romanov sarà disposto a collaborare di più.»

Baklanov non aprì bocca. Si limitò a voltarsi verso le scure foreste e a caricare il fucile. Quindi fece un cenno all'addetto al lancio.

Un disco fu lanciato in aria.

Baklanov sparò, mancando l'obiettivo.

«Accidenti», commentò Khruščёv. «Vedo che dovremo lavorare sulla sua mira.»

12

Mosca,
ore 20.30

Lord provò disagio per l'improvvisa partenza di Hayes. Con lui nei paraggi, si sentiva più al sicuro. Era ancora agitato per ciò che era accaduto il giorno precedente, e Ilya Zinov era rincasato per la notte, promettendo di farsi trovare nella hall del Volkhov alle sette dell'indomani mattina. Lord aveva promesso di restare in camera sua, ma era troppo turbato, così decise di scendere per un drink.

Un'anziana donna se ne stava seduta dietro un tavolo collocato in fondo al corridoio del secondo piano: non c'era modo di entrare o uscire dall'ascensore senza passarle accanto. Era una *dežurnaja*, ennesimo vestigio dell'era in cui tutti i piani degli alberghi avevano impiegati simili – iscritti al libro paga del KGB –, la cui funzione era tenere sotto controllo gli ospiti stranieri. Ormai non erano nient'altro che camerieri particolari.

«Sta uscendo, Mr Lord?»

«Scendo al bar.»

«Ha partecipato alla seduta della commissione, oggi?»

Lui annuì. Non aveva tenuto nascoste le sue attività legate alla commissione, dal momento che ogni giorno entrava e usciva col tesserino pinzato alla giacca.

«Ci troveranno un nuovo zar?»

«Le piacerebbe?»

«Molto. Questo Paese ha bisogno di tornare alle sue radici. Ecco qual è il nostro vero problema.»

Il commento della donna lo incuriosì.

«Siamo un Paese grande, che dimentica in fretta il passato. Lo zar, un Romanov, ci restituirà le nostre radici.» La donna sembrava fiera.

«E se non fosse scelto un Romanov?»

«Allora non funzionerebbe», dichiarò lei. «Gli dica di non pensarci nemmeno. La gente vuole un Romanov, il più prossimo possibile a Nicola II.»

Chiacchierarono ancora un po' e, prima di entrare in ascensore, Lord promise alla donna che avrebbe riferito il suo parere alla commissione.

Giunto di sotto, si diresse verso il salone in cui si era rifugiato con Hayes il giorno prima, dopo la sparatoria. Passando di fronte al ristorante, notò un volto familiare: era l'uomo degli archivi, in compagnia di altre tre persone.

«Buonasera, professor Paščenko», salutò Lord in russo, per attirare l'attenzione dell'uomo.

«Mr Lord, che coincidenza... È qui per cena?»

«Soggiorno in questo albergo.»

«Sono con alcuni amici, ceniamo spesso qui. Il ristorante è buono.» Paščenko gli presentò i tre accompagnatori.

Dopo una breve conversazione, Lord prese congedo. «Mi ha fatto piacere rivederla, professore.» Indicò il bar con un cenno del capo. «Stavo per bere una cosa prima di andare a letto.»

«Potrei unirmi anch'io?» chiese Paščenko. «Mi piace molto parlare con lei.»

Lord esitò solo un istante. «Se le fa piacere, sì. Un po' di compagnia è sempre ben accetta.»

Data la buonanotte ai suoi amici, Paščenko lo seguì nel salone. Un pianista suonava, diffondendo una musica discreta nella stanza dalle luci soffuse. Soltanto la metà dei tavoli era occupata. Si sedettero, e Lord ordinò due vodka. «Si è dileguato in fretta, ieri», disse poi.

«Ho visto che era molto impegnato e avevo approfittato fin troppo del suo tempo», spiegò il professore. Quando il cameriere portò da bere, pagò il conto prima che l'americano avesse tempo di metter mano al portafoglio.

«Professore, posso farle una domanda?» chiese Lord, tornando col pensiero a quanto aveva detto la *dežurnaja*.

«Certo.»

«Che cosa accadrebbe se la commissione non scegliesse un Romanov?»

«Sarebbe un errore. All'epoca della rivoluzione, il trono apparteneva alla dinastia dei Romanov.»

«Qualcuno potrebbe obiettare che Nicola ha rinunciato al trono, abdicando nel marzo del 1917.»

«Sì, con una pistola puntata alla tempia», replicò Paščenko, ridendo. «Non credo che nessuno pensi sul serio che Nicola abbia rinunciato liberamente alla sovranità, sua e dei suoi eredi.»

«Chi crede abbia più probabilità di essere scelto?»

Il russo sollevò un sopracciglio. «Bella domanda... Lei conosce la legge di successione russa?»

«L'imperatore Paolo varò il provvedimento nel 1797», recitò Lord. «Furono stabiliti cinque criteri: il candidato deve essere un maschio, finché ci sono maschi eleggibili; deve essere ortodosso, così come la madre e la moglie; deve essere sposato con una donna di pari rango, appartenente a un lignaggio reale, approvata dallo zar regnante. Per candidarsi occorre possedere tutte e cinque le credenziali insieme: è sufficiente non rispettarne una per essere esclusi.»

Paščenko approvò con un cenno del capo. «Lei conosce bene la nostra storia. Quanto al divorzio?»

«I russi non gli hanno mai dato una grande importanza; all'interno delle famiglie reali era normale che le donne divorziate si risposassero. Interessante: una devozione quasi fanatica al credo ortodosso accanto a unioni stabilite con realismo, in nome della politica.»

«Lei capisce che non ci sono garanzie che la Commissione per lo zar rispetti l'atto di successione», disse Paščenko.

«Credo invece che dovranno farlo. Quella legge non è mai stata abrogata, se non nel manifesto comunista, che nessuno riconosce più come valido.»

Paščenko chinò la testa da un lato. «Ma, in tal modo, i cinque criteri non escluderebbero, di fatto, tutti i candidati?»

Lord e Hayes ne avevano discusso a lungo. Il russo aveva ragione: l'atto di successione era un problema. I pochi Romanov scampati alla rivoluzione, inoltre, complicavano ulteriormente le cose. Si erano suddivisi in cinque rami distinti, soltanto due dei quali – i Mihajlovič e i Vladimirovič – possedevano legami di sangue abbastanza forti per mirare al trono.

«È un dilemma», concluse il professore. «Tuttavia la nostra è una situazione particolare: un'intera famiglia reale è stata sterminata. La commissione dovrà risolvere il puzzle scegliendo una persona adatta, che la gente accetti come zar.»

«Il processo mi preoccupa un po'», confessò Lord. «Baklanov sostiene che tra i Vladimirovič ci sono molti traditori; mi hanno detto che è pronto a sostenere le proprie accuse con le prove, se qualcuno di loro dovesse presentarsi come candidato.»

«E la cosa la inquieta?»

«Molto.»

«Ha trovato qualcosa in grado d'inficiare la sua candidatura?»

Lord scosse la testa. «Niente di direttamente connesso alla sua persona. Appartiene ai Mihajlovič, i più prossimi a Nicola II. Sua nonna era Xenia, la sorella di Nicola. Abbandonarono la Russia per la Danimarca nel 1917, dopo l'ascesa al potere dei bolscevichi. I sette figli, cresciuti in Occidente, finirono per disperdersi. I genitori di Baklanov hanno vissuto in Germania e in Francia, facendogli frequentare le migliori scuole. Non è stato considerato discendente diretto fino alla morte prematura dei cugini. Ora è lui il maschio più anziano. Non ho ancora trovato nulla che possa danneggiarlo.» *A meno che non vi sia in giro da qualche parte un discendente diretto di Nicola e Alessandra*, pensò. Ma quella era un'idea troppo bizzarra per essere presa in considerazione. Almeno così aveva creduto fino al giorno prima.

Paščenko tenne il bicchiere di vodka accanto al volto solcato dalle rughe. «Conosco Baklanov. L'unico suo problema potrebbe essere la moglie, che è sì ortodossa e con un po' di sangue reale nelle vene, ma non fa parte di nessuna dinastia regnante. Come potrebbe? Ne sono rimaste pochissime. Di certo i Vladimirovič sosterranno che è un punto a suo sfavore, ma sono sicuro che la commissione sarà costretta a non tenerne conto. Temo che nessuno possa soddisfare quel presupposto. Per non parlare, poi, del fatto che nessun discendente ha potuto ricevere l'approvazione del proprio matrimonio da parte del vecchio zar, dal momento che c'è un salto di decenni.»

Lord aveva tratto la stessa conclusione.

«Non credo che i russi si preoccupino del matrimonio», proseguì Paščenko. «L'importante è capire che cosa faranno lo zar e la zarina, dopo aver ricevuto il titolo. Gli eredi Romanov potrebbero non essere all'altezza delle aspettative; la loro storia è costellata di lotte interne. E ciò sarebbe intollerabile, soprattutto se si verificasse pubblicamente, di fronte alla commissione.»

Ripensando all'appunto di Lenin e alla lettera di Alessandra, Lord decise di capire che cosa ne sapesse Paščenko. «Ha riflettuto su quello che le ho mostrato ieri agli archivi?» Il professore sorrise. «Capisco la sua preoccupazione. Che cosa succederebbe se esistesse un discendente diretto di Nicola II? Annullerebbe qualsiasi ambizione al trono da parte di chiunque altro. Di certo, Mr Lord, lei non crederà che qualcuno sia potuto sopravvivere all'eccidio di Ekaterinburg...»

«Non so che cosa pensare. Tuttavia, se i resoconti del massacro sono attendibili, nessuno può essere sopravvissuto. Eppure Lenin sembrava dubitare dei rapporti ufficiali. Voglio dire, perché mai Jurovskij avrebbe dovuto confessare a Mosca di aver perso due corpi?»

«Concordo. Non c'è dubbio al riguardo: vi sono prove inconfutabili che le ossa di Alessio e Anastasia sono sparite», disse Paščenko.

Lord ripensò al 1979, anno in cui un geologo in pensione, Alexander Avdonin, e un regista russo, Gely Rjabov, avevano ritrovato il sito in cui Jurovskij aveva fatto seppellire dai suoi uomini la famiglia imperiale. I due avevano trascorso mesi a parlare coi parenti delle guardie e dei membri del Soviet degli Urali, nonché a esaminare documenti e libri occultati. Tra questi ultimi c'era anche un resoconto scritto di pugno dallo stesso Jurovskij – consegnato loro da suo figlio – che colmava molte lacune e indicava con precisione il luogo della sepoltura. Tuttavia, in quel clima politico, chiunque fosse in possesso di quel resoconto era stato avvertito di non rivelarlo pubblicamente; a maggior ragione, nessuno poteva pensare di riesumare i cadaveri. Soltanto nel 1991, dopo la caduta del comunismo, Avdonin e Rjabov avevano dissotterrato i corpi seguendo le indicazioni: sottoposti al test del DNA quei resti avevano dato esito positivo. Paščenko aveva ragione. Erano stati rinvenuti soltanto nove scheletri e, sebbene fossero state svolte indagini approfondite sul posto, i resti dei due ultimogeniti di Nicola II non erano stati mai ritrovati.

«Potrebbero semplicemente essere sepolti da un'altra parte», riprese Paščenko.

«Ma allora che cosa intendeva dire Lenin quando scrisse che i rapporti ufficiali dell'esecuzione di Ekaterinburg non erano del tutto attendibili?»

«Difficile a dirsi. Lenin era una figura complessa. Non c'è dubbio che sia stato lui a ordinare l'esecuzione dell'intera famiglia; ci sono resoconti che testimoniano come l'ordine fosse arrivato da Mosca dopo essere stato approvato da Lenin in persona. L'ultima cosa che voleva era che l'Armata Bianca liberasse lo zar. I Bianchi non erano realisti, ma la liberazione avrebbe potuto essere un punto di partenza per sancire la fine della rivoluzione.»

«Cosa crede significhi il riferimento al fatto che 'l'informazione riguardo Feliks Jusupov' confermasse l'inattendibilità dei rapporti di Ekaterinburg?» chiese Lord.

«Questo sì che è interessante. Ci ho riflettuto molto, insieme con quanto Rasputin ha detto ad Alessandra. Queste sono informazioni nuove, Mr Lord. Mi considero uno studioso piuttosto esperto in storia zarista, ma è la prima volta che leggo di una connessione tra Jusupov e la famiglia reale dopo il 1918.»

Lord bevve un sorso di vodka. «Jusupov uccise Rasputin. Secondo molti, fu un atto che accelerò la caduta della monarchia. Sia Nicola sia Alessandra odiarono Jusupov per quello che aveva commesso.»

«Ciò alimenta ulteriormente il mistero. Perché la famiglia reale avrebbe dovuto avere qualcosa a che fare con lui?» domandò Paščenko.

«Se ben ricordo, la maggior parte dei granduchi e delle duchesse appoggiarono la decisione di uccidere lo starec.»

«Vero. Ecco quale fu l'errore fatale di Rasputin: dividere la famiglia Romanov. Nicola e Alessandra contro tutti.»

«Rasputin era un personaggio davvero enigmatico», osservò Lord. «Un contadino siberiano capace d'influenzare direttamente lo zar di tutte le Russie. Un ciarlatano col potere di un imperatore.»

«Molti avrebbero da ridire sul fatto che fosse un ciarlatano», replicò l'altro. «Un gran numero di sue profezie si sono avverate. Disse che lo *zarevič* non sarebbe morto di emofilia, e così fu. Predisse che l'imperatrice Alessandra avrebbe visto il luogo in cui era nato lui – in Siberia – e così fu, nel viaggio verso la prigionia di Tobol'sk. Disse inoltre che, se lui fosse stato ucciso da un membro della famiglia reale, lo zar e i suoi non sarebbero sopravvissuti più di due anni. Ora, Jusupov sposò una nipote del re, uccise lo *starec* nel dicembre 1916 e i Romanov furono giustiziati diciannove mesi dopo. Niente male per un ciarlatano.»

Lord non subiva il fascino dei santoni che dicevano di avere un legame privilegiato con Dio. Suo padre sosteneva di essere uno di quelli. Migliaia di persone si erano riunite per ascoltarlo gridare il Verbo e vederlo curare i malati. Naturalmente il tutto veniva dimenticato dopo poche ore, quando una donna del coro si recava in camera sua. Aveva letto di come Rasputin seducesse le donne allo stesso modo.

Scacciato il pensiero del padre, mormorò: «Non è mai stato provato che le premonizioni di Rasputin fossero state messe per iscritto quando lui era in vita. La maggior parte di esse fu rivelata da sua figlia, che assunse come missione di vita la riabilitazione dell'immagine paterna. Ho letto il suo libro».

«Forse tutto ciò era vero, prima di oggi.»

«Che cosa intende dire?»

«La lettera di Alessandra parla dell'estinzione della famiglia reale nell'arco di due anni. Il documento è datato di suo pugno 28 ottobre 1916, ossia due mesi *prima* della morte di Rasputin. Evidentemente lui le aveva rivelato qualcosa. Una profezia, scrive la donna, che ne riporta le esatte parole. Dunque lei possiede un documento di rilevanza storica, Mr Lord.»

Non aveva riflettuto sulle conseguenze della sua scoperta... Il professore aveva ragione.

«Intende recarsi a San Pietroburgo?» chiese Paščenko.

«Prima non volevo, ma ora credo che lo farò.»

«Ottima decisione. Con le sue credenziali avrà accesso a se-

zioni dell'archivio che nessuno di noi ha mai consultato prima. Forse scoprirà altri documenti, anche perché adesso sa
che cosa cercare.»

«Ecco qual è il mio problema, professore: non so davvero
che cosa sto cercando», ribatté Lord.

L'accademico aveva l'aria tranquilla. «Non si preoccupi.
Sento che avrà successo.»

13

San Pietroburgo,
giovedì 14 ottobre,
ore 12.30

Lord si sistemò nell'archivio situato al terzo piano di un edificio post-rivoluzionario affacciato sulla trafficata Nevskij prospekt. Era riuscito a prenotare due posti su un volo dell'Aeroflot in partenza da Mosca alle nove del mattino. Il viaggio era trascorso senza intoppi, ma in un'atmosfera irritante: i tagli alle spese e la mancanza di professionalità del personale di bordo, infatti, avevano avuto una ripercussione negativa sulla qualità del servizio offerto dalla compagnia di bandiera russa. Ma lui aveva fretta e non si sarebbe certo potuto permettere di percorrere quasi milletrecento chilometri in macchina o in treno.

Ilya Zinov si era fatto trovare nell'atrio dell'albergo alle sette in punto, come promesso, pronto a scortarlo per un'altra giornata. Il russo era rimasto sorpreso nel sentirsi chiedere di andare all'aeroporto e avrebbe voluto chiamare Taylor Hayes per chiedere conferma, ma Lord gli aveva detto che Hayes era fuori città e non aveva lasciato recapiti. Sfortunatamente, il volo di ritorno nel pomeriggio era pieno, quindi si era visto costretto a prenotare due biglietti per il treno notturno San Pietroburgo-Mosca.

A differenza di Mosca, che trasmetteva un'immagine vivida e reale – con le sue strade sporche e gli edifici ordinari –, San Pietroburgo sembrava la città delle favole, piena com'era di palazzi barocchi, cattedrali e canali. Mentre il resto della nazione sonnecchiava sotto una coltre grigia di spenta monotonia, San Pietroburgo accendeva gli occhi col suo granito rosa e con le facciate decorate da stucchi gialli e verdi. Lord ripensò alla definizione della città data da Nikolaj Gogol': «Ogni cosa qui respira l'inganno». Allora come in quel giorno, la città sembrava chiusa in se stessa: la progettazione degli edifici, ai tempi interamente affidata ad architetti italiani, aveva contribuito a trasmettere un'immagine decisamente europea. Era stata capitale fino al 1917 – anno dell'ascesa al potere del comunismo – e ora si stava cominciando a prendere seriamente in considerazione l'idea di trasferire di nuovo lì il centro del potere, dopo l'incoronazione dello zar.

Il tragitto dall'aeroporto – situato a sud – all'archivio era stato poco trafficato, per essere una mattina infrasettimanale in una città di cinque milioni di abitanti. In un primo momento, le sue credenziali di appartenenza alla Commissione per lo zar erano state contestate, ma una telefonata a Mosca aveva fugato ogni perplessità, garantendogli libero accesso all'intero patrimonio archivistico, compresi i Fascicoli Protetti.

Il magazzino dell'archivio di San Pietroburgo, sebbene di piccole dimensioni, conservava una gran quantità di scritti autografi di Nicola, Alessandra e Lenin. Inoltre, proprio come aveva detto Semjon Paščenko, i diari e le lettere dello zar e della zarina, prelevati da Carskoe Selo e da Ekaterinburg dopo l'esecuzione, erano stati riposti lì.

Da quelle pagine emergeva il ritratto di due persone chiaramente innamorate. Alessandra scriveva con gli accenti di una poetessa romantica, e i suoi scritti erano costellati di espressioni di passione fisica. Lord trascorse due ore a frugare nella sua corrispondenza, più che altro per capire in che modo quella donna, tanto complessa e intensa, mettesse per iscritto i propri pensieri.

Verso metà pomeriggio s'imbatté in una serie di diari del 1916. I volumi, legati insieme, erano infilati in una scatola di cartone ammuffita con sopra le iniziali N e A. Ogni volta restava sorpreso nel constatare come i russi archiviavano i ricordi: tanta meticolosità nella stesura, eppure tanta incuria nella conservazione. I diari erano impilati in ordine cronologico; le scritte sulla copertina di tela di ognuno rivelavano che si trattava, nella maggior parte dei casi, di doni offerti ad Alessandra da parte delle figlie. Su alcuni di essi c'era una svastica ricamata; era strano vedere quel segno, anche se Lord sapeva bene che, prima dell'appropriazione da parte di Hitler, rappresentava un antico simbolo benaugurale, spesso usato dalla zarina.

Sfogliò diversi volumi, senza trovare nient'altro che le classiche effusioni enfatiche di due corrispondenti dilaniati dalla passione amorosa. Infine s'imbatté in due mazzi di lettere. Estrasse dalla valigetta la fotocopia della lettera di Alessandra a Nicola, datata 28 ottobre 1916, e la confrontò con gli originali: la calligrafia e la cornice floreale increspata della carta erano identiche.

Perché quell'unica lettera era stata occultata e nascosta a Mosca?

Forse era uno dei tanti casi di epurazione della storia zarista, oppure era una semplice paranoia del ricercatore... Ma che cosa rendeva quella singola lettera tanto speciale da essere inserita in una borsa su cui era riportato l'ordine di non leggere il contenuto per venticinque anni? Una cosa era sicura: Semjon Paščenko aveva ragione. Quello era un documento storicamente importante.

Lord dedicò il resto del pomeriggio a cercare qualcosa su Lenin. Verso le quattro notò per la prima volta la presenza di un uomo: era piccolo e magro, con due occhi acquosi e impazienti; indossava un completo beige troppo largo e, per qualche motivo, a Lord capitò più volte di pensare che lo sguardo di quell'estraneo indugiasse troppo su di lui. Zinov comunque sedeva di guardia nei paraggi; Lord ricondusse i suoi sospetti all'ansia irrazionale e cercò di riacquistare la calma.

Verso le cinque trovò finalmente qualcosa d'interessante, scritto per mano di Lenin. Su quel documento, altrimenti privo di significato, Lord notò il nome di Jusupov; la sua mente lo mise subito in relazione con l'appunto di Mosca.

Feliks Jusupov vive in rue Gutenberg, vicino al Bois de Boulogne. Appartiene all'ampia porzione di aristocrazia russa che ha invaso Parigi; quegli idioti credono che la rivoluzione finirà e che potranno ben presto tornare a occupare il proprio rango e recuperare le proprie ricchezze. Mi hanno detto che un'anziana signora della vecchia nobiltà tiene la valigia sempre pronta, perché crede di poter rimpatriare da un momento all'altro. I miei agenti hanno riferito di aver letto la cor-

rispondenza tra Jusupov e Kolja Maks. Almeno tre lettere. La cosa mi preoccupa. Ora mi rendo conto di aver sbagliato ad affidare l'esecuzione al Soviet degli Urali. Giungono rapporti sempre più inquietanti. Abbiamo già arrestato una donna che sostiene di essere Anastasia; ci aveva insospettito per le numerose lettere scritte a re Giorgio V con la richiesta di aiutarla a fuggire. Il Comitato degli Urali riferisce che due figlie dello zar vivono nascoste in un villaggio remoto. Sono state identificate come Maria e Anastasia. Ho inviato alcuni agenti a controllare. Un'altra donna, a Berlino, sostiene con convinzione di essere Anastasia, e alcuni informatori dicono che la sua somiglianza con la figlia dello zar sia impressionante.

Tutto ciò mi preoccupa. Se non fosse per il timore che suscitano in me i fatti di Ekaterinburg, riterrei queste voci prive di significato. Ma temo che vi siano ulteriori implicazioni. Avremmo dovuto uccidere Jusupov insieme col resto della nobiltà. Quell'idiota arrogante è al centro di qualcosa. Il suo odio nei confronti del governo è manifesto; sua moglie è di sangue Romanov, e c'è chi parla già della restaurazione della monarchia con lui come zar. Stupidi sogni di stupidi uomini. La madrepatria non appartiene più a loro, questo devono capirlo.

Terminò la lettura della pagina, ma senza trovare altri riferimenti a Jusupov. Di certo Lenin era preoccupato che Jurovskij, il responsabile dell'esecuzione dei Romanov a Ekaterinburg, avesse consegnato un falso resoconto dell'accaduto.

Erano state undici o soltanto nove le persone uccise in quello scantinato? O magari otto?

Chi poteva saperlo?

Lord ripensò alle persone che, negli anni '20, avevano sostenuto di essere discendenti dello zar. Lenin aveva fatto riferimento a una donna di Berlino, che si era rivelata una tale Anna Anderson, la più famosa aspirante erede. La sua storia era stata narrata in libri e film, e per diversi anni la donna era stata sotto i riflettori, affermando risolutamente – e fino alla sua morte, nel 1984 – di essere la figlia minore dello zar. Tuttavia i test del DNA effettuati sul cadavere avevano rivelato la sua totale estraneità alla dinastia Romanov.

C'era stato inoltre un resoconto convincente circolato in Europa, sempre negli anni '20, che sosteneva che Alessandra e le sue figlie non erano state affatto uccise a Ekaterinburg, ma spedite lontano prima dell'assassinio di Nicola e di Alessio. Le donne sarebbero state inviate a Perm, cittadina di provincia non lontana da Ekaterinburg. Lord si ricordò di un libro – *The File on the Tsar* – che apportava prove dettagliate a suffragio di tale ipotesi. Tuttavia in seguito erano emersi documenti inaccessibili all'autore, per non parlare della successiva individuazione dei cadaveri imperiali, che avevano provato senza ombra di dubbio la morte di Alessandra e di almeno tre delle sue figlie a Ekaterinburg.

La situazione era molto confusa; impossibile distinguere la realtà dall'inganno. Lord pensò che Churchill avesse ragione: «La Russia è un indovinello avvolto in un mistero racchiuso in un enigma».

Recuperò dalla sua valigetta un'altra fotocopia fatta all'archivio di Mosca; era allegata a un appunto scritto per mano di Lenin. Non lo aveva mostrato né a Hayes né a Semjon Paščenko, perché lo aveva considerato irrilevante. Fino a quel momento.

Era un passaggio dattiloscritto, estratto dalla deposizione rilasciata da una delle guardie di Ekaterinburg, datata ottobre 1918: tre mesi dopo l'assassinio dei Romanov.

Lo zar non era più giovane, la sua barba stava diventando grigia. Ogni giorno indossava una camicia militare e la cintura da ufficiale chiusa da una fibbia. I suoi occhi erano gentili, e avevo l'impressione che fosse una persona semplice, schietta e comunicativa. A volte credevo persino che volesse parlarmi; sembrava avesse voglia di esprimersi. La zarina invece era tutto l'opposto del marito: il suo sguardo era severo e lei era altezzosa, nell'aspetto e nei modi. Discutendo come a volte facevamo, noi guardie decidemmo che Alessandra era proprio il prototipo della zarina. Sembrava più vecchia dello zar; aveva le tempie vistosamente brizzolate, e il suo non era più il volto di una donna giovane. Lavorando come guardia, tutto il mio odio nei confronti dello zar svanì. Dopo averli visti diverse volte, cominciai a cambiare opinione e provai pena per loro in quanto esseri umani. Desideravo che la loro sofferenza finisse, ma mi rendevo conto di ciò che sarebbe successo. Il loro destino era già stato stabilito. Jurovskij si as-

sicurò che tutti noi avessimo ben chiaro il compito da svolgere. Dopo un po', cominciai a pensare che bisognasse fare qualcosa per farli scappare.

In che cosa si era imbattuto? E perché nessuno aveva mai trovato nulla del genere? Continuò a ripetersi che l'accesso agli archivi era stato consentito soltanto pochi anni prima. I Fascicoli Protetti erano ancora inaccessibili alla maggior parte degli studiosi, e il caos che dominava il processo di archiviazione dei documenti russi trasformava le scoperte in colpi di fortuna.

Doveva tornare a Mosca e raccontare tutto a Taylor Hayes. C'era la possibilità che la candidatura di Stefan Baklanov fosse messa in discussione. Là fuori poteva esserci un pretendente al trono con un legame di sangue più prossimo alla dinastia Romanov di quello di Baklanov. La stampa sensazionalista e la fantasia popolare annunciavano da tempo l'esistenza di un erede diretto. Uno studio cinematografico aveva persino prodotto un lungometraggio animato, destinato a milioni di bambini, che raccontava la storia della sopravvivenza di Anastasia. Tuttavia, proprio come con Elvis e Jimmy Hoffa, non si trattava altro che d'invenzione, e non c'era una sola prova a sostegno delle ipotesi.

Oppure sì?

Hayes mise giù il telefono, cercando di mantenere i nervi saldi. Si era recato alla tenuta «La distesa verde» sia per lavoro sia per svago. Aveva lasciato detto all'albergo di riferire a Lord di continuare pure con le sue ricerche d'archivio, poiché lui aveva ricevuto una chiamata urgente fuori città; aveva inoltre aggiunto che lo avrebbe chiamato verso metà pomeriggio. Aveva evitato intenzionalmente di lasciare recapiti, ordinando però a Ilya Zinov di tenere sotto controllo Lord.

«Era Zinov», disse Hayes. «Lord ha trascorso la giornata negli archivi di San Pietroburgo.»

«Lei non ne sapeva niente?» domandò Lenin.

«Assolutamente no. Credevo stesse lavorando a Mosca. Zinov ha detto che stamattina Lord gli ha ordinato di condurlo all'aeroporto. Stanotte torneranno a Mosca con la Freccia Rossa.»

Khruščëv era palesemente irritato. E gli accadeva di rado, pensò Hayes. Tra i cinque, il rappresentante del governo era il più dotato di autocontrollo e non alzava quasi mai la voce. Ci andava piano con la vodka, forse perché credeva che la lucidità potesse dargli un vantaggio.

Il giorno precedente, Stefan Baklanov era stato condotto in un'altra tenuta non lontana. Doveva restare in isolamento fino alla sua prima comparsa dinanzi alla commissione, che sarebbe avvenuta di lì a due giorni. Erano da poco scoccate le sette e Hayes sarebbe dovuto rientrare a Mosca. Era sul punto di farlo, quando ricevette la chiamata da San Pietroburgo.

«Zinov si è assentato per un attimo durante la cena e ha chiamato i suoi superiori, i quali lo hanno dirottato su di me», proseguì Hayes. «Mi ha detto inoltre che ieri, all'archivio di Mosca, Lord ha parlato con un uomo chiamato Semjon Paščenko. Stamattina il portiere dell'albergo ha riferito a Zinov che ieri sera Lord ha bevuto un bicchiere in compagnia di un uomo che corrispondeva alla stessa descrizione.»

«Qual è questa descrizione?» chiese Khruščëv.

«Magro, sui sessanta, occhi azzurri, calvo, con un inizio di barba su viso e collo.»

Hayes colse lo sguardo che si scambiarono Lenin e Khruščëv. Era tutta la settimana che sentiva di essere tenuto all'oscuro di qualcosa e la situazione gli piaceva sempre di meno. «Di chi si tratta? È chiaro che lo sapete.»

Lenin sospirò. «Un problema.»

«Me ne ero accorto. Potete fornirmi qualche dettaglio?»

«Mai sentito parlare della Sacra Compagnia?» replicò Khruščëv.

Hayes scosse la testa.

«Nel XIX secolo, il fratello dello zar Alessandro II fondò un gruppo in seguito conosciuto con tale denominazione. In quel periodo il timore degli attentati era enorme. Alessandro non godeva di un ampio consenso, poiché aveva emancipato i servi della gleba. Questa Sacra Compagnia non era niente di serio: soltanto un gruppo di nobili che si era impegnato a proteggere la vita dello zar. In pratica, però, non erano nemmeno in grado di difendere se stessi, tant'è che, alla fine, Alessandro morì a causa di una bomba lanciata contro di lui in un attentato terroristico. Paščenko è a capo della versione moderna di quel gruppo, composto da semplici dilettanti. Per quanto ne sappiamo, la sua Sacra Compagnia si è formata negli anni '20 e sopravvive tutt'oggi.»

«Ma dopo l'assassinio di Nicola II e della sua famiglia non c'erano zar da proteggere», osservò Hayes.

«Questo è il problema», evidenziò Lenin. «Da decenni girano voci secondo cui alcuni discendenti di Nicola sarebbero sopravvissuti al massacro.»

«Palle», ribatté Hayes. «Ho letto dei vari pretendenti: sono tutti pazzi spostati.»

«Può darsi. Tuttavia la Sacra Compagnia esiste ancora.»

«E ciò ha qualcosa a che vedere con ciò che Lord ha scoperto negli archivi?»

«Tutto», rispose Lenin. «E ora che Paščenko ha preso ripetutamente i contatti con lui, Lord va eliminato all'istante.»

«Un altro agguato?»

«Assolutamente. Stanotte stessa.»

Hayes decise di non avanzare obiezioni. «Come farò a inviare uomini a San Pietroburgo prima di mezzanotte?»

«Può provvedere al trasporto aereo.»

«Potrei sapere perché tutta questa fretta?»

«Non ritengo importante fornirle ulteriori dettagli», disse Khruščëv. «Le basti sapere che il problema rischia di mandare all'aria tutti i nostri piani. A quanto pare, questo Lord è uno spirito libero. Lei non può controllarlo, noi non possiamo correre altri rischi. Usi il numero di telefono che le è stato consegnato e invii degli uomini. Quel čudak non deve tornare a Mosca vivo.»

14

San Pietroburgo,
ore 23.30

Lord e la sua guardia del corpo giunsero alla stazione ferroviaria. Le banchine di cemento erano gremite di persone che arrancavano avvolte in spessi cappotti – alcuni ornati da collari di astrakan ricciuto –, la maggior parte portando a mano grosse valige o borse della spesa. Nessuno sembrò accorgersi di lui. Per tutta la giornata non aveva avuto l'impressione di correre rischi, anche se gli era parso che quell'uomo in biblioteca lo stesse guardando.

Aveva cenato con calma al Grand Hotel Europe, per poi recarsi al concerto di un quartetto d'archi in uno dei salotti dell'albergo. Avrebbe voluto passeggiare per la Nevskij prospekt, ma Zinov non era convinto che girare per strada di notte fosse una bella idea. Dopo un po' avevano preso un taxi per raggiungere direttamente la stazione, giusto in tempo per salire sul treno.

Era una notte fredda, e la Piazza dell'Insurrezione era intasata dal traffico. Lord provò a raffigurarsi lo scontro sanguinario tra la polizia zarista e i dimostranti che, nel 1917, aveva dato inizio alla rivoluzione: due giorni di battaglia per il controllo della piazza. La stazione ferroviaria era una creazione di Stalin; la facciata bianca e verde la faceva sembrare un palazzo residenziale piuttosto che il luogo di partenza e arrivo dei treni. All'interno dell'edificio proseguiva la costruzione dei nuovi binari della linea ad alta velocità per il collegamento con Mosca; il progetto multimiliardario, opera di uno studio di architettura dell'Illinois, era diretto dagli ingegneri di un'impresa inglese. Il giorno prima, l'architetto responsabile aveva presenziato al briefing del Volkhov, comprensibilmente inquieto per il suo futuro.

Lord aveva prenotato uno scompartimento di prima classe a due letti. Aveva viaggiato più volte sulla Freccia Rossa e si ricordava il periodo in cui lenzuola e materassi erano sudici e gli scompartimenti luridi. La situazione, però, era nettamente migliorata, e ormai la corsa di quel treno era considerata una tra le più lussuose d'Europa.

Il treno partì in orario alle 23.55; avrebbe raggiunto Mosca alle 7.55 dell'indomani. Seicentocinquanta chilometri in otto ore.

«Non ho molto sonno», disse a Zinov. «Credo che andrò a bere qualcosa al bar. Aspetti qui, se crede.»

Zinov annuì, informandolo che ne avrebbe approfittato per schiacciare un pisolino. Lord uscì dallo scompartimento e attraversò altri due vagoni letto; il fumo dei samovar situati all'estremità di ogni carrozza gli faceva bruciare gli occhi.

L'arredamento del bar presentava comodi sedili di pelle e finimenti in legno di quercia. Sedutosi a un tavolino poco illuminato accanto al finestrino, ammirò la campagna sfrecciare via.

Ordinò una Pepsi – il suo stomaco non era in vena di vodka –, aprì la valigetta e si mise a ripassare gli appunti presi qualche ora prima sui documenti trovati. Era convinto di aver scoperto qualcosa di grosso e cominciò a chiedersi quali ripercussioni avrebbe potuto avere la sua scoperta sulla candidatura di Stefan Baklanov.

La posta in gioco era alta, sia per la Russia sia per le società che Pridgen & Woodworth rappresentava. Non voleva fare nulla per complicare il futuro di nessuno, tantomeno il suo nello studio. Ma non c'era verso di fugare i suoi dubbi persistenti.

Si sfregò gli occhi; era abituato a far tardi, ma la stanchezza delle ultime settimane cominciava a farsi sentire. Si appoggiò allo schienale di pelle del sedile e sorseggiò la sua bibita. Di certo all'università non insegnavano nulla di tutto ciò, e nemmeno dodici anni di scalata nello studio lo avevano preparato a simili eventualità. Un avvocato come lui normalmente lavorava in ufficio, in tribunale o in biblioteca, preoccupandosi soltanto di come guadagnare abbastanza da ricompensare gli sforzi e di come procurarsi la stima dei soci anziani dello studio, persone che avevano in mano il suo futuro.

Persone su cui voleva fare colpo.

Come suo padre.

Aveva ancora negli occhi l'immagine di Grover Lord disteso nella bara aperta; la bocca che aveva urlato la parola di Dio chiusa da una morsa fatale, le labbra e il volto cinerei. Lo avevano vestito con uno dei suoi abiti migliori e gli avevano fatto il nodo alla cravatta con quella leggera onda che gli piaceva tanto; aveva l'orologio e i gemelli d'oro. Si ricordò di aver pensato che quei tre gioielli, da soli, avrebbero potuto pagare buona parte del suo percorso di studi. Al funerale erano accorsi quasi mille fedeli, tra pianti, deliqui e canti. Sua madre avrebbe voluto che lui pronunciasse un discorso. Ma che cosa avrebbe mai potuto dire? Di certo non avrebbe potuto definire il defunto un ciarlatano, un ipocrita, uno schifoso individuo. Così si era rifiutato di parlare, e sua madre non glielo aveva mai perdonato; da allora, i loro rapporti erano piuttosto freddi.

Lord si sfregò di nuovo gli occhi, mentre il sonno cominciava a farsi strada.

Percorse con lo sguardo la lunga carrozza per osservare i volti delle altre persone che, come lui, erano rimaste in piedi a bere qualcosa. Un uomo attirò la sua attenzione: giovane, biondo, tarchiato. Sedeva da solo e sorseggiava un drink... La sua presenza lo fece rabbrividire. Era una minaccia? La risposta giunse quando una donna e un bambino piccolo si sedettero accanto all'uomo e cominciarono a conversare con lui.

Dacci un taglio, si disse. Ma poi notò al fondo del vagone un uomo di mezz'età con una birra in mano: il volto scarno, le labbra sottili, gli stessi occhi acquosi e impazienti che aveva notato nel pomeriggio. Era l'uomo dell'archivio, vestito con lo stesso, troppo largo abito beige.

Lord alzò la guardia. Una bizzarra coincidenza.

Doveva tornare da Zinov, ma senza dare l'idea di essere agitato. Dopo aver svuotato il bicchiere di Pepsi, chiuse con calma la valigetta. Si alzò e gettò alcuni rubli sul tavolo. Sperò che il suo comportamento trasmettesse calma ma, uscendo, vide riflessa nella porta a vetri l'immagine dell'uomo che si alzava e si dirigeva verso di lui.

Forzò l'anta scorrevole e si allontanò dalla carrozza del bar. Voltandosi, vide l'uomo che accelerava il passo.

Merda.

Facendosi strada, entrò nel vagone del suo scompartimento. Lanciò una rapida occhiata indietro e vide l'uomo entrare nella carrozza che precedeva la sua.

Aprì la porta del suo scompartimento.

Zinov era uscito.

Lord pensò che potesse essersi recato in bagno, e si affrettò a controllare.

Dentro non c'era nessuno.

Dove diavolo è Zinov?

Entrò in bagno e accostò la porta senza far comparire la scritta OCCUPATO, di modo che da fuori la toilette sembrasse libera.

Rimase immobile, con la schiena premuta contro la parete e il respiro affannoso. Il cuore gli batteva all'impazzata. Sentì dei passi in rapido avvicinamento; si fece forza, pronto a usare la valigetta come arma. Dall'altra parte, sentì la porta che conduceva al vagone letto aprirsi con un cigolio sordo e richiudersi subito dopo.

Attese un minuto intero.

Non sentendo nulla, aprì e controllò. Non vide nessuno. Richiuse, a chiave. Era la seconda volta in due giorni che riusciva a farla franca. Appoggiò la valigetta sul water e si concesse un istante per sciacquarsi il volto imperlato di sudore. Fece attenzione a non deglutire: una targhetta indicava che l'acqua non era potabile. Sul lavabo era appoggiato uno spray disinfettante, che spruzzò sulla saponetta; poi si lavò mani e viso. Si asciugò col suo fazzoletto, perché non c'erano tovaglioli di carta.

Si guardò nello specchio.

Gli occhi erano stanchi, il volto contratto; i capelli avevano urgente bisogno di un taglio. Che cosa stava succedendo? Dov'era Zinov? Gran bella guardia del corpo... Rinfrescò di nuovo il volto e si sciacquò la bocca, sempre stando attento a non deglutire. *Che paradosso*, pensò. *Una maledetta superpotenza in grado di far saltare in aria il mondo mille volte che non fornisce acqua potabile sui treni.*

Cercò di recuperare la calma. Vide la notte sfrecciare via, veloce, attraverso un finestrino ovale. Comparve un altro treno, che correva nella direzione opposta; l'incrocio sembrò durare minuti.

Respirò a fondo, prese la valigetta e uscì.

Gli si parò dinanzi un tipo alto, robusto, col viso butterato e coi capelli lucidi raccolti in una coda di cavallo. Lord fissò gli occhi e notò subito l'ampia distanza tra la pupilla destra e il sopracciglio.

Droopy.

Fu raggiunto da un pugno allo stomaco.

Si piegò in due; il respiro gli si fermò in gola e fu colto da un violento attacco di nausea. L'intensità del colpo lo aveva scaraventato contro la parete esterna, facendogli urtare il finestrino con la testa; le immagini balenarono confuse di fronte ai suoi occhi.

Si sedette sul water.

Droopy entrò in bagno e chiuse la porta. «Ora, Mr Lord, la faremo finita.»

Era riuscito a mantenere la presa della valigetta, e per un istante pensò di scagliarla verso l'alto; in quello spazio così angusto, però, il colpo sarebbe risultato troppo leggero. Cominciò a mancargli il respiro. Lo shock iniziale fu sostituito dalla paura: un terrore puro, un brivido freddo.

Droopy aprì un coltello a serramanico.

Era questione di un attimo.

Lo sguardo di Lord incrociò il disinfettante; si allungò in avanti, afferrò lo spray e lo spruzzò negli occhi dell'aggressore. La nebbia caustica scatenò un urlo di dolore. Lord gli diede un calcio nell'inguine col ginocchio destro. Droopy si piegò, e il coltello cadde sul pavimento piastrellato. Lord impugnò la valigetta con due mani e la spinse giù, facendo crollare in avanti l'aggressore. Assestò un secondo colpo, poi un altro ancora.

Saltò il corpo afflosciato e aprì la porta di metallo, dirigendosi in fretta verso il corridoio. Trovò Cro-Magnon che lo aspettava: la stessa fronte sporgente, i capelli a cespuglio e il naso a patata visti due giorni prima.

«Va di fretta, Mr Lord?»

Per tutta risposta, lui diede un calcio al ginocchio sinistro del russo con la punta del suo mocassino. Alla sua destra aveva notato un samovar argentato pieno d'acqua bollente, con una brocca di vetro in attesa di essere riempita di caffè per i passeggeri che l'avessero gradito. Rovesciò il liquido ustionante su Cro-Magnon; quindi sfrecciò nella direzione opposta, puntando verso la porta accanto alla toilette. Uscì di corsa dal vagone letto ed entrò nella carrozza adiacente, precipitandosi lungo lo stretto corridoio, nei limiti consentiti dallo spazio angusto. Sperò di veder comparire qualcuno del personale. Nessuno. Tenendo sempre stretta la valigetta, entrò nella carrozza successiva. Dietro di sé, udì aprirsi la porta del vagone e con una rapida occhiata vide i due aggressori precipitarsi verso di lui.

Continuò a correre, ma alla fine decise che era inutile. Prima o poi il treno sarebbe finito.

Si voltò.

L'angolo della carrozza gli offriva un breve nascondiglio. Nel corridoio di fronte a sé vide gli ingressi di altri scompartimenti letto. Immaginò di essere ancora in prima classe. Doveva nascondersi in uno di essi, anche solo per un secondo, in modo da lasciar passare gli inseguitori. Forse allora sarebbe potuto tornare indietro a cercare Zinov.

Cercò di aprire la prima porta di legno che vide.

Chiusa.

Anche quella dopo era chiusa.

Era questione di un istante.

Afferrò un'altra maniglia. Le ombre di figure in avvicinamento oscurarono l'ingresso dello scompartimento precedente. Non appena vide comparire la spalla di uno degli inseguitori, fece pressione.

La porta si aprì.

Entrò e la richiuse dietro di sé.

«Chi è lei?» domandò una voce femminile, in russo.

Seduta sul letto, a meno di un metro da lui, c'era una donna. Era magra, coi capelli biondi lunghi fino alle spalle. Scrutò l'ovale del suo viso, la pelle bianca come il latte, la punta del naso all'insù. Aveva insieme un aspetto molto femminile e l'aria da maschiaccio. I suoi occhi blu non mostrarono la minima ombra di preoccupazione.

«Non abbia paura», disse lui, in russo. «Mi chiamo Miles Lord. Ho un grosso problema.»

«Il che non spiega perché lei si sia introdotto nel mio scompartimento.»

«Due uomini m'inseguono.»

La donna si alzò dal letto e gli si avvicinò. Non era alta – gli arrivava soltanto fino alle spalle –, indossava un paio di jeans scuri e una giacca ben tagliata, con le spalle imbottite, sopra un dolcevita blu. Emanava un profumo dolce e leggero.

«Lei è un mafioso?» chiese.

«No, ma i miei inseguitori forse sì. Due giorni fa hanno ucciso un uomo e ora cercano di uccidere me.»

«Si scosti», disse la donna.

Lui le passò accanto e si diresse verso l'unica finestra dello scompartimento. Lei aprì la porta, si affacciò per un attimo e poi richiuse.

«Ci sono tre uomini al fondo del vagone», lo informò.

«Tre?»

«Sì. Uno ha una coda di cavallo nera, l'altro è rozzo e ha un naso grosso, come un tataro.»

Droopy e Cro-Magnon.

«Il terzo è biondo, muscoloso e senza collo.»

Sembrava Zinov. Lord cercò di vagliare le possibilità.

«Stanno parlando tra loro?»

«Sì. Stanno anche bussando alle porte degli scompartimenti, diretti da questa parte.»

Il subitaneo sgomento comparso negli occhi di Lord doveva risultare evidente. La donna gli indicò il vano sopra la porta.

«Si arrampichi lassù e resti in silenzio.»

Lo spazio era abbastanza ampio da contenere due grossi bagagli e da consentirgli di nascondervisi in posizione fetale. Salì su uno dei due letti e si arrampicò. La donna gli porse la valigetta. Si era appena sistemato quando qualcuno bussò alla porta dello scompartimento.

La donna aprì.

«Stiamo cercando un uomo di colore, con un completo e una valigetta.» Era la voce di Zinov.

«Non ho visto nessuno», replicò la donna.

«Non cerchi di mentire», insistette Cro-Magnon. «Né di metterci fuori strada. Lo ha visto?» domandò in tono minaccioso.

«Non ho visto nessuno del genere. Non voglio che mi creiate problemi.»

«Il suo volto mi è familiare», intervenne Droopy.

«Sono Akilina Petrovna del Circo di Mosca.»

Un attimo di silenzio.

«Già, è vero... Ho assistito a un suo numero.»

«Fantastico. Forse dovreste proseguire la vostra ricerca altrove. Ho bisogno di riposare, questa sera dovrò esibirmi.»

Richiuse la porta.

Lord udì lo scatto della serratura. Per la terza volta in due giorni, trasse un sospiro di sollievo.

Attese un minuto, poi si calò giù dal nascondiglio. Aveva il torace imperlato di sudore freddo. La sua ospite era seduta sull'altro letto.

«Perché quegli uomini la vogliono uccidere?» Il suo tono di voce era lieve e privo di tracce d'inquietudine.

«Non ne ho idea. Sono un avvocato americano e faccio parte della Commissione per lo zar. Fino a due giorni fa credevo che nessuno sapesse della mia esistenza, a parte il mio capo.»

Si sedette sul letto di fronte. L'adrenalina, venendo meno, aveva lasciato un tremito in ogni muscolo del suo corpo. La stanchezza cominciava a farsi sentire, ma lui aveva ancora un problema da risolvere. «Uno di quelli, il tizio che le ha parlato per primo, dovrebbe essere la mia guardia del corpo. Invece, a quanto pare, le sue mansioni sono molto più ampie di quanto pensassi.»

La fronte liscia della donna si corrugò. «Le consiglierei di non rivolgersi a lui per ricevere aiuto. I tre sembravano complici.»

«Si verificano spesso situazioni come questa, in Russia?» domandò Lord, incuriosito. «Strani individui s'introducono

nel suo scompartimento, dei criminali bussano alla porta...
Non mi sembra affatto impaurita.»

«Dovrei esserlo?»

«Non ho detto questo. Io sono innocuo. Tuttavia in America una circostanza simile verrebbe giudicata pericolosa.»
La donna alzò le spalle. «Lei non ha l'aria pericolosa. Per la verità, quando l'ho vista, mi è venuta in mente mia nonna.»
Lord restò in attesa di una spiegazione.

«Mia nonna è vissuta all'epoca di Khruščëv e Brežnev. A quel tempo gli americani inviavano spie alla ricerca di basi missilistiche. Furono tutti messi in guardia circa la loro presenza: dicevano di fare attenzione, che erano pericolose. Una volta mia nonna si trovava in giro nei boschi e incontrò un individuo strano che raccoglieva i funghi. Era vestito da contadino e reggeva in mano un cesto di vimini, come si usa da quelle parti. Senza un velo di paura, mia nonna si diresse verso l'uomo e gli disse: 'Salve, spia'. L'uomo la guardò attonito, senza negare l'affermazione. Invece replicò: 'Sono perfettamente addestrato, ho imparato tutto quello che ho potuto sulla Russia. Come ha capito che ero una spia?' 'Semplice', rispose mia nonna. 'Ho trascorso qui tutta la mia vita, e lei è la prima persona di colore che vedo nei boschi.' La stessa cosa per lei, Miles Lord. Lei è la prima persona di colore che vedo su questo treno.»

L'americano sorrise. «Sua nonna sembra una persona pragmatica.»

«Lo era. Finché una notte non vennero a prenderla i comunisti. Pare che in qualche modo una donna di settant'anni rappresentasse una minaccia per il regime.»

Lord aveva letto di come Stalin avesse fatto strage di milioni di persone in nome della madrepatria e di come i segretari di partito e i presidenti a lui succeduti non avessero fatto di meglio. Come diceva Lenin? «Meglio arrestare cento innocenti che rischiare che un solo nemico del regime resti in libertà.»

«Mi dispiace», disse.

«Perché dovrebbe?»

«Non lo so. È la frase più appropriata che mi viene in mente. Cosa vuole che le dica? Peccato che sua nonna sia stata massacrata da un branco di fanatici?»

«È così. Non erano altro che fanatici.»

«Per questo mi ha coperto?»

La donna scrollò le spalle. «Odio sia il governo sia la *mafija*. Sono la stessa cosa.»

«Crede che quegli uomini fossero mafiosi?»

«Senza dubbio.»

«Devo trovare un membro del personale e parlare al capotreno.»

«Sarebbe una follia. In questo Paese tutti sono in vendita. Per cercarla, quegli uomini avranno comprato le autorità del treno.»

Aveva ragione. La polizia non era meglio della *mafija*. Lord ripensò all'ispettore Orleg. Quel russo corpulento non gli era piaciuto fin dal primo momento. «Che cosa mi consiglia?»

«Non saprei. È lei l'avvocato della Commissione per lo zar. Sta a lei pensare una soluzione.»

Notò la borsa da viaggio della donna, con uno stemma del Circo di Mosca ricamato sul lato. «Ha detto loro che lavorava al circo, vero?»

«Certo.»

«Qual è la sua specialità?»

«Indovini...»

«Col suo fisico minuto sarebbe una perfetta acrobata.» Guardò le scarpe da tennis scure. «I suoi piedi sono fermi, ben saldi e, scommetto, affusolati. Ha braccia corte, ma muscolose... Sì, direi che è un'acrobata, magari un'equilibrista.»

La donna sorrise. «Esatto. Ha mai visto una mia esibizione?»

«Non vado al circo da moltissimi anni», rispose, mentre s'interrogava sulla sua età. Sembrava intorno ai trenta.

«Come ha fatto a imparare così bene la nostra lingua?» chiese lei.

«L'ho studiata per molti anni.» Improvvisamente ripensò al suo problema. «Devo andarmene e lasciarla in pace. Lei è già stata fin troppo generosa con me.»

«Dove andrebbe?»

«Troverò uno scompartimento vuoto da qualche parte. Poi, all'alba, cercherò di scendere dal treno senza farmi vedere.»

«Non sia ridicolo. Quei tizi gireranno per il treno tutta la notte. L'unico posto sicuro è questo.»

La ragazza tirò giù la sua valigia, l'appoggiò a terra e si distese sul suo giaciglio. Poi, allungando un braccio, spense la luce sopra il cuscino. «Dorma, Miles Lord. Qui è al sicuro. Non torneranno.»

Era troppo stanco per opporsi e non avrebbe avuto senso farlo, perché la donna aveva ragione. Così allentò la cravatta e si tolse la giacca del completo; poi si distese sul proprio materasso e seguì il consiglio ricevuto.

Lord aprì gli occhi.

Le ruote continuavano a sferragliare sui binari sotto di lui. Guardò la scritta luminosa sul suo orologio: le cinque e venti del mattino. Aveva dormito cinque ore.

Aveva sognato suo padre: il sermone del «figlio incompreso», che aveva ascoltato così spesso. Grover Lord amava miscelare religione e politica, prendersela con comunisti e atei, portare come esempio ai fedeli il caso di suo figlio maggiore. Quel meccanismo aveva un'ottima presa sulle congregazioni del Sud, e il reverendo era imbattibile a inculcare terrore con le grida, per poi passare a raccogliere le offerte, intascare l'ottanta per cento dei ricavati e spostarsi in un'altra città.

Ripensò a sua madre, che aveva difeso il bastardo sino alla fine, continuando a negare l'evidenza. Era toccato a lui, in quanto primogenito, andare a recuperare il corpo del padre in un motel dell'Alabama. La donna con cui aveva trascorso la notte era stata cacciata via; aveva avuto una crisi isterica quando, al risveglio, si era ritrovata nuda accanto al cadavere del reverendo. Soltanto allora Lord aveva scoperto ciò che sospettava da lungo tempo: grazie alla raccolta delle offerte, il buon pastore aveva mantenuto per anni due figli illegittimi; perché non gli bastassero i cinque figli che aveva a casa lo sapevano soltanto lui e Dio. Era chiaro che i sermoni sull'adulterio e sui peccati carnali erano passati inosservati.

Lord scrutò nell'oscurità dello scompartimento. Akilina Petrovna riposava tranquilla sotto una trapunta bianca. Riusciva a malapena a distinguere il suo respiro ritmico tra il monotono cigolio dei binari. Si era cacciato in un brutto affare e non gli importava più nulla della storia che stava per essere scritta: doveva andarsene subito dalla Russia. Grazie al cielo aveva con sé il passaporto. L'indomani sarebbe partito per Atlanta col primo volo. In quel momento, però, l'ondeggiamento del treno e il rumore stridulo delle ruote – insieme col buio che lo avvolgeva – lo fecero sprofondare di nuovo nel sonno.

15

« Miles Lord. »

Aprì gli occhi e vide Akilina Petrovna.

« Stiamo arrivando a Mosca. »

« Che ore sono? »

« Le sette passate. »

Allontanò il lenzuolo e si tirò su. Si sentiva la bocca impastata, come se avesse mangiato della colla. Provava il bisogno di fare una doccia e di radersi, ma non aveva tempo. Inoltre doveva contattare Taylor Hayes, ma c'era un problema. Un grosso problema.

Anche la sua ospite sembrava averci pensato. « Quegli uomini la aspetteranno alla stazione », disse Akilina sedendosi sul bordo del letto.

Lord si lucidò i denti con la lingua. « Lo so. »

« Ci sarebbe una soluzione... »

« Quale? »

« Tra pochi minuti incroceremo l'Anello dei Giardini, e il treno rallenterà per rispettare il limite di velocità. Da piccoli saltavamo su e giù dall'espresso per San Pietroburgo. Era un modo comodo per andare e venire dal centro. »

L'idea di saltare da un treno in corsa non lo faceva impazzire di gioia, ma non poteva rischiare un altro incontro con Droopy e Cro-Magnon.

Il convoglio cominciò a rallentare.

« Si prepari », lo avvertì lei.

« Sa dove siamo? »

La donna guardò fuori del finestrino. « A una ventina di chilometri dalla stazione. Le suggerirei di scendere in fretta. »

Lui prese la valigetta e la aprì. Conteneva soltanto le fotocopie del materiale trovato agli archivi di Mosca e San Pietroburgo, e altri documenti meno importanti. Ripiegò il tutto e se lo infilò sotto la giacca. Cercò il portafoglio e il passaporto: li aveva ancora entrambi in tasca. «Questa valigetta sarebbe un inutile intralcio.»

Lei la prese. «La conserverò io. Se la rivuole, venga al circo.»

«Grazie. Forse lo farò.» *Magari un'altra volta, in un'altra occasione,* pensò.

Si alzò e s'infilò la giacca.

Akilina si spostò verso la porta. «Controllerò il corridoio per vedere se è tutto a posto.»

Lui le afferrò con delicatezza un braccio. «Grazie di tutto, davvero.»

«Prego, Miles Lord. Ha reso interessante un viaggio altrimenti noioso come tanti altri.»

Erano vicini, e lui ne assaporò l'aroma fiorito. Akilina Petrovna era affascinante, anche se il suo viso mostrava i segni di una vita dura. Un tempo la propaganda sosteneva che le donne comuniste fossero le più emancipate al mondo; nessuna fabbrica poteva farne a meno e il terziario sarebbe letteralmente collassato se non fosse stato per il loro contributo. Tuttavia il tempo non era clemente nei confronti delle giovani russe, di cui aveva a lungo ammirato la bellezza. Si chiese come sarebbe stato l'aspetto di Akilina di lì a vent'anni.

La donna uscì dallo scompartimento.

Un minuto dopo rientrò. «Venga», disse.

Il corridoio era deserto, in entrambe le direzioni. Si trovavano circa a tre quarti del vagone, verso il fondo. A sinistra, dietro un altro samovar fumante, c'era la porta d'uscita. Attraverso il vetro, si vedeva sfrecciare la cruda realtà del volto urbano moscovita. A differenza dei treni americani o europei, la porta non era chiusa a chiave né protetta da allarme.

Akilina premette la maniglia e aprì la porta di acciaio verso l'interno. Lo sferragliare delle ruote sui binari aumentò d'intensità.

«Buona fortuna, Miles Lord», lo salutò la donna.

Dopo un ultimo sguardo a quegli occhi blu, Lord saltò. Atterrò sul terreno freddo e rotolò via.

Anche l'ultima carrozza sfrecciò verso sud, abbandonando il mattino nel baratro di un inquietante silenzio.

Era sceso in corrispondenza di una piccola area erbosa situata in mezzo a blocchi di squallidi edifici residenziali. Fu contento di non aver atteso più a lungo per saltare: un istante ancora e ad accoglierlo non ci sarebbe stato altro che cemento. Al di là degli edifici si udiva il rumore del traffico mattutino; l'odore acre dei gas di scarico gli riempiva le narici.

Si alzò, cercando di rassettarsi i vestiti. Un altro abito distrutto. Ma che diavolo: avrebbe lasciato la Russia quel giorno stesso, a ogni costo.

Aveva bisogno di un telefono, perciò si diresse verso un ampio viale disseminato di negozi e uffici ormai prossimi all'apertura. Gli autobus depositavano i passeggeri e poi ripartivano, lasciando dietro di sé una scia di fumo nero. Intravide dall'altra parte della strada due poliziotti con l'uniforme blu e grigia della *milicija*; a differenza di Droopy e Cro-Magnon, indossavano il regolamentare cappello grigio bordato di rosso. Decise comunque di evitarli.

A pochi metri di distanza, lungo il marciapiede, avvistò una drogheria e decise di entrare. L'uomo che sorvegliava gli scaffali era magro e anziano. «Posso usare il telefono?» domandò in russo.

L'uomo gli scoccò un'occhiata severa e non rispose. Lord estrasse dalla tasca dieci rubli e glieli porse. L'altro accettò il denaro, indicando il bancone. Lord compose il numero del Volkhov e chiese al centralino dell'albergo di metterlo in comunicazione con la stanza di Taylor Hayes. Attese una decina di squilli, poi disse all'operatore di provare al ristorante.

Due minuti dopo, Hayes era in linea. «Miles, dove diavolo ti sei cacciato?»

«Taylor, abbiamo un grosso problema.» Raccontò l'accaduto. Lanciò qualche sguardo all'uomo dietro gli scaffali, chiedendosi se capisse l'inglese, ma il rumore del traffico proveniente dall'esterno copriva in parte la conversazione. «Stanno cercando *me*, Taylor. Non Belij o chissà chi. Me.»

«D'accordo, calmati.»

«Calmarmi? Quella guardia del corpo che mi hai assegnato sta con loro.»

«Che dici?»

«Si è unito agli altri due per darmi la caccia.»

«Capisco...»

«No, Taylor, non puoi. Finché non sarai inseguito da criminali russi, non capirai.»

«Miles, ascoltami. Cedere al panico non ti aiuterà: vai alla stazione di polizia più vicina.»

«No, cazzo. Non mi fido più di nessuno, in questa topaia; è coinvolto tutto il maledetto Paese. Devi aiutarmi, Taylor, sei l'unico di cui mi fidi.»

«Che cosa sei andato a fare a San Pietroburgo? Ti avevo detto di stare nascosto.»

Gli raccontò di Semjon Paščenko e di ciò che gli aveva detto. «E aveva ragione, Taylor. Ho trovato un bel po' di roba, laggiù.»

«Roba che può mettere a rischio la candidatura al trono di Stefan Baklanov?»

«Forse sì.»

«Mi stai dicendo che Lenin credeva che alcuni membri della famiglia imperiale fossero sopravvissuti al massacro di Ekaterinburg?»

«Di certo era molto interessato all'argomento. Ci sono abbastanza riferimenti scritti da far sorgere qualche dubbio.»

«Cristo. Proprio ciò di cui avevamo bisogno.»

«Senti, magari non è niente. È passato quasi un secolo dall'omicidio di Nicola II; sarebbe di sicuro saltato fuori qualcuno in passato.» Non appena udì il nome dello zar, il commesso drizzò la testa di scatto. Lord abbassò la voce. «Ma al momento non è questo che mi preoccupa. Voglio uscire vivo da questa situazione.»

«Dove sono i documenti?»

«Li ho con me.»

«D'accordo. Prendi la metropolitana fino alla Piazza Rossa. Il mausoleo di Lenin...»

«Perché non l'albergo?»

«Potrebbero vederti. Stiamo in un ambiente pubblico, è

meglio. Il mausoleo aprirà tra poco ed è pieno di guardie armate: lì sarai al sicuro. Non possono essere tutte corrotte. »

La paranoia stava prendendo il sopravvento, ma Hayes aveva ragione. Doveva ascoltarlo.

«Aspettami fuori. Sarò lì coi rinforzi tra poco. Capito? »

«Fa' in fretta. »

16

Ore 8.30

Lord prese la metropolitana. Il convoglio sotterraneo era imbottito di una soffocante calca di pendolari maleodoranti. Si aggrappò a una sbarra d'acciaio e ascoltò lo sferragliare delle ruote sui binari. Almeno non sembravano esserci minacce; tutti avevano l'aria diffidente, come lui.

Scese al Museo Storico, attraversò una strada trafficata e passò dalla Porta della Risurrezione, al di là della quale vide aprirsi la Piazza Rossa. Notò con meraviglia la recente ricostruzione della porta seicentesca, le cui torri bianche e le arcate di mattoni rossi erano rimaste vittime di Stalin.

Le proporzioni stranamente compatte della piazza lo colpivano ogni volta. La televisione comunista riprendeva l'area acciottolata in modo da farla sembrare senza confini; in realtà, era soltanto un terzo più lunga di un campo da football e ampia meno della metà. Le mura rosse e imponenti del Cremlino si ergevano a sud-ovest, mentre a nord-est c'erano i grandi magazzini GUM: un enorme edificio barocco più simile a una stazione ferroviaria del XIX secolo che a un baluardo del capitalismo. La parte settentrionale era interamente dominata dal Museo Storico, col suo tetto di tegole bianche. In cima al palazzo svettava l'aquila a due teste dei Romanov, al posto della stella rossa che aveva seguito il destino del comunismo. La porzione sud della piazza era dominata dalla cattedrale di San Basilio, un'esplosione di pinnacoli e cupole a cipolla col frontone a forma di cuore rovesciato. L'immagine più famosa della città rappresentava la cattedrale multicolore immersa nell'illuminazione delle lampade ad arco e stagliata contro il nero della notte moscovita.

Le recinzioni di ferro presenti su ogni lato proibivano ai pedoni l'ingresso alla piazza, che – come Lord sapeva – ogni giorno apriva al pubblico soltanto dopo l'una, orario di chiusura del mausoleo di Lenin.

Constatò che Hayes aveva ragione. Dentro e fuori della tomba a forma di scatola erano presenti almeno trenta poliziotti in uniforme. Di fronte al mausoleo di granito si era già formata una piccola coda di visitatori.

Lord aggirò la recinzione e si unì a un gruppo di turisti diretti verso la tomba. Si abbottonò la giacca; aveva freddo e avrebbe voluto avere ancora con sé il soprabito di lana, ma era rimasto nello scompartimento della Freccia Rossa che aveva diviso, per poco, con Ilya Zinov.

Il campanile dell'orologio che spuntava sopra le mura rintoccò. Lì intorno si aggiravano turisti avvolti in piumini e muniti di macchine fotografiche; si distinguevano chiaramente per l'abbigliamento a colori sgargianti. I russi, infatti, optavano per lo più per tinte come nero, grigio, marrone e blu scuro. Anche i guanti erano un indizio rivelatore: i veri russi li snobbavano, persino nel cuore dell'inverno.

Seguì il gruppo fino al mausoleo. Uno dei poliziotti si diresse verso di lui; era un giovane pallido, con un cappotto verde oliva e una *šapka* di pelliccia azzurra. La mancanza di un'arma indicava la funzione puramente rappresentativa della guardia. Brutto segno.

«È qui per visitare il monumento?» chiese la guardia in russo.

Sebbene avesse capito perfettamente la domanda, Lord decise di far finta di non comprendere la lingua. Scosse la testa. «No russo. Inglese?»

La guardia rimase impassibile. «Passaporto», intimò in inglese.

L'ultima cosa che voleva era attirare l'attenzione. Diede una rapida occhiata in giro in cerca di Taylor Hayes o di qualcuno diretto verso di lui.

«Passaporto», ripeté l'altro.

Gli venne incontro un'altra guardia.

Estrasse il passaporto dalla tasca posteriore dei pantaloni; la copertina blu avrebbe immediatamente rivelato la sua identità americana. Nel porgerlo alla guardia, a causa della tensio-

ne nervosa, il libretto cadde sull'acciottolato. Si piegò per rac-
coglierlo e udì un sibilo; qualcosa sfrecciò accanto al suo orecchio destro e affondò nel torace della guardia. Alzò lo sguardo
e vide un fiotto purpureo sprizzare da un foro nel soprabito
dell'uomo, il quale ansimò, rovesciò gli occhi all'indietro e
cadde al suolo.

Voltandosi di scatto, intravide un uomo armato, in cima ai
magazzini GUM.

Il cecchino riposizionò l'arma e prese di nuovo la mira.

Lord intascò in fretta il passaporto, corse tra la folla e salì a
salti la scalinata di granito, spingendo a terra la gente e urlando in russo e in inglese: «Un uomo armato! Correte!»

I turisti si dispersero.

Si gettò a terra nel momento in cui un'altra pallottola rimbalzò sulla pietra lucida accanto a lui. Urtò la dura labradorite
nera dell'atrio della tomba e rotolò verso l'interno proprio
mentre un terzo proiettile scheggiava un'altra porzione di granito rosso all'ingresso.

Due guardie emersero dal mausoleo.

«Fuori c'è un uomo armato», gridò in russo. «In cima al
GUM.»

Nessuno di loro era armato; uno dei due si precipitò verso
uno stanzino e compose un numero di telefono. Lord avanzò
lentamente verso l'entrata. La gente correva in ogni direzione,
ma nessuno era in pericolo. L'obiettivo era lui. Il cecchino era
ancora sul tetto, nascosto tra una fila di lampade ad arco. Al-
l'improvviso, da una stradina laterale a sud del GUM sbucò
una Volvo station wagon scura, che si posizionò proprio di
fronte a San Basilio. La vettura inchiodò e si spalancarono
due portiere. Scesero Droopy e Cro-Magnon, che presero a
correre verso il mausoleo.

Lord non aveva scelta: si affrettò giù dalla scala che conduceva nelle viscere del sepolcro. La gente si era radunata alla
base delle scale, e aveva il terrore dipinto negli occhi. Lord
si fece largo a spallate, si voltò due volte e infine entrò nella
sala principale. Corse lungo il corridoio che girava intorno alla
bara di vetro e gettò al cadavere di Lenin soltanto uno sguardo
fugace. Dall'altra parte si trovavano due guardie, nessuna del-

le quali proferì verbo. Salì una lucida scala di marmo e uscì da una porta laterale; invece di girare a destra, verso la Piazza Rossa, andò a sinistra.

Un rapido sguardo confermò che il cecchino lo aveva avvistato ma, trovandosi all'angolazione sbagliata, avrebbe dovuto cambiare posizione. Vide il nemico spostarsi.

A quel punto si ritrovò nell'area verde retrostante le gradinate d'uscita del mausoleo. Alla sua sinistra notò una scalinata, il cui accesso era sbarrato da una catena: conduceva alla piattaforma panoramica sul tetto. Non pensò nemmeno per un attimo di recarsi lassù; doveva restare nascosto.

Corse verso il muro del Cremlino. Guardandosi indietro, vide il cecchino appostarsi accanto alle ultime lampade ad arco. Ora Lord si trovava dietro la tomba. Busti di pietra commemoravano i sepolcri di uomini quali Sverdlov, Brežnev, Kalinin e Stalin.

Udì due spari.

Si tuffò sul sentiero di asfalto, riparandosi dietro il tronco di un abete bianco. Un proiettile s'infilò tra i rami dell'albero per poi proseguire la sua corsa verso il muro del Cremlino; un altro rimbalzò su uno dei monumenti di pietra. Non poteva andare a destra, verso il Museo storico: lo spazio era troppo aperto. Non gli rimaneva che continuare a proteggersi col mausoleo come scudo. In quel momento tuttavia il suo problema più urgente non era tanto il cecchino, quanto i due che aveva visto scendere dalla Volvo.

Decise di seguire uno stretto sentiero tra le tombe dei leader del partito. Rimase accovacciato, muovendosi il più veloce possibile dietro i tronchi d'albero.

Quando spuntò dalla parte opposta della tomba, giunsero altri spari dal tetto del GUM. Le pallottole scrostarono il muro del Cremlino. Il cecchino non poteva essere tanto maldestro, per cui Lord pensò che lo stesse spingendo in una direzione stabilita, verso un punto in cui Droopy e Cro-Magnon lo stavano sicuramente aspettando.

Guardò a sinistra, verso la Piazza Rossa, al di là delle tribune di granito. I due lo videro e corsero verso di lui, ma la comparsa improvvisa di alcune vetture della polizia ne fermò la rapida avanzata. Anche Lord smise di correre e si nascose dietro un monolito.

Droopy e Cro-Magnon si voltarono, verso il tetto del GUM. Il cecchino fece un segnale, poi sparì. I due colsero il suggerimento e si precipitarono anch'essi verso la Volvo.

Le automobili della polizia sfrecciarono sulla piazza, e una di esse travolse un pezzo di recinzione isolato. Ne uscirono poliziotti armati, con l'uniforme della *milicija*. Lord guardò a sinistra, da dov'era venuto, e vide altri poliziotti correre verso di lui lungo lo stretto sentiero che costeggiava il muro; avevano i cappotti sbottonati e il loro respiro creava una condensa nell'aria gelida del mattino.

Erano armati.

Non aveva più vie di scampo.

Sollevò le mani sopra la testa.

Il primo poliziotto che lo raggiunse lo scaraventò a terra, puntandogli una pistola alla nuca.

17

Lord fu ammanettato e portato via dalla Piazza Rossa. La *milicija* non si dimostrò affatto cortese nei suoi confronti, e lui continuò a ripetersi che non era negli Stati Uniti. Perciò rimase in silenzio e aprì bocca soltanto per dichiarare, in inglese, il proprio nome e la cittadinanza americana. Ancora nessuna traccia di Taylor Hayes.

Da quel poco di conversazione che era riuscito a carpire, aveva dedotto che la guardia era morta e altri due poliziotti erano rimasti feriti. Il cecchino era riuscito a sparire dal tetto senza lasciare tracce, ed evidentemente nessuno aveva notato la presenza di una Volvo station wagon scura o dei suoi due occupanti. Decise di non proferire verbo finché non fosse riuscito a parlare di persona con Hayes. Ormai gli sembrava evidente che i telefoni del Volkhov erano stati messi sotto controllo; in quale altro modo avrebbero potuto conoscere la sua posizione, altrimenti? Ciò faceva pensare a un probabile coinvolgimento di un ramo del governo con l'accaduto.

Eppure Droopy e Cro-Magnon erano fuggiti all'avvicinarsi dei poliziotti.

Doveva assolutamente vedere Hayes, che avrebbe saputo cosa fare. Forse qualcuno della polizia avrebbe potuto aiutarlo a mettersi in contatto... No, ne dubitava; ormai la sua fiducia nei confronti dei russi si era quasi del tutto esaurita.

Fu trasportato per le strade a sirene spiegate, in una pattuglia diretta al commissariato centrale. Il moderno edificio si affacciava sulla Moscova, sulla riva opposta rispetto all'ex sede del governo russo. Attraverso un tetro corridoio fiancheggiato da due file di sedie vuote, fu condotto in un ufficio al secondo piano in cui lo attendeva l'ispettore Feliks Orleg. Il russo indossava lo stesso completo scuro di tre giorni prima, quando si erano incontrati per la prima volta sulla Nikol'skij prospekt, di fronte al cadavere sanguinante di Artemij Belij.

«Mr Lord, prego, si accomodi», disse Orleg in inglese.

Nell'ufficio – un bugigattolo claustrofobico con sudicie pareti intonacate – si trovavano soltanto una scrivania di metallo nero, uno schedario per i documenti e due sedie. Il pavimento era rivestito di piastrelle in graniglia e il soffitto aveva macchie di nicotina, di cui Lord indovinò facilmente l'origine: Orleg, seduto dietro la scrivania, stava soffiando via un'ampia boccata di una scura sigaretta turca. La nebbia bluastra era fitta, ma almeno contribuiva a smorzare l'afrore emanato dal corpo dell'ispettore.

Orleg ordinò che gli sfilassero le manette. Dopodiché la porta si chiuse, lasciandoli soli.

«Non c'è bisogno che la leghi, non è vero, Mr Lord?»

«Perché vengo trattato come un criminale?»

Orleg aveva la cravatta allentata e il colletto della camicia sbottonato. «È la seconda volta che la troviamo accanto a un morto. Stavolta un poliziotto.»

«Non ho sparato a nessuno.»

«Eppure la violenza la segue. Perché?»

L'ispettore, un russo ostinato, gli piaceva ancor meno della prima volta; quando parlava strizzava gli occhi acquosi e aveva il disprezzo dipinto in volto. Lord continuava a chiedersi che cosa passasse davvero per la mente di quel bastardo dall'espressione gelida. Non gli piaceva lo strano affanno che caratterizzava il sollevamento del torace dell'uomo. Aveva paura? O piuttosto si trattava di apprensione?

«Voglio fare una telefonata.»

Orleg aspirò una boccata di fumo. «A chi?»

«Non sono affari suoi.»

«Non siamo in America, Mr Lord. Chi è sotto custodia non ha nessun diritto.»

«Voglio chiamare l'ambasciata americana.»

«Lei è un diplomatico?»

«Lavoro nella Commissione per lo zar. Lo sa benissimo.»

Un sorrisetto irritante. «Dovrebbe essere un privilegio?»

«Non ho detto nulla di simile, però mi trovo in questo Paese con l'autorizzazione del governo.»

Orleg scoppiò a ridere. «Il governo, Mr Lord? Non c'è nessun governo. Attendiamo il ritorno dello zar.» Il sarcasmo non era affatto velato.

«Deduco che abbia votato no...»

Orleg si fece serio di colpo. «Non deduca un bel niente, le conviene.»

Quella frase non gli piacque. Tuttavia, prima che potesse ribattere, il telefono sulla scrivania si mise a squillare.

Orleg sollevò la cornetta con una mano, continuando a tenere la sigaretta tra le dita dell'altra. Rispose in russo, dicendo di passargli pure la chiamata.

«Che cosa posso fare per lei?» domandò l'ispettore.

Ci fu una pausa durante la quale Orleg ascoltò l'interlocutore.

«Il *čudak* è qui con me», rispose.

Lord cercava di non lasciar trapelare la sua comprensione della lingua russa. Evidentemente il poliziotto si sentiva protetto dalla barriera linguistica.

«Una guardia è morta. Gli uomini che avete mandato hanno fallito. Non ci sono stati contatti. Le avevo detto che la situazione poteva essere gestita meglio. Concordo. Sì. Ha una gran fortuna.»

Dunque il chiamante era la fonte dei suoi problemi, e aveva visto giusto sul conto dell'ispettore: non poteva fidarsi di quel figlio di puttana.

«Lo terrò qui finché non arriveranno i suoi uomini. Stavolta tutto sarà fatto come si deve. Basta criminali, ci penserò io a ucciderlo.»

Lord ebbe l'impressione di essere sfiorato dal tocco di gelide dita.

«Non si preoccupi. Lo tengo d'occhio personalmente; in questo momento è proprio qui, seduto di fronte a me.» Sul volto del russo comparve un ghigno. «Non capisce una parola di quello che dico.»

Dopo un istante di pausa, Orleg si drizzò di scatto sulla sedia e fissò Lord.

«Che cosa?» gridò l'ispettore. «Lui parla...»

Lord sollevò le gambe e scaraventò il pesante tavolo addosso a Orleg. Quindi strappò il telefono dal muro e corse via dalla stanza. Sbatté la porta, si precipitò lungo il corridoio vuoto, scese giù dalle scale saltando tre gradini per volta e ripercorse la strada fino all'ingresso dell'edificio e poi fuori, nel traffico.

Si ritrovò nell'aria gelida di metà mattina e si tuffò tra la gente.

18

Hayes scese dal taxi alle Vorob'ëvy Gory – le «colline dei passeri» – e pagò l'autista. Il cielo di mezzogiorno sembrava platino brunito; il sole filtrava diretto, come attraverso un vetro ghiacciato, e compensava la brezza gelida. Sotto di lui, la Moscova faceva una stretta ansa e formava una penisola su cui si ergeva lo stadio Luzhniki. In lontananza, a nord-est, le rotonde cupole d'oro e d'argento delle cattedrali del Cremlino spuntavano nella fredda foschia come lapidi nella nebbia. Proprio sulle colline intorno a lui avevano combattuto Napoleone e poi Hitler. Tra quegli alberi – lontano dagli agenti segreti – si erano svolti, nel 1917, gli incontri clandestini dei gruppi rivoluzionari determinati a far cadere lo zar una volta per tutte; una nuova generazione sembrava intenzionata a vanificare i loro sforzi.

Alla sua destra, l'Università Statale di Mosca si stagliava tra gli alberi con un prepotente assortimento di capricciose guglie, ali finemente decorate ed elaborati ghirigori; edificato dai prigionieri di guerra tedeschi, era il più grande tra tutti i giganteschi edifici celebrativi fatti erigere da Stalin per impressionare il mondo. Hayes ricordò di aver sentito raccontare la storia di un prigioniero che si sarebbe costruito un paio d'ali con scarti di legname per poi tentare di volar via dalla cima del palazzo; aveva fallito, proprio come la sua patria e il suo führer.

Feliks Orleg attendeva su una panchina, all'ombra dei faggi. Hayes era ancora infuriato per quanto accaduto due ore prima, ma si ripromise di dosare le parole. Non era ad Atlanta e nemmeno in America. Era soltanto un membro di una vasta squadra; purtroppo, in quel momento, l'uomo di punta. Si sedette sulla panchina e chiese in russo: «Ha trovato Lord?»

«Non ancora. Ha chiamato?»

«Lei l'avrebbe fatto? È ovvio che non si fida più neppure di me. Gli avevo assicurato che sarei accorso in suo aiuto e invece si è ritrovato di fronte due killer. Ora, grazie a lei, non si fiderà più di nessuno. L'obiettivo era eliminare il problema. Proprio il problema che ora gira per Mosca indisturbato.»

«Perché è così importante uccidere quell'uomo? Stiamo sprecando le nostre energie.»

«Non spetta né a lei né a me interrogarsi su questo punto, Orleg. L'unica cosa che ci salva è che è riuscito a eludere i *loro* sicari, non i miei o i suoi.»

Un soffio di brezza fece vibrare le foglie sugli alberi. Hayes indossava il cappotto di lana pesante e i guanti, ma era ugualmente pervaso da un brivido di freddo.

«Ha già riferito l'accaduto?» domandò Orleg.

Hayes colse la tensione nel tono dell'ispettore. «Non ancora. Farò quello che posso, ma non ne saranno contenti. È stato uno stupido errore parlare al telefono con me di fronte a lui.»

«Come facevo a sapere che parlava russo?»

Hayes si stava sforzando di mantenere la calma, ma quel poliziotto arrogante lo aveva messo in una situazione assai difficile. «Mi ascolti: deve trovarlo, ha capito? Lo trovi e lo uccida. In fretta. Niente errori, niente scuse. Lo faccia e basta.»

Orleg aveva il volto contratto. «Ne ho abbastanza dei suoi ordini.»

Hayes si alzò. «Si lamenti con gli uomini per cui lavoriamo. Sarò lieto d'inviarle un rappresentante affinché possa presentare il suo reclamo.»

Il russo recepì il messaggio. Anche se il suo referente era un americano, l'operazione era gestita dai russi. Russi pericolosi. Uomini che avevano ucciso industriali, ministri, ufficiali dell'esercito, stranieri. Chiunque rappresentasse un problema. Come gli ispettori incompetenti.

Anche Orleg si alzò. «Troverò quel *čudak* e lo farò fuori. Poi potrei uccidere lei...»

Hayes non badò neppure alla spacconaggine del russo. «Prenda un numero e si metta in coda, Orleg. Ha un mucchio di gente, davanti.»

Lord si rifugiò in un caffè. Dopo la fuga dal commissariato, era entrato in una stazione della metropolitana e aveva preso un treno a caso, cambiando più volte linea. Poi era riemerso in superficie, mischiandosi alla folla della sera. Aveva camminato per un'ora, prima di concludere che nessuno lo stava seguendo.

Il caffè era gremito di giovani in jeans scoloriti e giacca di pelle scura. Un intenso aroma di caffè espresso stemperava la densa coltre di fumo. Sedutosi a un tavolo contro il muro, Lord cercò di mangiare qualcosa, dal momento che aveva saltato colazione e pranzo; lo stroganoff che gli servirono, però, non fece altro che aumentare l'acidità di stomaco che già lo travagliava.

I suoi sospetti sull'ispettore Orleg erano fondati: le autorità erano coinvolte, in qualche modo. Le linee telefoniche del Volkhov erano senz'altro state messe sotto controllo. Ma con chi stava parlando Orleg al telefono? Tutto ciò aveva forse un legame con la Commissione per lo zar? Sicuramente. Ma quale? Forse il supporto di Stefan Baklanov da parte del consorzio d'investitori occidentali rappresentato da Hayes era visto come una minaccia. Eppure la loro operazione non doveva restare segreta? Inoltre, una gran fetta della popolazione russa riconosceva Baklanov come la persona più vicina ai Romanov. Un recente sondaggio gli attribuiva il favore di oltre il cinquanta per cento dell'opinione pubblica. Il fatto poteva essere interpretato come una minaccia. Di sicuro c'era di mezzo la *mafija*, di cui Droopy e Cro-Magnon dovevano far parte. Che cosa aveva detto Orleg? «Basta criminali, ci penserò io a ucciderlo.»

Del resto, la *mafija* aveva forti legami col governo. La politica russa era contorta e appuntita, come la facciata del Palazzo dei Diamanti. Le alleanze mutavano di ora in ora, ma l'unico vero legame era coi rubli o, meglio, coi dollari. Era troppo, per lui. Doveva andarsene dal Paese.

Ma come?

Grazie al cielo aveva ancora con sé passaporto, carte di credito e un po' di contanti, oltre alle informazioni raccolte negli archivi, la cui importanza tuttavia era passata decisamente in secondo piano. La sua priorità era sopravvivere... e cercare aiuto.

Che fare?

Non poteva andare alla polizia.

Avrebbe potuto recarsi all'ambasciata americana... No, sarebbe stato il primo posto logico in cui cercarlo. In effetti, quei bastardi erano comparsi sul treno da San Pietroburgo e sulla Piazza Rossa, ossia in luoghi in cui soltanto lui doveva sapere di essere. Lui e Hayes.

Chissà dov'era finito. Di certo, dopo aver appreso l'accaduto, Hayes sarebbe stato in pensiero per lui. Magari sarebbe riuscito a rintracciarlo? Aveva numerosi contatti col governo russo, ma non sapeva che i telefoni del Volkhov erano stati messi sotto controllo.... O forse sì, ormai.

Sorseggiò un po' di tè caldo e si chiese che cosa avrebbe fatto il reverendo in una simile circostanza. Era strano ritrovarsi a pensare a suo padre in quel momento... ma Grover Lord era un maestro nello svicolare dalle situazioni difficili. La sua lingua infuocata aveva sempre creato problemi, eppure, condendo i suoi discorsi con le parole «Dio» e «Gesù», era sempre riuscito a cavarsela.

No. La parlantina non poteva essergli di nessun aiuto.

Allora *che cosa* lo avrebbe aiutato?

Diede un'occhiata al tavolo accanto al suo. Una giovane coppia leggeva, abbracciata, il giornale. Notò in prima pagina un articolo che parlava della Commissione per lo zar e lesse quel poco che poté dalla sua visuale.

Durante il terzo giorno della sessione iniziale erano emersi cinque nominativi di possibili candidati. Baklanov era citato come il favorito, ma altri due rami della famiglia Romanov reclamavano con forza un più stretto legame di sangue con Nicola II.

Il processo di nomina formale sarebbe iniziato soltanto dopo due giorni e si stavano avanzando ipotesi circa il successivo dibattito che si sarebbe aperto tra i vari uomini e i loro difensori.

Dalle conversazioni che aveva ascoltato in quel paio d'ore nei tavoli accanto al suo, sembrava esserci un sincero apprezzamento degli avvenimenti in corso. Era sorprendente notare, poi, il consenso che la creazione di una monarchia moderna riceveva da parte dei giovani. Forse i ragazzi avevano sentito i loro nonni parlare dello zar. Il russo-tipo nutriva grandi aspirazioni per il suo Paese. Tuttavia Lord continuava a chiedersi quanto potesse funzionare un'autocrazia nel XXI secolo. L'unico conforto, concluse, era che la Russia era forse uno dei pochi luoghi al mondo in cui la monarchia poteva avere la possibilità di funzionare ancora.

Lui, però, aveva problemi più urgenti da risolvere.

Non poteva andare in un albergo: tutte le strutture con licenza registravano i clienti quotidianamente. Non poteva nemmeno prendere il treno o l'aereo: gli sbarchi sarebbero stati di sicuro sotto controllo. Gli era impossibile noleggiare un'automobile senza la patente russa. In pratica era in trappola, e la Russia era la sua prigione. Doveva andare all'ambasciata americana e trovare qualcuno che lo ascoltasse. Ma non bastava prendere un telefono e chiamare; di certo, chiunque stesse monitorando le linee del Volkhov avrebbe controllato anche quelle dell'ambasciata. Aveva bisogno che qualcuno stabilisse i contatti per lui e, nel frattempo, lo aiutasse a nascondersi.

Guardò di nuovo il giornale e notò una pubblicità. L'avviso reclamizzava lo spettacolo del circo – che si svolgeva tutte le sere alle sei – promettendo ai visitatori un gran divertimento per tutta la famiglia.

Guardò l'orologio. Le 17.15.

Si ricordò di Akilina Petrovna, dalla chioma bionda arruffata e dall'espressione determinata; il suo coraggio e la sua pazienza lo avevano profondamente colpito. Le doveva la vita. La ragazza aveva ancora con sé la sua valigetta e gli aveva detto che poteva andarla a prendere in qualsiasi momento.

Perché no, dunque?

Si alzò e si diresse verso l'uscita. Un pensiero inatteso lo stupì: stava per rivolgersi a una donna per farsi aiutare a uscire dai guai.

Proprio come faceva suo padre.

19

Monastero della Trinità di San Sergio,
Sergjev Posad

Hayes si trovava a ottanta chilometri da Mosca, diretto verso il più importante luogo sacro della Russia. Ne conosceva la storia. La fortezza era stata eretta nel XIV secolo, sopra la foresta circostante, con una pianta dalla conformazione irregolare. Un secolo più tardi, i tatari l'avevano presa d'assedio e saccheggiata, mentre nel XVII secolo i polacchi avevano tentato invano d'irrompere tra le sue mura; Pietro il Grande vi aveva trovato rifugio durante una rivolta, all'inizio del suo regno. Dalla caduta del regime rappresentava una meta di pellegrinaggio per milioni di russi ortodossi, un po' come il Vaticano per i cattolici. San Sergio riposava in un sarcofago d'argento che il fedele andava a baciare anche a costo di attraversare la nazione intera.

Hayes arrivò sul posto all'orario di chiusura. Sceso dalla macchina, si affrettò ad allacciare la cintura del soprabito e a infilarsi i guanti di pelle nera. Il sole aveva già varcato l'orizzonte e stava per sopraggiungere una fredda notte autunnale. Le splendide cupole blu, tempestate di stelle d'oro, perdevano pian piano il loro scintillio. La furia del vento produceva un rombo che gli ricordava un fuoco d'artiglieria.

Lenin era con lui. Gli altri Cancellieri Segreti avevano deciso di lasciare che fossero loro due a tentare l'approccio iniziale; il patriarca, infatti, sarebbe stato più disposto a mettersi in gioco se avesse visto coi propri occhi un ufficiale dell'esercito russo rischiare la propria reputazione nell'impresa.

Guardò la cadaverica figura di Lenin lisciarsi il cappotto di lana grigio e avvolgersi in fretta una sciarpa purpurea intorno al collo. Durante il viaggio si erano a malapena rivolti la parola, ma entrambi sapevano qual era il loro obiettivo.

Un sacerdote barbuto, vestito di nero, li attendeva sull'ingresso principale, mentre una compatta processione di pellegrini fuoriusciva dall'edificio. L'uomo fece strada all'interno delle spesse mura di pietra, direttamente verso la cattedrale della Dormizione. L'interno della chiesa era illuminato dalle candele; le ombre tremule si proiettavano sull'iconostasi dorata che dominava l'altare principale, mentre i chierici si affrettavano a chiudere il santuario.

I due seguirono il prete nel locale sotterraneo. Erano stati avvertiti che l'incontro avrebbe avuto luogo nella cripta, dov'erano sepolti i patriarchi della Chiesa ortodossa russa. L'ambiente era stretto, le mura e il pavimento striati di marmo grigio. Un lampadario di ferro gettava fiochi raggi sul soffitto a volta. I sepolcri elaborati erano ornati di croci d'oro, candelabri di ferro e icone dipinte.

Inginocchiato di fronte alla tomba più lontana c'era un uomo sui settanta, con ciuffi di crespi capelli grigi che spuntavano su una testa piccola. Il volto rubicondo era coperto da una barba arruffata e da baffi foltissimi; da un orecchio sporgeva un dispositivo acustico e le mani, unite in preghiera, erano coperte da macchie di vecchiaia. Hayes aveva già visto l'uomo in fotografia, ma era la prima volta che lo incontrava di persona: era Sua Santità il patriarca Adriano, capo apostolico della millenaria Chiesa ortodossa russa.

L'accompagnatore li lasciò soli; si udirono i suoi passi risalire nella cattedrale. Fu chiusa una porta.

Il patriarca si fece il segno della croce e si alzò. «Benvenuti, signori.» La voce era profonda e roca.

Lenin fece le dovute presentazioni.

«So chi è lei, generale Ostanovič. Le mie fonti mi dicono che devo ascoltare la sua proposta e decidere in merito.»

«La ringraziamo per averci dato udienza», replicò Lenin.

«Ho ritenuto che questa cripta fosse il luogo più sicuro per la nostra conversazione, indiscutibilmente privata. La Madre Terra ci proteggerà da orecchie indiscrete, e forse le anime dei grandi uomini qui sepolti, i miei predecessori, mi suggeriranno la decisione giusta.»

Hayes non fu per nulla impressionato dalla premessa del

religioso. Un uomo nella posizione di Adriano non poteva certo permettersi di rendere pubblica la proposta che stavano per fargli. Un conto, infatti, era godere passivamente di un beneficio, un altro partecipare in modo attivo a un complotto proditorio... Soprattutto dal momento che un simile personaggio avrebbe dovuto, per definizione, collocarsi al di sopra della sfera politica.

«Mi chiedo, signori, perché dovrei anche solo prendere in considerazione la vostra proposta. Dalla fine del Grande Intervallo, la mia Chiesa ha intrapreso un percorso di rinascita senza precedenti. Da quando i comunisti se ne sono andati, non subiamo più persecuzioni né restrizioni. Abbiamo battezzato decine di migliaia di nuovi adepti e ogni giorno apriamo nuove chiese. Presto ritorneremo allo splendore che ci distingueva prima dell'arrivo dei comunisti.»

«Ma questa prospettiva potrebbe anche non verificarsi», obiettò Lenin.

Gli occhi dell'anziano si accesero come tozzi di carbone ardente in un fuoco che si spegne. «È questa eventualità che mi confonde. La prego, mi spieghi.»

«L'alleanza con noi farà sì che il suo ruolo resti al sicuro col nuovo zar.»

«Chiunque diventi zar sarà obbligato a collaborare con la Chiesa. Il popolo lo pretende.»

«Viviamo in una nuova epoca, patriarca. Una campagna di pubbliche relazioni può causare più danni di qualsiasi repressione armata. Ci pensi: mentre la gente muore di fame, la Chiesa continua a edificare sontuosi monumenti. Sfilate in vesti ricamate, eppure vi lamentate se i fedeli non offrono un contributo adeguato alle loro parrocchie. Tutto il consenso di cui godete ora può essere spazzato via facilmente, grazie a uno scandalo ben orchestrato. Alcuni membri della nostra associazione controllano i media più importanti – giornali, radio e televisioni – che, se ben sfruttati, possono sortire effetti sorprendenti.»

«Sono allibito che un uomo della sua statura si abbassi a simili minacce, generale.» La voce era calma, ma le parole dure.

Lenin non batté ciglio per il rimprovero. «Questo è un mo-

140

mento difficile, patriarca. La posta in gioco è molto alta. Gli ufficiali dell'esercito non riescono nemmeno a mantenersi con la paga che ricevono, figurarsi le loro famiglie. La pensione dei veterani invalidi è praticamente inesistente. Soltanto l'anno scorso si sono tolti la vita cinquecento ufficiali. L'esercito che un tempo scosse il mondo ora è ridotto a cifre irrisorie. Il governo ha menomato le risorse militari. Dubito seriamente, Santità, che qualcuno dei nostri missili sia in grado anche solo di uscire dalla propria base. Siamo una nazione senza difesa. L'unica nostra salvezza è che, almeno per il momento, nessuno lo sa.»

«Come potrebbe la mia Chiesa venire in aiuto al cambiamento futuro?» domandò il patriarca.

«Lo zar avrà bisogno del completo appoggio della Chiesa», rispose Lenin.

«Lo avrebbe comunque.»

«Per 'completo appoggio' intendo qualsiasi azione necessaria ad assicurare il controllo dell'opinione pubblica. La libertà di stampa sarà garantita, almeno in linea di principio, così che la gente possa sentirsi libera di esprimere il proprio dissenso, entro limiti ragionevoli. Del resto, il concetto stesso del ritorno alla monarchia rappresenta una rottura con le oppressioni del passato. La Chiesa può offrire un valido contributo alla stabilità e alla longevità del governo.»

«In realtà lei intende dire che i suoi soci non vogliono rischiare che la Chiesa si opponga ai loro piani. Non sono un ingenuo, generale. So che la *mafija* fa parte del suo gruppo; per non parlare di quelle sanguisughe dei ministri, che appartengono in tutto e per tutto alla stessa specie corrotta. Lei è una cosa, generale; loro tutta un'altra.»

Hayes sapeva che l'anziano religioso aveva ragione. I ministri del governo erano quasi tutti corrotti, chi dalla *mafija*, chi dai nuovi ricchi; le tangenti rappresentavano la normale procedura di gestione della cosa pubblica. Decise d'intervenire nella discussione. «Preferirebbe un ritorno al comunismo?»

Il patriarca si voltò verso di lui. «Che cosa ne sa un americano, di tutto ciò?»

«Sono trent'anni che, per lavoro, mi occupo di studiare il

vostro Paese. Rappresento un folto gruppo d'investitori americani: società che hanno messo in gioco miliardi e che potrebbero anche offrire una generosa offerta alle *sue* numerose parrocchie.»

Il volto barbuto dell'anziano s'increspò in un ghigno. «Gli americani credono di poter comprare qualsiasi cosa.»

«Non è così?»

Adriano si avvicinò a uno dei sontuosi sepolcri, con le mani giunte e la schiena rivolta verso i suoi due ospiti. «Una quarta Roma.»

«Scusi?» chiese Lenin.

«Una quarta Roma, è questo ciò che mi proponete. Ai tempi di Ivan il Grande, Roma, la sede del primo papa, era già caduta. Poi anche Costantinopoli, la sede del papa d'Oriente, crollò. A quel punto Ivan proclamò Mosca 'la terza Roma': l'ultimo luogo rimasto al mondo in cui Chiesa e Stato si fondevano in un'unica identità politica... guidata da lui, naturalmente. Ivan predisse che non ce ne sarebbe mai stata una quarta.» Il patriarca si voltò verso i due ospiti. «Ivan il Grande sposò l'ultima principessa bizantina e investì l'eredità della moglie nella *sua* Russia. Dopo la caduta di Costantinopoli in mano ai turchi, nel 1453, proclamò Mosca sede secolare del mondo cristiano. Geniale, non c'è che dire. In questo modo si pose a capo dell'eterna unione tra Chiesa e Stato, investendo la propria persona della sacra maestà di un re-sacerdote universale, esercitando il potere nel nome di Dio. Da Ivan in poi, dunque, su ogni zar veniva posta l'investitura divina e i cristiani erano moralmente predisposti all'obbedienza; era nata una 'auto-teocrazia' che combinava la Chiesa e la dinastia in un unico lignaggio imperiale. Il principio ha funzionato alla perfezione per più di quattro secoli e mezzo, fino a Nicola II; con l'uccisione dello zar, infatti, i comunisti hanno sciolto l'unione tra Chiesa e Stato. Ora, forse... una rinascita?»

Lenin sorrise. «Stavolta sarà un connubio di vaste proporzioni. Proporremo una fusione di tutte le parti, Chiesa inclusa. Uno sforzo unitario per assicurare la sopravvivenza collettiva. Come ha detto lei, una quarta Roma.»

«*Mafija* inclusa?»

Lenin annuì. «Non abbiamo scelta. Il suo raggio d'azione è troppo ampio. Forse col tempo potrà acclimatarsi nella società tradizionale.»

«Una prospettiva irrealizzabile. La *mafija* sta logorando la gente. La sua avidità basterebbe largamente a motivare la tragica situazione attuale.»

«Capisco, ma non abbiamo scelta. Per fortuna, almeno per ora, le varie fazioni mafiose stanno cooperando.»

Hayes colse l'occasione per intervenire. «Potremmo anche aiutarla col suo problema nell'ambito delle pubbliche relazioni.»

Il patriarca inarcò le sopracciglia. «Non sapevo che la mia Chiesa avesse un problema simile.»

«Siamo franchi: se lei non avesse un problema, noi non saremmo qui, nelle profondità della più sacra cattedrale ortodossa russa, a pianificare la manipolazione della monarchia restaurata.»

«Prosegua, Mr Hayes.»

Il patriarca Adriano cominciava a piacergli: era un uomo decisamente pragmatico. «Le presenze in chiesa sono in calo. Sono pochi i russi che vogliono vedere i propri figli prendere i voti e ancora meno quelli disposti a fare donazioni alle parrocchie. Il vostro flusso monetario deve essere a livelli critici. Potreste persino rischiare la guerra civile: da quanto mi hanno detto, un buon numero di sacerdoti e vescovi vorrebbe fare del cristianesimo ortodosso la religione di Stato, escludendo tutte le altre confessioni. Eltsin lo aveva impedito, ponendo il veto sulla proposta di legge e lasciando poi trasparire una versione annacquata dei fatti. Del resto non aveva scelta: se fosse cominciata la persecuzione religiosa, gli Stati Uniti avrebbero tagliato gli aiuti economici di cui la Russia aveva disperato bisogno. Senza l'appoggio del governo, la sua Chiesa rischierebbe di affondare.»

«Non nego che si stia creando uno scisma fra ultratradizionalisti e modernisti.»

«I missionari stranieri stanno minando le vostre fondamenta», riprese Hayes. «Ministri religiosi, provenienti da ogni parte d'America, vengono qui in cerca di russi da convertire.

Questa varietà in ambito teologico crea non pochi problemi, vero? È difficile tenere unito il gregge nella fede, quando altri predicano verità alternative.»

«Purtroppo noi russi non sappiamo come comportarci di fronte alle scelte.»

«Quale fu la prima elezione democratica dell'umanità?» domandò Lenin. «Dio creò Adamo ed Eva, poi disse ad Adamo: 'Ora scegli una donna'.»

Il patriarca sorrise.

Hayes proseguì. «Lei vuole ricevere da parte dello Stato la protezione senza la repressione. Vuole la religione ortodossa, ma non vuole rinunciare al controllo. Noi le offriamo questo lusso.»

«Si spieghi meglio, per favore.»

Intervenne Lenin. «Lei, in quanto patriarca, rimarrà a capo della Chiesa. Il nuovo zar si proclamerà soltanto capo di essa, senza tuttavia interferire in nessun modo nell'amministrazione. Anzi lo zar incoraggerà apertamente la pratica dell'ortodossia. I Romanov lo hanno sempre fatto, soprattutto Nicola II. Ciò sarà anche in perfetto accordo con la filosofia nazionalista predicata dal monarca. Lei, in cambio, farà in modo che la Chiesa si professi a favore dello zar e sostenga il nuovo governo in tutto e per tutto. I suoi sacerdoti dovranno essere i nostri alleati. In questo modo, Stato e Chiesa risulteranno legati da interessi comuni, senza che le masse lo sappiano mai. Una quarta Roma, adattata alla nuova realtà.»

L'anziano valutò in silenzio la proposta. «D'accordo, signori. Potete considerare la Chiesa a vostra disposizione.»

«Ha fatto in fretta», osservò Hayes.

«Per nulla. Ho riflettuto a lungo in proposito, fin dal momento in cui vi siete messi in contatto con me per la prima volta. Ho voluto parlarvi faccia a faccia soltanto per farmi un'idea delle persone con cui collaborerò. Mi piacete.»

Entrambi ringraziarono per il complimento.

«Voglio, però, che trattiate la questione unicamente con me.»

Lenin capì. «Vuole nominare un rappresentante che partecipi ai nostri incontri? Saremmo disposti a concederle questo favore. »

« Sceglierò un sacerdote », disse il patriarca Adriano. « Lui e io saremo i soli a conoscere il nostro accordo. Vi farò sapere il nominativo. »

Smise di piovere proprio nell'istante in cui Lord uscì dalla stazione della metropolitana. Un acquazzone aveva inzuppato lo Zvetnoj bulivar, rinfrescando l'aria e adagiando sulla città una coltre di gelida nebbia. L'americano continuava a non avere addosso null'altro che la giacca del suo completo e sembrava una mosca bianca, in mezzo alla fitta moltitudine avvolta in cappotti di lana e pellicce. Fu lieto che fosse calata l'oscurità: il buio e la nebbia lo avrebbero aiutato a nascondersi.

Attraversò la strada con un gruppo di persone diretto verso il teatro. Sapeva che il circo era una popolare meta turistica di Mosca; lui stesso vi si era recato una volta, tanti anni prima, ad ammirare gli orsi danzanti e i cani addestrati.

Mancavano venti minuti all'inizio dello spettacolo. Forse, tra un numero e l'altro, sarebbe riuscito a contattare Akilina Petrovna dietro le quinte. Altrimenti, avrebbe atteso la fine della serata. La donna avrebbe potuto mettersi in contatto con l'ambasciata americana, o magari entrare e uscire dal Volkhov per parlare con Taylor Hayes. Di sicuro aveva un appartamento in cui nasconderlo.

Il teatro si trovava a quasi cinquanta metri di distanza, dall'altra parte della strada. Quando fu sul punto di attraversare per recarsi verso la biglietteria, una voce dietro di lui urlò: «*Stoj!*» «Fermo!»

Lord continuò a farsi strada, avanzando.

La voce ripeté: «*Stoj!*»

L'americano diede un rapido sguardo sopra la spalla sinistra e vide un poliziotto. L'uomo stava scansando la calca, aveva un braccio alzato e teneva gli occhi fissi di fronte a sé. Lord affrettò il passo e attraversò in fretta la strada trafficata, mischiandosi tra la folla brulicante sul marciapiede opposto. Si unì a una processione di turisti giapponesi appena scesa dal pullman e diretta verso l'illuminatissimo teatro. Si voltò di nuovo, ma non vide più il poliziotto. Forse aveva soltanto immaginato che stesse seguendo proprio lui. Continuò a seguire la massa rumorosa a capo chino. Pagò l'ingresso di dieci rubli alla biglietteria e si precipitò all'interno, sperando di trovare Akilina Petrovna.

Akilina indossò il costume di scena. Nella sala comune regnava la solita confusione, con gli artisti che entravano e uscivano di corsa, tra il brusio generale. A nessuno veniva concesso il lusso di un camerino privato, che lei, peraltro, aveva visto soltanto nei film americani, nei quali si dipingeva un quadro romantico della vita circense.

Era stanca a causa del breve sonno della notte precedente. Il viaggio da San Pietroburgo a Mosca, rivelatosi a dir poco interessante, l'aveva spinta a pensare a Miles Lord per l'intera giornata. Era l'unico uomo di colore che avesse visto su quel treno e non era rimasta spaventata dal suo arrivo; al contrario, era stata la paura *di lui* a disarmarla.

Lord non corrispondeva a nessuno degli stereotipi del negroide che aveva ascoltato descrivere da piccola a scuola, dove i professori insegnavano a disprezzare la ripugnante perfidia insita in quella razza. Ricordava di aver sentito parlare delle loro menti inferiori, del sistema immunitario debole e della totale incapacità di dominarsi. Un tempo gli americani li avevano schiavizzati; su tale punto i propagandisti insistevano molto per sottolineare il fallimento del capitalismo. Aveva visto coi suoi occhi fotografie in cui i Bianchi – abbigliati con candide vesti spettrali e cappelli a punta – si riunivano per assistere, impassibili, a linciaggi.

Miles Lord tuttavia non aveva niente a che vedere con quei ricordi. I capelli scuri erano corti e puliti, il fisico asciutto e muscoloso; la pelle le rammentava la tinta rugginosa del fiume Vojna, spesso ammirato in occasione delle visite al villaggio di sua nonna. Miles aveva un'espressione formale ma amichevole al tempo stesso e una bellissima voce gutturale. Era rimasto sinceramente stupito del fatto che lei lo avesse invitato a trascorrere la notte nel suo scompartimento; forse non era abituato a trovare donne così disponibili. Akilina sperò invece che la sua raffinatezza avesse radici più profonde, perché le era parso un uomo interessante.

Scendendo dal treno, aveva visto i tre inseguitori di Lord uscire dalla stazione e salire su una Volvo scura. Aveva stipato la valigetta di Lord nella sua borsa e l'aveva tenuta con sé, come promesso, nella speranza che lui tornasse a riprenderla.

Aveva passato la giornata a chiedersi se Lord stesse bene. Negli ultimi anni, non c'era stato molto posto per gli uomini nella sua vita. Il circo faceva spettacoli quasi tutte le sere, e d'estate ci si esibiva anche due volte al giorno. Inoltre, la compagnia andava anche in tournée fuori Mosca. Akilina aveva visitato quasi tutta la Russia, gran parte dell'Europa e persino New York, in occasione di uno spettacolo al Madison Square Garden. Rimaneva poco tempo per frequentare gli uomini, al di là di una cena ogni tanto o di una conversazione in treno o in aereo.

Aveva ventinove anni e cominciava a chiedersi se si sarebbe mai sposata. Suo padre aveva sempre sperato che si sistemasse, abbandonasse il circo e mettesse su famiglia. Ma lei aveva visto che cosa accadeva alle sue amiche sposate: tutto il giorno in fabbrica o in negozio a lavorare per poi, al rientro, occuparsi della casa, in un ciclo interminabile che si ripeteva, identico, giorno dopo giorno. Sebbene i comunisti avessero orgogliosamente proclamato che le loro donne erano le più emancipate del mondo, in Russia non c'era parità tra uomo e donna. E neppure il matrimonio era un gran che. Di solito marito e moglie lavoravano separati, con orari diversi; persino le ferie non coincidevano, poiché di rado venivano esonerati dal lavoro nello stesso periodo. Le era chiaro il motivo per cui un matrimonio su tre finiva in divorzio e molte coppie mettevano al mondo a malapena un figlio: mancavano tempo e soldi per fare di meglio. Una simile prospettiva di vita non l'aveva mai attratta. Come diceva sempre sua nonna: «Per conoscere una persona, devi mandar giù i bocconi amari insieme con lei».

Akilina si posizionò di fronte allo specchio, spruzzò un po'
d'acqua sui capelli e legò insieme le ciocche umide sino a for-
mare uno chignon. Non si truccava molto per andare in scena, giusto il minimo indispensabile per sostenere l'impatto
aggressivo dei fasci di luce blu e bianca. Aveva un incarnato
pallido, avendo ereditato dalla madre – di origine slava – una
quasi totale mancanza di pigmentazione, capelli biondi e occhi di un blu intenso. Il talento invece le era stato trasmesso
dal padre, che aveva lavorato per decenni come trapezista; le
sue capacità avevano fatto sì che potessero permettersi un alloggio sufficientemente ampio, una maggiore quantità di cibo
e vestiti migliori rispetto alla norma. Le arti erano sempre state un elemento importante della propaganda comunista; per
lungo tempo, il circo – insieme con l'opera e col balletto – era
stato esportato nel mondo per dimostrare che Hollywood non
deteneva il monopolio del divertimento.

Ormai invece l'intera troupe aveva come unico obiettivo
quello di fare soldi. In effetti, lo stipendio di Akilina era piuttosto buono in rapporto alla media della Russia post-comunista; tuttavia il giorno in cui non fosse più riuscita a stregare il
pubblico stando in equilibrio dall'alto di una trave si sarebbe
ritrovata, con molta probabilità, tra milioni di disoccupati. Ecco perché manteneva il fisico in forma perfetta, teneva sotto
controllo l'alimentazione e faceva attenzione a regolare il sonno. La notte addietro era stata la prima volta dopo tanto tempo che non aveva dormiva otto ore di fila.

Pensò di nuovo a Miles Lord.

Prima, a casa, aveva aperto la sua valigetta. Si ricordava di
averlo visto prendere alcuni fogli, ma sperava d'imbattersi in
un indizio che la aiutasse a far luce su un uomo che considerava affascinante. Non aveva trovato nulla a parte un blocco di
fogli bianchi, tre penne a sfera, alcune carte dell'albergo Volkhov e un biglietto dell'Aeroflot da Mosca a San Pietroburgo.

Miles Lord. Avvocato americano nella Commissione per lo
zar.

Forse l'avrebbe rivisto di nuovo.

Lord assistette con pazienza a tutta la prima parte dello spettacolo. Nessun membro della *milicija* lo aveva seguito all'interno, e sperava che in giro non vi fossero poliziotti in borghese. L'arena era sorprendente: un teatro disposto in ascesa semicircolare intorno a una coloratissima scena; qualche migliaio di spettatori, soprattutto bambini e turisti, sedevano su panche rosse imbottite, condividendo l'emozione che emanavano i volti degli artisti. L'atmosfera sconfinava nel surreale; gli atleti al trampolino, i cani addestrati, i trapezisti, i clown e i giocolieri lo avevano, almeno per un attimo, estraniato dal contesto.

Giunto l'intervallo, Lord decise di rimanere seduto; meno andava in giro, meglio era. Si trovava a poche file di distanza dall'arena, della quale aveva una prospettiva chiara e sgombra; sperava che, una volta in scena, Akilina Petrovna si accorgesse della sua presenza.

Allo squillo di una campana, il presentatore annunciò che la seconda parte dello spettacolo stava per avere inizio. Lord perlustrò di nuovo l'ampio teatro con lo sguardo.

Notò un volto.

L'uomo, seduto dall'altra parte, indossava una giacca di pelle scura e un paio di jeans. Era il tizio vestito di beige che aveva visto nell'archivio di San Pietroburgo e sul treno di notte; se ne stava nascosto tra un gruppo di turisti impegnati a scattare le ultime fotografie, prima della ripresa dello spettacolo.

Il cuore prese a battergli all'impazzata. Gli si chiuse lo stomaco.

Poi vide Droopy. I capelli corvini, legati all'indietro a coda di cavallo, luccicavano per la pomata oleosa che li ricopriva. Indossava un maglione marrone chiaro su un paio di pantaloni scuri.

Quando le luci si spensero e risuonò la musica della seconda parte, Lord si alzò per andarsene. Ma, in cima al passaggio tra le due file di panche – a non più di quindici metri da lui –, vide Cro-Magnon con un sorriso stampato sulla faccia butterata.

Lord si sedette. Non poteva andare da nessuna parte.

Akilina Petrovna si esibì per prima ed entrò in scena saltellando a piedi nudi, con indosso un body blu tempestato di lustrini. Al ritmo vivace della musica, salì in fretta sulla trave di equilibrio, dando inizio all'esibizione tra uno scroscio di applausi.

L'americano si sentì pervadere da un'ondata di panico. Voltandosi, vide Cro-Magnon ancora in cima al corridoio; Droopy, però, con quel suo muso grigio e rugoso, aveva dimezzato la sua distanza e sedeva non lontano. Quegli occhi neri come il carbone gli si piantarono addosso, con uno sguardo che indicava la fine di una lunga caccia. La mano destra dell'uomo, infilata in tasca, si sfilò appena, per rendere visibile il calcio di una pistola.

Lord si voltò nuovamente verso l'arena.

Akilina Petrovna camminava con eleganza sulla trave, mostrando un equilibrio eccezionale. La musica rallentò, e lei prese a incedere con passo agile, seguendo il ritmo delicato. La guardò con intensità, pregando che si accorgesse di lui.

Così fu.

Per un istante si fissarono e l'uomo colse un cenno di riconoscimento. Poi gli sembrò di notare un sentimento diverso. Paura? Forse anche lei aveva riconosciuto gli uomini dietro di lui? Oppure aveva letto il terrore nei suoi occhi? In ogni caso, riuscì a non perdere la concentrazione. Continuò a impressionare il pubblico con una danza lenta e atletica, in cima a una trave di quercia spessa dieci centimetri.

Dopo aver eseguito una piroetta a una mano sola, scese dalla trave. La folla applaudì, e i clown entrarono in scena in sella a minuscole biciclette. Quando i macchinisti giunsero a rimuovere la trave ingombrante, Lord capì di non avere scelta. Balzando via dal suo posto, si precipitò in pista mentre uno dei clown girava in tondo suonando una trombetta. Il pubblico proruppe in una risata, credendo che pure lui facesse parte del numero. Voltandosi a sinistra, vide Droopy e l'uomo di San Pietroburgo che si alzavano. Sparì dietro le quinte e corse incontro ad Akilina Petrovna.

«Devo andarmene di qui», le disse in russo.

Lei lo prese per mano e lo trascinò nel backstage, passando accanto a due gabbie di barboncini bianchi.

«Li ho visti. Mi sembra che lei sia in pericolo, Miles Lord.»

«Dice?»

Corsero in mezzo agli artisti intenti a prepararsi; nessuno sembrò prestar loro attenzione. «Devo nascondermi da qualche parte», la fermò lui. «Non possiamo continuare a correre.»

Lei lo condusse attraverso un corridoio dalle sudicie pareti tappezzate di locandine. L'aria era impregnata dell'odore di urina e di pelo bagnato. L'angusto corridoio presentava porte su entrambi i lati.

Akilina girò una maniglia. «Qui, entri.»

Era uno sgabuzzino per le scope, in cui trovò spazio sufficiente a nascondersi.

«Resti qui finché non torno», gli disse lei.

La porta si chiuse.

Immerso nel buio totale, Lord cercò di recuperare il fiato. Udiva il rumore di passi in entrambe le direzioni. Non riusciva ancora a crederci; la polizia all'esterno doveva aver avvertito Feliks Orleg, che era senz'altro connivente con Droopy e Cro-Magnon. Che cosa doveva fare? La metà del lavoro di un buon avvocato consisteva nel dire al proprio cliente quanto fosse stupido. Doveva darsi un consiglio da solo. Doveva andarsene dalla Russia.

La porta si spalancò.

Alla luce del corridoio, vide tre volti maschili.

Il primo, che non riconobbe, teneva una lunga lama di metallo premuta contro il collo di Droopy. L'altro volto apparteneva all'uomo incontrato il giorno prima a San Pietroburgo; impugnava un revolver, puntato dritto contro di lui.

Poi vide Akilina Petrovna.

La donna stava accanto all'uomo con la pistola.

E sorrideva.

PARTE SECONDA

21

«Chi è lei?» chiese Lord.

«Non c'è tempo di spiegarle», replicò l'uomo in piedi dietro Akilina. «Dobbiamo andarcene via di qui, in fretta.»

Lord non era affatto convinto.

«Non sappiamo quanti siano. Noi non siamo suoi nemici, Mr Lord. Lui sì.» L'uomo indicò Droopy.

«Difficile crederle, mentre mi punta contro una pistola», ribatté l'americano.

L'altro abbassò il revolver. «Ha ragione. Ora andiamo. Il mio collega si occuperà di quest'uomo, mentre noi ci daremo alla fuga.»

Lord guardò Akilina e le chiese: «Lei sta dalla sua parte?» La donna scosse la testa.

«Dobbiamo andare», ripeté l'uomo.

Con un'espressione eloquente, Lord sembrò comunicare alla donna: *Dovremmo?*

«Credo di sì», disse lei.

Lord decise di fidarsi dell'istinto di Akilina; ultimamente il suo non sembrava in gran forma. «D'accordo.»

L'uomo si voltò verso il collega e disse qualcosa in un dialetto sconosciuto a Lord. Droopy fu condotto verso una porta situata in fondo al corridoio.

«Da questa parte», indicò l'uomo.

«Perché deve venire anche lei?» domandò Lord, accennando ad Akilina. «Non è coinvolta.»

«Mi hanno detto di portarla con noi.»

«Chi?»

«Ne parleremo per strada, ora dobbiamo assolutamente andare.»

Decise di non obiettare oltre.

Seguirono l'uomo nella gelida notte, fermandosi soltanto per permettere ad Akilina di recuperare un paio di scarpe e cappotto. La porta di uscita dava su una stradina retrostante il teatro. Droopy fu spinto sul sedile posteriore di una Ford nera situata in fondo al vicolo. La loro guida si diresse verso una Mercedes chiara, aprì la portiera di dietro e li invitò a entrare, poi salì davanti. Un uomo li attendeva al volante col motore acceso. Mentre si allontanavano dal teatro, ricominciò a scendere una pioggerellina leggera.

«Chi siete?» chiese di nuovo Lord.

Senza aprire bocca, l'uomo gli porse un biglietto da visita.

SEMJON PAŠČENKO
Professore di Storia
Università di Mosca

Cominciava a capire. «Così il mio incontro con lui non è stato casuale?»

«Non del tutto. Il professor Paščenko si è reso conto del grave pericolo che stavate correndo entrambi e ci ha ordinato di proteggervi. Ecco perché mi trovavo a San Pietroburgo. Evidentemente non ho fatto un buon lavoro.»

«Pensavo fosse con gli altri.»

L'uomo annuì. «Posso capirlo, ma il professore mi ha vietato di stabilire contatti, se non strettamente necessario. Credo che quanto stava per accadere in teatro sia una buona giustificazione per la mia iniziativa.»

La vettura attraversò l'intenso traffico serale, coi tergicristalli che si muovevano avanti e indietro senza ottenere grandi risultati. Erano diretti a sud, oltre il Cremlino, verso il parco Gorkij e il fiume. Lord notò che l'autista guardava le vetture intorno a sé e dedusse che le numerose svolte servissero a evitare eventuali pedinamenti.

«Crede che siamo al sicuro?» mormorò Akilina.

«Lo spero.»

«Conosce questo Paščenko?»

«Sì. Ma non significa nulla. È difficile dire di conoscere qualcuno, qui.» Poi aggiunse, con un sorrisetto: «Esclusi i presenti, naturalmente».

L'itinerario li aveva condotti lontano dai quartieri dei grandi caseggiati anonimi, delle stranezze neoclassiche, delle centinaia di edifici residenziali simili a *truščoba* – tuguri – dove la vita consisteva in una faticosa ripetizione quotidiana dentro un ambiente rumoroso e affollato. Avevano svoltato in una tranquilla stradina alberata che si dipanava dal viale trafficato. La Mercedes entrò in un parcheggio asfaltato, sorvegliato da un guardiano in un gabbiotto di vetro. La residenza a tre piani che si ergeva oltre il piazzale era piuttosto singolare: il rivestimento non era in cemento, bensì di mattoni color miele disposti con ordine e precisione, una vera rarità nell'edilizia russa. Le poche macchine in sosta erano straniere e costose. L'uomo seduto accanto all'autista puntò un telecomando e aprì un garage; la vettura entrò, e il portone di legno si richiuse alle loro spalle.

Furono condotti in un atrio ampio, illuminato da un lampadario di cristallo e permeato dal profumo di pino. Una bella differenza rispetto al solito, terribile odore di fango e urina che emanava la maggior parte degli edifici residenziali: «puzza di gatti» l'aveva definito un giornalista moscovita. Una scala rivestita da un tappeto li guidò all'appartamento del secondo piano.

Quando udì il tocco leggero, Semjon Paščenko aprì la porta di legno bianco e li invitò a entrare.

Lord notò subito il parquet, i tappeti orientali, il camino di mattoni e la mobilia scandinava: un arredamento considerato lussuoso tanto in Unione Sovietica quanto nella nuova Russia. Le pareti, di un beige tenue, presentavano stampe elegantemente incorniciate che ritraevano la fauna siberiana. L'aria odorava di cavoli e patate bolliti. «Bella casa, professore.»

«È un dono di mio padre. Era un devoto comunista e godette dei privilegi del rango. Ho ricevuto in eredità questa bellezza, che il governo mi ha poi permesso di acquistare all'inizio delle manovre di cessione. Per fortuna, avevo i rubli per poterlo fare.»

Lord, al centro della stanza, si voltò verso l'ospite. «Dobbiamo ringraziarla.»

Paščenko alzò le mani. «Non ce n'è bisogno, anzi: siamo noi a dover ringraziare voi.» Indicò le sedie imbottite. «Per-

ché non ci sediamo? Sto scaldando la cena, in cucina. Un po'
di vino, magari?»

Guardò Akilina, che scosse il capo. «No, grazie.»

Il professore notò che la donna indossava ancora il costume
di scena e chiese a uno degli uomini di procurarle una vesta-
glia. Si sedettero davanti al fuoco.

«Spacco io stesso la legna, nella mia dacia a nord di Mosca», disse Paščenko. «Adoro il fuoco, anche se questo alloggio ha il riscaldamento centralizzato.»

Lord si accorse che l'autista della Mercedes si era appostato
accanto a una finestra e guardava periodicamente fuori, sco-
stando le tende tirate. Quando l'uomo si tolse il cappotto, Lord
vide una pistola infilata nella fondina della spalla.

«Chi è lei, professore?» domandò.

«Sono un russo che trepida per il futuro.»

«Potremmo fare a meno degli indovinelli? Sono stanco, ho
vissuto tre giorni molto intensi.»

Paščenko chinò il capo in un cenno di scusa. «Da quanto mi
hanno riferito, è vero. L'incidente sulla Piazza Rossa ha fatto
scalpore, è strano che lei non sia stato citato nei rapporti ufficiali. Vitalij però ha assistito a tutto», continuò, indicando
l'uomo visto il giorno prima a San Pietroburgo. «La polizia
è arrivata giusto in tempo.»

«Il suo uomo si trovava lì?»

«Si è recato a San Pietroburgo per assicurarsi che il suo
viaggio in treno trascorresse senza intoppi, ma i due signori
con cui ormai lei è in confidenza hanno interferito.»

«Come ha fatto a trovarmi?»

«Ha visto lei e la signorina Petrovna insieme; poi l'ha os-
servata mentre saltava dal treno. Un altro uomo che era con
lui ha seguito le sue mosse successive e l'ha incontrata in drogheria, mentre faceva la telefonata.»

«Che cosa mi dice della mia guardia del corpo?»

«Pensavamo che fosse al servizio della *mafija*. Ora ne siamo
sicuri.»

«Posso chiedere che cosa c'entro io?» li interruppe Akilina.

Paščenko la fissò. «È stata lei a farsi coinvolgere, mia cara.»

«Niente affatto. Mr Lord è capitato nel mio scompartimento la scorsa notte, tutto qua.»

Il professore si allungò sulla sedia. «Anch'io ero curioso riguardo il suo coinvolgimento. Così oggi mi sono preso la libertà di fare qualche indagine sul suo conto. Abbiamo molti contatti nel governo.»

Akilina si fece scura in volto. «Non mi piace che lei invada la mia privacy.»

Paščenko ridacchiò. «La privacy è un concetto un po' distante dalla cultura russa, mia cara. Vediamo. Lei è nata qui a Mosca; i suoi genitori hanno divorziato quando lei aveva dodici anni, ma sono stati costretti a continuare a vivere insieme poiché a nessuno dei due è stato concesso un secondo alloggio da parte del Soviet. Ciononostante, il loro tenore di vita è stato al di sopra della media, grazie all'occupazione di suo padre che, in quanto artista, era assai utile allo Stato. La vostra doveva essere comunque una situazione molto tesa, senza dubbio. Tra parentesi, ho visto spesso suo padre esibirsi: un acrobata meraviglioso.»

La donna ringraziò con un cenno del capo.

«In seguito, suo padre ha intrapreso una relazione con una cittadina rumena che frequentava il circo. La donna è rimasta incinta ed è tornata in patria col bambino; suo padre ha cercato di ottenere il visto per l'espatrio, ma le autorità hanno respinto la richiesta. Dopo un tentativo di espatrio clandestino, l'uomo è stato arrestato e inviato in un campo. Sua madre si è risposata, per poi divorziare poco tempo dopo. Non trovando un posto in cui vivere dopo il secondo divorzio – gli alloggi scarseggiavano, lo ricordo bene –, è stata costretta a tornare a vivere di nuovo con suo padre, che nel frattempo era stato rilasciato dalle autorità. I due hanno quindi convissuto in stanze separate di quel piccolo appartamento, fino a incontrare una morte precoce. Un bel trionfo per la nostra 'repubblica popolare', vero?»

Akilina non aprì bocca, ma Lord percepì il dolore espresso dal suo sguardo.

«Io ho vissuto con mia nonna, in campagna», rivelò poi la donna a Paščenko, «così non ho dovuto assistere al calvario

dei miei genitori. Gli ultimi tre anni non ho neppure parlato con loro. Sono morti nell'amarezza, tra rabbia e solitudine.»
«Lei ha assistito alla deportazione di sua nonna?» domandò il professore.
Akilina scosse il capo. «In quel periodo ero già iscritta alla scuola speciale per artisti del circo. Mi avevano detto che era morta di vecchiaia. Soltanto in seguito ho appreso la verità.»
«Proprio gente come lei dovrebbe favorire il cambiamento: qualsiasi situazione futura sarà meglio del passato.»
Lord si sentì vicino alla donna che gli sedeva accanto. Avrebbe voluto assicurarle che non sarebbero mai più accadute cose simili. Ma non sarebbe stato sincero. Invece domandò: «Professore, lei sa che cosa sta succedendo?»
Un'ondata di preoccupazione velò il volto dell'anziano. «Sì, lo so.»
Lord attese ulteriori spiegazioni.
«Mai sentito parlare dell'Assemblea monarchica di tutte le Russie?» chiese Semjon Paščenko.
Lord scosse la testa.
«Io sì», rispose Akilina. «Vogliono restaurare il potere dello zar. Dopo la caduta del comunismo, davano grandi feste. Ho letto su una rivista un articolo in proposito.»
Il professore annuì. «Grandi feste... Incontri grotteschi cui partecipavano persone mascherate da nobili, cosacchi dai cappelli alti, uomini di mezz'età abbigliati con l'uniforme dell'Armata Bianca... Il tutto per pubblicizzare la questione dello zar, per mantenere viva la discussione nel cuore e nella mente del popolo. Un tempo venivano considerati fanatici. Ora non più.»
«Non credo che il referendum nazionale sulla restaurazione monarchica possa aver favorito quel gruppo», osservò Akilina.
«Non ne sarei così sicuro. Quell'assemblea aveva obiettivi più alti del semplice dare nell'occhio.»
«Può venire al punto, professore?» chiese Lord.
Paščenko sedeva in una postura innaturale che non lasciava trasparire emozioni. «Si ricorda la Sacra Compagnia, Mr Lord?»
«Un gruppo di nobili che dedicò la propria vita a protegge-

re lo zar. Incapaci e codardi: nessuno di loro, infatti, era presente quando Alessandro II fu ucciso da una bomba nel 1881.»

«In seguito, un altro gruppo di persone fece suo quel nome», proseguì Paščenko. «Le assicuro, però, che non si trattava affatto d'incapaci: sono riusciti a sopravvivere a Lenin, a Stalin e alla seconda guerra mondiale. In realtà, la Sacra Compagnia esiste ancora. La veste pubblica è rappresentata dall'Assemblea monarchica di tutte le Russie; ma vi è anche una sezione segreta, che io stesso presiedo.»

Lord concentrò il suo sguardo su Paščenko. «Qual è lo scopo di questa Sacra Compagnia?»

«La sicurezza dello zar.»

«Ma non c'è più stato uno zar dal 1918», ribatté Lord.

«Invece sì.»

«Di che cosa sta parlando?»

Paščenko unì le due mani di fronte alle labbra. «Nella lettera di Alessandra e nell'appunto di Lenin lei ha trovato ciò che ci mancava. Devo confessare che, fino all'altro giorno, quando ho letto quelle parole, io stesso nutrivo dubbi. Ma ora ne sono certo: un erede è sopravvissuto a Ekaterinburg.»

Lord scosse il capo. «Non sta parlando sul serio, vero, professore?»

«Sì, invece. Il mio gruppo è stato fondato subito dopo il luglio 1918; ne hanno fatto parte mio zio e il mio prozio, prima di me. Decenni fa sono stato contattato anch'io, che ora lo presiedo. Il nostro scopo è salvaguardare il segreto e definirne meglio i termini al momento giusto. Per garantire la sicurezza, il Fondatore ha fatto in modo che nessuno fosse a conoscenza di tutti i dettagli del segreto. Tuttavia molti nostri membri sono morti nelle purghe comuniste; così gran parte del messaggio è svanita nel nulla, incluso il punto di partenza che lei ha recentemente riportato alla luce.»

«Vale a dire?»

«Ha ancora con sé le copie dei documenti?»

Lord afferrò la giacca e porse a Paščenko i fogli ripiegati.

Il professore indicò una sezione del testo. «Ecco qui, nell'appunto di Lenin: 'La situazione con Jurovskij si sta facendo problematica. Non credo che i rapporti ufficiali, provenienti da Ekaterinburg, siano attendibili e l'informazione riguardo Feliks Jusupov lo conferma. È un peccato che la guardia bianca che hai persuaso a parlare non si sia mostrata più disponibile. Forse troppo dolore è controproducente. L'accenno a Kolja Maks è interessante; ho già sentito questo nome, in passato. Il villaggio di Starodub è stato menzionato anche da altre due guardie bianche, anch'esse persuase con metodi analoghi'. L'informazione che avevamo perso riguardava i nomi di una persona, Kolja Maks, e di un villaggio, Starodub. Sono i punti di partenza della nostra ricerca.»

«Quale ricerca?»

«La ricerca di Alessio e Anastasia.»

Lord si appoggiò allo schienale della sedia. Si sentiva stanco, ma erano le parole di quell'uomo a fargli girare la testa.

Paščenko proseguì. «Nel 1991, in occasione della riesumazione dei Romanov e, in seguito, con la loro identificazione, ricevemmo la conferma della possibile sopravvivenza al massacro da parte di due membri della famiglia reale. A tutt'oggi, i resti di Alessio e Anastasia non sono ancora stati ritrovati.»

«Jurovskij sostenne di averli bruciati in un luogo diverso», obiettò Lord.

«Che cosa avrebbe detto lei, se le avessero ordinato di uccidere la famiglia imperiale e le risultassero due corpi in meno? Avrebbe mentito, perché altrimenti la sua incompetenza le sarebbe costata la vita. Jurovskij riferì a Mosca ciò che Mosca voleva sentirsi dire. Tuttavia, a partire dalla caduta del comunismo, sono emerse testimonianze tali da gettare grossi dubbi sulla dichiarazione di Jurovskij.»

Paščenko aveva ragione: stando alle testimonianze delle guardie rosse e di altri partecipanti, quella notte di luglio non tutti i familiari erano morti sul colpo. Alcuni sostenevano di aver colpito con la baionetta le granduchesse ancora gementi, altri di aver percosso a calci o col fucile vittime isteriche. C'erano molte contraddizioni. Lord ripensò all'estratto – da lui rinvenuto – della deposizione di una guardia di Ekaterinburg, risalente a tre mesi dopo l'eccidio: «Mi rendevo conto di ciò che sarebbe successo. Il loro destino era già stato stabilito. Jurovskij si assicurò che tutti noi avessimo ben chiaro il compito da svolgere. Dopo un po', cominciai a pensare che bisognasse fare qualcosa per farli scappare». Indicò i fogli. «Qui c'è un altro documento, professore. È di una guardia. Non glielo avevo ancora mostrato. Prego, dia pure un'occhiata.»

Paščenko sfogliò e lesse. «È coerente con le altre deposizioni», concluse. «Nacque un forte sentimento di compassione nei confronti della famiglia imperiale. Molte guardie nutrivano un odio profondo nei loro confronti e rubavano tutto ciò che riuscivano, ma per altri era diverso. Il Fondatore ha saputo sfruttare quella solidarietà.»

«Chi è il Fondatore?» volle sapere Akilina.

«Feliks Jusupov.»

«L'uomo che ha ucciso Rasputin?» domandò Lord, sorpreso.

«Esatto.» Paščenko spostò il proprio peso sulla sedia. «Un giorno mio padre e mio zio mi raccontarono una storia accaduta a Palazzo Aleksandrovskij, a Carskoe Selo. Si trattava di un racconto tramandato all'interno della Sacra Compagnia, a partire dal Fondatore stesso. L'evento era datato 28 ottobre 1916.»

Lord indicò la lettera che teneva in mano Paščenko. «È la stessa data della lettera che Alessandra scrisse a Nicola.»

«Precisamente. Alessio era in preda all'ennesimo attacco. Era emofiliaco, come ben sapete. L'imperatrice aveva mandato a chiamare Rasputin, il quale si era adoperato per lenire la sofferenza del bambino. Subito dopo Alessandra era scoppiata in lacrime e lo *starec* l'aveva rimproverata per non avere fede in Dio né in lui. Proprio in quel momento Rasputin profetizzò che l'individuo più colpevole di tutti avrebbe riconosciuto il proprio errore e avrebbe fatto in modo che il sangue della famiglia imperiale risorgesse. Disse pure che soltanto un corvo e un'aquila avrebbero potuto avere successo dove altri avrebbero fallito...»

«... e che l'innocenza delle bestie li proteggerà e indicherà loro la via, determinando il successo finale», aggiunse Lord.

«La lettera conferma la storia che mi è stata raccontata anni fa. La lettera che lei ha trovato, sepolta negli archivi di Stato.»

«E tutto ciò che cosa avrebbe a che fare con noi?» domandò l'americano.

«Mr Lord, lei è il Corvo.»

«Perché sono nero?»

«In parte è per questo, sì. Lei è una rarità in questo Paese. Ma c'è di più.» Paščenko indicò Akilina. «Questa splendida donna. Il suo nome, mia cara, significa 'aquila', in russo antico.»

Il volto della ragazza si trasfigurò dallo stupore.

«Ora capite perché siamo così curiosi. Soltanto un corvo e un'aquila potranno riuscire dove gli altri falliranno. Il corvo si lega all'aquila. Mi dispiace, signorina Petrovna, ma lei fa parte del gioco, che lo voglia o no. Ecco perché ho fatto sorvegliare il circo. Ero certo che voi due vi sareste incontrati di nuovo. L'avete fatto, e ciò conferma ulteriormente la profezia di Rasputin.»

Lord stava per mettersi a ridere. «Rasputin era un opportunista, un contadino corrotto che ha approfittato del dolore della zarina, sviata dal senso di colpa. Se non fosse stato per l'emofilia dello *zarevič*, lo *starec* non avrebbe mai potuto introdursi alla corte imperiale.»

«Fatto sta che Alessio veniva colpito da attacchi violentissimi, che Rasputin sapeva lenire.»

«Oggi è ormai accertato che il calo della tensione emotiva può influenzare l'emorragia. Per un certo periodo l'ipnosi è stata usata nel trattamento dell'emofilia. Lo stress influenza la circolazione sanguigna e la resistenza delle pareti vascolari. Da quanto ho letto, Rasputin avrebbe semplicemente calmato il bambino parlandogli, raccontandogli storie sulla Siberia e rassicurandolo sulla sua guarigione. Dopodiché Alessio si addormentava e, si sa, anche il sonno aiuta.»

«Anch'io ho letto tali spiegazioni, ma resta l'evidenza: Rasputin aveva una certa influenza sullo *zarevič*. A quanto pare, poi, aveva predetto la sua stessa morte prematura e le conseguenze di una sua uccisione da parte di un membro della famiglia reale. Profetizzò anche una rinascita, che Feliks Jusupov favorì e che voi due dovreste completare.»

Lord guardò Akilina: il nome della donna e l'incontro delle loro esistenze poteva essere una pura coincidenza. Eppure quella coincidenza sembrava avverarsi dopo decenni. «Soltanto un corvo e un'aquila potranno riuscire dove gli altri falliranno.» Che cosa stava succedendo?

«Stefan Baklanov non è adatto a guidare questa nazione», asserì Paščenko. «Non è che uno stupido borioso, incapace di governare. La sua eleggibilità dipende solo da un debolissimo legame di sangue. È facilmente manipolabile, e temo che la Commissione per lo zar lo investirà di un potere assoluto; un dono che la Duma sarà costretta a confermare. Il popolo vuole uno zar, non un prestanome.» Paščenko rivolse lo sguardo verso l'americano. «Mr Lord, mi rendo conto che il suo compito consiste nel supportare la candidatura di Baklanov. Tuttavia sono convinto che in giro ci sia un erede diretto di Nicola II, anche se non so esattamente dove. Soltanto lei e la signorina Petrovna potete scoprirlo.»

«Questo è troppo, professore. Davvero troppo.»

L'anziano sorrise. «La capisco. Prima di aggiungere altro, andrò a controllare la cena in cucina. Discutetene in privato; dovete prendere una decisione importante.»

«Su che cosa?» domandò Akilina.

Paščenko rispose alzandosi. «Sul vostro futuro. E su quello della Russia.»

22

Ore 20.40

Hayes si distese, afferrò la sbarra di ferro sopra la propria testa e compì dieci faticosi sollevamenti, coi bicipiti e con le spalle che gli bruciavano per il pesante carico. Era contento che il Volkhov avesse una palestra; vicino ai sessanta, non aveva intenzione di cedere agli attacchi del tempo e non vedeva ragione per non poter vivere altri quarant'anni. Del resto, aveva bisogno di un lungo futuro: aveva ancora molto da fare ed era sul punto di raggiungere una posizione tale da godersi il successo. Dopo l'incoronazione di Stefan Baklanov, avrebbe potuto decidere se e quando lavorare, e fare ciò che più gli piaceva. Aveva già messo l'occhio su un delizioso chalet sulle Alpi austriache, un luogo in cui godersi la natura, andare a caccia e a pesca, essere il signore del proprio castello. Il pensiero era inebriante; una motivazione più che sufficiente per andare avanti, a ogni costo.

Dopo un'altra serie di distensioni, afferrò un asciugamano e si tamponò la fronte imperlata di sudore. Infine abbandonò la sala pesi e si diresse verso gli ascensori.

Dov'era Lord? Perché non si era più fatto vivo? Aveva perso la fiducia in lui? Forse. O forse credeva che i telefoni dell'albergo fossero sotto controllo: conosceva abbastanza bene la paranoia russa per sapere con quanta facilità il governo o un'organizzazione privata avrebbero potuto attuare un simile proposito. Forse era per quello che Lord non aveva più dato notizie dal momento della sua improvvisa fuga dall'ufficio di Orleg. Eppure avrebbe potuto chiamare Atlanta e stabilire i contatti tramite lo studio.

Che disastro.

Miles Lord stava diventando un problema serio.

Hayes scese dall'ascensore ed entrò nell'atrio del quinto

piano, rivestito di legno. Ce n'era uno in ogni piano, una sorta di salottino con giornali e riviste. Trovò ad attenderlo Brežnev e Stalin, comodamente seduti su due poltrone di pelle. Aveva in programma d'incontrarli più tardi in serata, insieme con gli altri Cancellieri Segreti, in una villa a sud della città. Che cosa ci facevano lì, dunque?

«Signori... A che cosa devo l'onore?»

Stalin si alzò. «C'è un problema che richiede una soluzione immediata. Dobbiamo parlare, e lei non era reperibile al telefono.»

«Come vedete, stavo facendo un po' d'allenamento.»

«Potremmo andare nella sua stanza?» chiese Brežnev.

Fece loro strada. Passarono di fronte alla *dežurnaja*, che non sollevò lo sguardo dalla sua rivista. Una volta entrati in camera e richiusa la porta, Stalin disse: «Mr Lord è stato rintracciato poco fa, al circo. I nostri uomini hanno cercato di catturarlo: uno è stato depistato da Lord, l'altro da qualcuno che, evidentemente, stava tenendo d'occhio lo stesso bersaglio. Uno dei nostri ha dovuto uccidere per poter fuggire».

«Chi si è messo in mezzo?» domandò Hayes.

«Questo è il problema. È ora che lei venga a conoscenza di un paio di cose.» Brežnev si sistemò sulla sedia. «Da tempo esiste una teoria secondo cui, nel 1918, una parte della famiglia imperiale sarebbe sopravvissuta alla sentenza di morte. Il suo Mr Lord si è imbattuto in alcuni documenti interessanti contenuti nei Fascicoli Protetti, informazioni a noi sconosciute. In un primo momento abbiamo pensato che il problema, per quanto serio, fosse contenibile. Ora non lo è più. L'uomo che Lord ha conosciuto a Mosca è Semjon Paščenko, professore universitario di Storia, ma anche capo di un'associazione che ha come scopo la restaurazione del potere zarista.»

«Ciò costituisce una minaccia per i nostri progetti in corso?» domandò ancora Hayes, mentre osservava Brežnev.

Vladimir Kulikov rappresentava un'ampia fetta dei nuovi ricchi del Paese, ossia di quei pochi fortunati che erano riusciti a trarre enormi profitti dalla caduta dell'Unione Sovietica. Era piccolo e serio, col volto segnato dal tempo – simile a quello di un contadino, pensò Hayes –, il naso adunco e i capelli radi, corti e grigi. Assumeva spesso un'aria di superiorità che mandava su tutte le furie gli altri tre cancellieri.

Gli arricchiti, del resto, non erano particolarmente amati né dall'esercito né dal governo; la maggior parte di essi era costituita da ex funzionari di partito: uomini astuti che avevano saputo sfruttare un'ampia rete di conoscenze al fine di manipolare a proprio vantaggio un sistema in preda al caos. Nessuno si ammazzava di lavoro, e molti uomini d'affari americani fornivano loro i finanziamenti di cui necessitavano.

«Fino alla sua morte, Lenin fu molto interessato ai fatti accaduti a Ekaterinburg», proseguì Brežnev. «Anche Stalin ne era ossessionato, al punto da sigillare negli archivi ogni frammento di carta che avesse a che fare coi Romanov e mandare nei gulag chiunque fosse a conoscenza di una minima parte degli avvenimenti. Il suo fanatismo è uno dei motivi per cui oggi è così difficile riuscire ad accedere direttamente a materiale interessante. Stalin era preoccupato che fosse sopravvissuto un Romanov, ma venti milioni di morti riescono a sollevare un bel polverone e non si è mai riuscita a organizzare una resistenza forte alla sua tirannia. Il gruppo di Paščenko è in qualche modo connesso con l'eventuale sopravvivenza di uno o più Romanov, anche se non sappiamo esattamente come. Tuttavia è da decenni che si racconta dell'esistenza di un Romanov che vivrebbe nascosto da qualche parte nel mondo, in attesa del momento giusto per svelare la propria identità.»

Intervenne Stalin. «Oggi si sa che soltanto due figli potrebbero essere sopravvissuti: Alessio e Anastasia. I loro corpi, infatti, non sono mai stati ritrovati. Naturalmente, anche qualora entrambi fossero scampati al massacro, sarebbero morti ormai da tempo, soprattutto lo *zarevič*, a causa dell'emofilia. Per cui si farebbe riferimento a eventuali figli o nipoti che, però, in quanto discendenti diretti dei Romanov, renderebbero insignificante la candidatura di Stefan Baklanov.»

Hayes vide la preoccupazione dipinta sul volto di Stalin, ma non riusciva a credere alle proprie orecchie. «Non c'è modo che uno di loro sia sopravvissuto: furono fucilati a breve distanza e poi colpiti con le baionette», disse.

Stalin passò una mano sulla poltrona, seguendo l'intaglio

del legno. «In occasione del nostro ultimo incontro, le feci notare che voi americani stentate a comprendere la sensibilità russa nei confronti del fato. Ecco un esempio: ho visto coi miei occhi documenti che riportavano interrogatori condotti dal KGB. Rasputin predisse la rinascita del sangue Romanov che, stando alle sue affermazioni, sarebbe destinata a essere portata a termine da un corvo e da un'aquila. Il suo Mr Lord ha trovato un documento che conferma la profezia.» S'inclinò in avanti. «Non si potrebbe identificare il suo Mr Lord col corvo?»

«Perché è nero?»

Stalin alzò le spalle. «Una ragione valida come altre.»

Hayes non riusciva a credere che un uomo del calibro di Stalin stesse cercando di convincerlo che un contadino infame vissuto agli albori del XX secolo avesse predetto la rinascita della dinastia Romanov. Ma si capacitava ancor meno che un afroamericano del South Carolina fosse coinvolto nella faccenda. «Forse non capisco la vostra sensibilità nei confronti del destino, ma possiedo abbastanza buonsenso da rendermi conto che tutto ciò non è altro che un mucchio di stronzate.»

«Semjon Paščenko non la pensa così», ribatté Brežnev. «Aveva un motivo per piazzare i suoi uomini di guardia al circo e ha avuto ragione, perché è saltato fuori Lord. I nostri, poi, ci hanno riferito che la scorsa notte sul treno si trovava un'artista circense: Akilina Petrovna. Hanno parlato con lei e, in un primo momento, hanno pensato che non fosse coinvolta; ma poi l'hanno vista uscire dal teatro insieme con Lord e salire sull'auto degli uomini di Paščenko. Perché, se sono tutte invenzioni?»

La domanda non parve ad Hayes del tutto campata in aria.

Il volto di Stalin assunse un'espressione grave. «*Akilina* significa 'aquila' in russo antico. Lei parla la nostra lingua. Non lo sapeva?»

Hayes scosse il capo.

«La questione è seria», continuò Stalin. «Sono in atto meccanismi a noi non del tutto noti. Fino a qualche mese fa, quando passò il referendum, nessuno pensava seriamente a un ritorno dello zar, né all'ascesa di un individuo che potesse essere sfruttato per un vantaggio politico. Ma ora entrambi gli scenari sono possibili. Dobbiamo arrestare immediatamente il processo in corso, qualunque esso sia, per evitare che si trasformi in qualcosa di più pericoloso. Usi il numero di telefono che le abbiamo fornito, raduni gli uomini e trovi Lord.»

«Già fatto.»

«Lo faccia di nuovo.»

«Perché non ve ne occupate voi?»

«Perché lei ha una libertà di movimento che noi non abbiamo. Deve occuparsi lei della questione: è possibile che si estenda al di là dei nostri confini nazionali.»

«In questo momento Orleg è già alla ricerca di Lord.»

«Forse un comunicato della polizia circa la sparatoria della Piazza Rossa potrebbe moltiplicare gli sguardi», osservò Brežnev. «Del resto è stato ucciso un poliziotto: la *milicija* sarà ansiosa di catturare il responsabile dell'omicidio. Potrebbero persino risolverci il problema con una pallottola ben mirata.»

23

«Mi dispiace per quanto è accaduto ai suoi genitori», disse Lord.

Da quando Paščenko aveva abbandonato la stanza, Akilina era rimasta seduta immobile, con gli occhi bassi.

«Mio padre voleva stare con suo figlio e sposarne la madre, ma per emigrare occorre il permesso di entrambi i genitori... Un'assurda regola per impedire a chiunque di uscire dal Paese. Mia nonna, naturalmente, diede il proprio consenso, però di mio nonno non c'era più traccia dalla seconda guerra mondiale.»

«Ciononostante, suo padre doveva disporre dell'approvazione paterna?»

La donna annuì. «Non fu mai dichiarato morto, come tutti i dispersi. Niente padre, niente autorizzazione, niente visto. Le ripercussioni si fecero sentire presto: mio padre fu cacciato dal circo e gli venne impedito di esibirsi altrove. Non sapeva fare altro.»

«Come mai li ha persi di vista negli ultimi anni?»

«Non si sopportavano. Mia madre vedeva nella compagna di mio padre soltanto la donna che aveva messo al mondo il figlio di suo marito, e mio padre vedeva in lei quella che lo aveva lasciato per un altro. Non poterono fare altro che tollerare la situazione per il bene comune.» A quel punto il risentimento della giovane era palpabile. «Mi spedirono da mia nonna. All'inizio li odiai per averlo fatto, ma poi, crescendo, mi resi conto di non riuscire nemmeno a sopportare la loro presenza, per cui fui io ad allontanarmi. Morirono a pochi mesi di distanza l'uno dall'altra: una semplice influenza sfociata in polmonite. Spesso mi chiedo se sono destinata alla loro stessa fine. Quando non soddisferò più il mio pubblico, sarò finita?»

Lord non seppe come rispondere.

«È difficile per un americano capire come andavano le cose

qui e, per certi versi, come vanno ancora oggi. Non potevi vivere dove volevi né fare ciò che volevi; la vita di ciascuno era programmata da subito.»

Sapeva a che cosa si riferiva Akilina: *raspredelenie*, «distribuzione». All'età di sedici anni veniva deciso che cosa una persona avrebbe fatto per il resto della sua vita. Chi si trovava in una posizione sociale influente aveva facoltà di scelta; gli altri, prendevano ciò che restava. Chi viveva in condizioni di disagio, poi, faceva quanto gli veniva ordinato.

«I figli dei membri del partito erano sempre sistemati», proseguì la donna. «Venivano collocati nei posti migliori di Mosca, la città in cui tutti volevano vivere.»

«Tranne lei?»

«Io la odiavo: per me non ci sarebbe stato altro che miseria. Ma fui costretta a tornare; lo Stato aveva bisogno del mio talento.»

«Non voleva diventare un'artista circense?»

«A sedici anni, lei sapeva che cosa avrebbe voluto fare per il resto della sua vita?»

Le diede ragione, rimanendo in silenzio.

«Molti miei amici hanno preferito il suicidio alla prospettiva di una vita detestabile, da trascorrere al Circolo polare artico o in qualche remoto villaggio siberiano. A scuola avevo un'amica che voleva diventare medico: aveva voti eccellenti, ma non possedeva i requisiti di affiliazione al partito necessari per accedere all'università. Altri, molto meno meritevoli, furono scelti al posto suo. Finì a lavorare in una fabbrica di giocattoli.» Gli rivolse uno sguardo duro. «Lei è un uomo fortunato, Miles Lord. Quando diventerà anziano e si troverà nel bisogno, il suo governo le offrirà un aiuto. Noi non abbiamo nulla del genere, qui. I comunisti criticavano tanto la stravaganza dello zar, ma loro non erano da meno.»

Lord cominciava a capire sempre di più la preferenza accordata dal popolo russo al lontano passato.

«Sul treno le ho raccontato la storia di mia nonna», continuò Akilina. «È la pura verità. Fu rapita una notte, e nessuno l'ha mai più rivista. Lavorava in un negozio statale e vedeva i direttori che saccheggiavano gli scaffali per poi incolpare del furto altre persone. Un giorno scrisse una lettera di reclamo a Mosca; per tutta risposta fu licenziata, le fu negata la pensione e i suoi documenti di lavoro furono bollati col timbro di spia. Nessuno l'avrebbe più assunta. Così si diede alla scrittura. Il suo crimine fu la poesia.»

Lord chinò la testa di lato. «Che cosa intende?»

«Le piaceva comporre versi sull'inverno russo, sulla fame e sul pianto dei bambini, raccontare l'indifferenza del governo nei confronti della gente comune. Il comitato locale del partito considerò tale attività una minaccia per l'ordine sociale. Mia nonna cominciò a diventare famosa: un individuo che si ergeva al di sopra della società. Ecco quale fu la sua colpa. Avrebbe potuto diventare il fulcro dell'opposizione e organizzare la resistenza. Così fu fatta sparire. Forse siamo l'unico Paese che ha ucciso i suoi poeti.»

«Akilina, posso capire il rancore che voi tutti nutrite nei confronti del comunismo, ma oggi occorre tornare coi piedi per terra. Prima del 1917, lo zar era un leader piuttosto inetto, al quale non interessava più di tanto che la polizia uccidesse i civili. Nella 'Domenica rossa' del 1905 morirono centinaia di persone, colpevoli di aver condotto una manifestazione pacifica contro la politica imperiale. Era un regime violento che usava la forza per sopravvivere, proprio come il comunismo.»

«Lo zar rappresenta un legame con le nostre origini, antico di secoli. È l'incarnazione stessa della Russia.»

Lord si appoggiò allo schienale della sedia e respirò a fondo. Osservò il fuoco nel camino e ascoltò il crepitio della legna tra le fiamme. «Paščenko vuole che ci mettiamo in cerca di questo presunto erede, che forse è vivo, forse no. Il tutto in base alla secolare profezia di un guaritore ciarlatano.»

«Io ci sto», dichiarò lei.

«Perché?»

«Da quando ci siamo incontrati avverto una strana sensazione: è come se le nostre strade si fossero incrociate per volere del destino. Quando l'ho vista entrare nel mio scompartimento non ho avuto paura, e non ho mai messo in dubbio la mia decisione di averla invitata a dormire lì. Qualcosa, dentro di me, mi diceva di farlo. Inoltre, sapevo che l'avrei rivista.»

Lord non possedeva uno slancio mistico forte come quello dell'affascinante donna russa accanto a lui. «Mio padre era un predicatore che viaggiava di città in città ingannando la gente. Adorava gridare la parola di Dio, ma poi non faceva altro che approfittarsi della povertà altrui, facendo leva sulle paure. È stato l'uomo più lontano dall'idea di santità che io abbia mai conosciuto. Ha ingannato la moglie, i figli e Dio.»

«Ma le ha fatto da padre.»

«Era presente all'atto del mio concepimento, ma non ha mai badato a me. Sono cresciuto da solo.»

La donna s'indicò il petto. «È ancora dentro di lei, che lo voglia ammettere o no.»

No, non l'avrebbe mai ammesso. A un certo punto, in passato, aveva persino preso in considerazione l'idea di cambiare cognome. Soltanto le suppliche della madre lo avevano trattenuto dal farlo. «Vede, Akilina, potrebbe essere tutta una messinscena.»

«A quale scopo? Sono giorni che lei si chiede perché alcune persone stiano cercando di ucciderla, e il professore le ha appena fornito la risposta.»

«Lasciamo che siano loro a mettersi in cerca di questo Romanov sopravvissuto. Sanno come rintracciarmi.»

«Rasputin ha detto che soltanto noi due possiamo riuscire nell'impresa.»

Lord scosse il capo. «Non mi dica che ci crede?»

«Non so che cosa credere. Quand'ero piccola, mia nonna diceva sempre che vedeva un bel futuro per me. Forse aveva ragione.»

Non era la risposta che si aspettava, ma anche lui avvertiva una sensazione molto simile, come se qualcosa lo spingesse ad andare avanti. Se non altro, quella fantomatica impresa lo avrebbe portato via da Mosca, lontano da Droopy e da Cro-Magnon. Oltretutto, non poteva negare che la storia esercitasse un certo fascino su di lui. Paščenko aveva ragione: negli ultimi giorni si erano verificate parecchie coincidenze. Sebbene l'idea che Grigorij Rasputin avesse predetto il futuro non lo avesse mai sfiorato, era incuriosito dal coinvolgimento di Feliks Jusupov nella vicenda. Il Fondatore: con tale epiteto reverenziale lo aveva chiamato Paščenko.

Lord ripensò alla storia di Jusupov: era un travestito bisessuale che aveva ucciso Rasputin perché convinto che il destino della nazione dipendesse dalla volontà di quell'individuo. Il folle atto gli aveva infuso un orgoglio quasi perverso e lo aveva indotto a crogiolarsi per cinquant'anni nella fama che ne era derivata. Era un altro ipocrita egocentrico, un pericoloso e malevolo impostore, come Rasputin e suo padre. Eppure Jusupov sembrava coinvolto in un'operazione tutt'altro che egoista.

«D'accordo, Akilina. Lo faremo. Perché no? Quali alternative ho?» Guardò la porta della cucina e vide che Paščenko ritornava verso di loro.

«Ho appena ricevuto una brutta notizia», li informò lui. «Uno dei nostri colleghi, quello che ha scortato l'uomo del circo, non si è presentato nel luogo d'incontro stabilito. È stato trovato morto.»

Droopy era fuggito, dunque. Una prospettiva davvero poco rassicurante.

«Mi dispiace», disse Akilina. «Ci ha salvato la vita.»

«Conosceva i rischi connessi alla Sacra Compagnia», replicò Paščenko in maniera distaccata. «Non è il primo a morire per la causa. E probabilmente non sarà l'ultimo.»

«Abbiamo deciso», intervenne Lord. «Siamo con voi.»

«Lo sapevo, ma non dimenticate ciò che ha detto Rasputin: 'Dovranno morire in dodici, prima che l'impresa possa dirsi completa'.»

Lord non era molto preoccupato per quella profezia vecchia di un secolo; molti mistici si erano sbagliati, prima di allora. Droopy e Cro-Magnon, piuttosto, erano pericoli reali e rappresentavano una minaccia immediata.

Paščenko proseguì: «Ora si rende conto, Mr Lord, che l'obiettivo della sparatoria di quattro giorni fa sulla Nikol'skij prospekt era lei, non Artemij Belij. Quegli uomini la stanno seguendo, e sospetto che ora sappiano parte di ciò che sappiamo noi. Cercheranno di fermarla».

«Presumo che nessuno sappia dove siamo diretti, a parte lei», ribatté Lord. «Non è così?»

«Certo, e continuerà a essere così. Soltanto lei, la signorina Petrovna e io conosciamo l'origine della nostra impresa.»

«Non è del tutto vero. L'uomo per cui lavoro conosce gli scritti di Alessandra, ma non credo che li metterebbe in relazione con l'intera vicenda. Anche se lo facesse, poi, non lo direbbe a nessuno.»

«Ha motivo di dubitare della lealtà del suo capo?»

«Gli ho mostrato i documenti due settimane fa, e non mi ha mai detto nulla; non credo li abbia considerati importanti. Piuttosto, dal momento che abbiamo deciso di unirci a lei, perché non ci spiega ciò che prima ha detto di voler 'aggiungere'?»

Paščenko si sedette e il suo volto tornò di nuovo espressivo.

«Il Fondatore ha organizzato l'impresa passo per passo, ognuno indipendente dall'altro. Se a ogni passo compariva la persona giusta, essa avrebbe saputo fornire, con le parole adeguate, le informazioni necessarie a compiere il passo successivo. Soltanto Jusupov conosceva il piano per intero e, stando alle sue parole, non lo rivelò a nessuno. Ora sappiamo che il nostro primo passo andrà compiuto nel villaggio di Starodub. Qualche giorno fa, dopo il nostro colloquio, ho eseguito alcuni controlli. Kolja Maks era una guardia di palazzo dello zar, passata dopo la rivoluzione dalla parte dei bolscevichi. All'epoca dell'eccidio dei Romanov, era un membro del Soviet degli Urali. Agli albori del periodo rivoluzionario, prima che Mosca assumesse il potere centrale, erano i soviet locali a governare le rispettive aree geografiche. Il Soviet degli Urali, dunque, controllava il destino dello zar assai più del Cremlino. La regione degli Urali era strenuamente antizarista e desiderò la morte dello zar dal primo istante in cui lui mise piede a Ekaterinburg.»

«Mi ricordo», assentì Lord, pensando al trattato di pace del marzo 1918, con cui Lenin aveva firmato il ritiro della Russia dalla prima guerra mondiale. «Lenin pensò di essersi sbarazzato dei tedeschi, mentre in realtà elemosinò la pace a condizioni talmente umilianti che un generale russo si suicidò subito dopo la cerimonia della firma. In seguito, l'ambasciatore tedesco fu ucciso a Mosca il 6 luglio 1918. A quel punto Lenin, trovatosi di fronte a un altro possibile attacco da parte della Germania, usò il suo asso nella manica: i Romanov. Pensava, infatti, che il kaiser tenesse loro al punto di essere disposto a trattare per metterli in salvo, soprattutto considerando che Alessandra era una principessa di origine tedesca.»

«Ma i tedeschi non volevano nessun Romanov», proseguì Paščenko. «Fu quello il momento in cui al Soviet degli Urali fu ordinato di eliminare la famiglia imperiale, divenuta ormai un ingombrante fardello. Può darsi che Kolja Maks abbia partecipato all'operazione, forse anche presenziando al momento dell'esecuzione.»

«Professore, quell'uomo sarà sicuramente morto», osservò Akilina. «Sono passati troppi anni.»

«Tuttavia era suo dovere garantire il passaggio dell'informazione. Dobbiamo partire dal presupposto che abbia tenuto fede al patto.»

Lord era perplesso. «Perché non va lei stesso a cercare Maks? Capisco che finora non ne conoscesse l'identità, ma adesso perché dobbiamo farlo noi?»

«Il Fondatore fece in modo che soltanto il Corvo e l'Aquila potessero accedere all'informazione. Qualora mi recassi di persona, o inviassi qualcun altro, non potrei apprendere nulla. Dobbiamo attenerci alla profezia di Rasputin. Lo *starec* ha predetto che soltanto voi potete riuscire dove tutti gli altri falliscono. Anch'io, da parte mia, devo tenere fede a un accordo e rispettare il progetto del Fondatore.»

Lord si sforzò di richiamare alla mente altre informazioni su Feliks Jusupov. La sua era una delle famiglie più ricche di Russia e, quando il fratello maggiore era rimasto ucciso in un duello, Feliks aveva ereditato le redini del casato. Era stato una delusione fin dalla nascita. Sua madre avrebbe voluto una bambina, così si consolò lasciandogli crescere i capelli e facendogli indossare vestitini fino all'età di cinque anni.

«Jusupov non subiva il fascino di Rasputin?» domandò.

«Secondo alcuni biografi, Rasputin avrebbe rifiutato le avance omosessuali di Jusupov, insinuando in quest'ultimo un forte rancore», rispose Paščenko. «Era sposato con la nipote preferita di Nicola II, ossia la giovane donna più ambita di Russia. Il profondo sentimento di lealtà che lo legava allo zar indusse Jusupov a credere che fosse suo dovere liberare la famiglia reale dalla minacciosa influenza di Rasputin. Questa convinzione, oltretutto, fu alimentata da altri nobili, infastiditi dalla posizione dello *starec* a corte.»

«Non ho mai ritenuto Jusupov una persona intelligente; più un seguace che un leader, insomma.»

«Può darsi che il suo fosse un atteggiamento voluto. In effetti, noi ne siamo convinti.» Paščenko si fermò un istante, poi proseguì: «Ora che avete acconsentito a unirvi a noi, posso rivelarvi il resto delle informazioni che mi sono state date; mio zio e il mio prozio hanno conservato la loro parte del segreto fino alla morte. Si tratta delle parole che bisognerà rivelare al successivo anello della catena, che a questo punto ritengo essere Kolja Maks, o il suo successore. 'Chi persevererà sino alla fine sarà salvato'».

Lord pensò subito a suo padre. «Dal Vangelo secondo Matteo.»

Paščenko annuì. «Quelle parole dovrebbero procurare l'accesso alla seconda parte dell'impresa.»

«Si rende conto che l'impresa potrebbe rivelarsi inutile, vero?» domandò Lord.

«Non credo affatto. Sia Alessandra sia Lenin hanno fatto riferimento alla stessa informazione. La zarina ha scritto la sua lettera nel 1916, raccontando l'incidente di Rasputin proprio come il Fondatore – seguendo un percorso indipendente – l'ha raccontato a noi. Sei anni dopo, Lenin ha messo per iscritto la deposizione di una guardia bianca sotto tortura, annotando specificatamente il nome di Kolja Maks. No, a Starodub deve esserci qualcosa. Qualcosa che Lenin non è riuscito a scoprire poiché, dopo l'attacco del 1922, ha vissuto in condizioni di ritiro – perdendo tutta la sua esaltazione – fino alla morte, avvenuta nel 1924. Dopo quattro anni, Stalin ha insabbiato l'intera vicenda, che è rimasta segreta fino al 1991. Stalin proibiva a chiunque di parlare della famiglia imperiale o dell''affare Romanov', come lo chiamava lui. Perciò nessuno ha più seguito il sentiero tracciato da Jusupov, sempre che qualcuno si fosse reso conto dell'esistenza di un simile percorso.»

«Da quanto ricordo, Lenin non era convinto che lo zar potesse essere il fulcro dell'opposizione», disse Lord. «Nel 1918 i Romanov erano già stati screditati; penso, per esempio, alla storia di 'Nicola il sanguinario'... La campagna di disinformazione attuata dai comunisti contro la famiglia imperiale aveva avuto successo.»

Paščenko annuì. «Alcuni scritti dello zar e della zarina furono pubblicati allora per la prima volta. Fu un'idea di Lenin, affinché il popolo potesse leggere coi propri occhi quanto i reali fossero indifferenti ai loro problemi. Naturalmente il materiale da pubblicare fu selezionato con cura e pesantemente corretto. Si pensava addirittura d'inviare un messaggio all'estero. Lenin sperava, infatti, che il kaiser volesse indietro Alessandra; forse, vedendo il destino della zarina sospeso a un filo, sarebbe stato disposto a garantire la complicità tedesca nel trattato di pace o a effettuare uno scambio per rimpatriare i prigionieri di guerra russi. I tedeschi, però, possedevano un'ampia rete di spionaggio in Russia – soprattutto nella regione degli Urali –, per cui immagino che fossero venuti a sapere dell'uccisione della famiglia imperiale nel luglio del 1918. In pratica, Lenin stava trattando i cadaveri reali come merce di scambio.»

«E che mi dice di tutte le storie sulla sopravvivenza della zarina e delle figlie?»

«Altre bugie diffuse dai comunisti. Lenin non sapeva quale effetto avrebbe avuto agli occhi del mondo l'uccisione di donne e bambini, perciò si sforzò di far apparire l'esecuzione come un atto il più possibile giusto ed eroico. I comunisti, dunque, inventarono di aver portato via le donne Romanov, le quali sarebbero poi morte in seguito, durante una battaglia con l'Armata Bianca. Lenin pensava che la disinformazione confondesse i tedeschi, ma, una volta assodato che a nessuno importava dei Romanov, lasciò cadere la messinscena.»

«Ma la disinformazione perdurò.»

Paščenko sorrise. «In parte anche grazie alla nostra Sacra Compagnia. I miei predecessori hanno saputo condurre un'ottima campagna di depistaggio. Il progetto del Fondatore consisteva in parte nel disorientare i comunisti e nell'incuriosire il mondo. Non ne sono sicuro, ma credo che l'intera storia di Anna Anderson sia stata architettata dallo stesso Jusupov, il quale ha fatto in modo che la donna perpetrasse un inganno in grado di fare rapida presa sull'opinione pubblica.»

«Finché il test del DNA non ha dimostrato la malafede della donna.»

«Soltanto di recente, però. A mio parere, Jusupov ha insegnato alla donna tutti i dettagli di cui lei avrebbe avuto bisogno. Il resto è stato una sua grandiosa esibizione.»

«Il progetto prevedeva tutto ciò?»

«E molto di più, Mr Lord. Jusupov, il quale visse fino al 1967, si assicurò personalmente che il suo piano avesse successo. Il depistaggio non serviva soltanto a distrarre tutti, ma anche a far emergere i Romanov ancora in vita: finché c'era il dubbio che fosse sopravvissuto un erede diretto, nessun ramo della famiglia poteva prendere il predominio rispetto agli altri, e così fu. Anna Anderson recitò talmente bene il suo ruolo da spingere anche diverse Romanov a giurare di essere Anastasia. Jusupov ottenne un risultato eccellente; cominciarono a emergere candidate ovunque, e spuntarono libri, film, cause giudiziarie. La strada del depistaggio intraprese un cammino autonomo.»

«Il tutto per nascondere il vero segreto.»

«Esatto. Dopo la morte di Jusupov, la responsabilità del piano è ricaduta su altre persone, tra cui io, ma le restrizioni agli spostamenti hanno reso difficile proseguire l'impresa. Forse è stato Dio a farci dono della vostra comparsa.» Paščenko concentrò lo sguardo sull'americano. «Sono felice che abbia deciso di compiere l'impresa, Mr Lord. Questa nazione ha bisogno di lei.»

«Non sono sicuro di poter essere davvero utile.»

L'anziano si rivolse ad Akilina. «E ha bisogno anche di lei, mia cara.» Paščenko si appoggiò allo schienale. «Ora lasciate che vi fornisca altri dettagli. Secondo la profezia di Rasputin, è previsto il coinvolgimento di alcune bestie... in che modo, proprio non saprei. Inoltre, è previsto che Dio offrirà un modo per dimostrare la correttezza della rivendicazione; forse questo è un riferimento al test del DNA, al quale potremo facilmente ricorrere per provare l'autenticità del legame della persona che troverete. Non viviamo più ai tempi di Lenin o di Jusupov: la scienza è un aiuto.»

L'atmosfera serena che regnava nell'alloggio aveva calmato i nervi di Lord, il quale cominciava a sentirsi troppo stanco per pensare. Il profumo di cavoli e patate, poi, era assai invitante. «Professore, sto morendo di fame.»

«Lo credo. Gli uomini che vi hanno accompagnato stanno preparando la cena.» Paščenko si rivolse ad Akilina. «Mentre mangeremo, li invierò a casa sua per recuperare ciò di cui ha bisogno. Mi raccomando, tenga con sé il passaporto, perché non si sa dove vi potrà portare questa ricerca. Ricorreremo inoltre ai nostri contatti con l'organizzazione che possiede il circo per far sì che lei possa assentarsi senza rischiare di compromettere la sua carriera. Se l'impresa dovesse rivelarsi infruttuosa, almeno lei potrà tornare al suo lavoro.»

«Grazie.»

«Quanto ai suoi effetti personali, Mr Lord?»

«Darò agli uomini la chiave del mio albergo, affinché mi portino la valigia. Dovrei anche far avere un messaggio al mio capo, Taylor Hayes.»

«Le suggerirei di evitarlo. La profezia invita alla segretezza e credo che dovremmo rispettarla.»

«Ma Taylor potrebbe aiutarci.»

«Non avete bisogno di nessun aiuto.»

Lord era troppo stanco per ribattere. Oltretutto, probabilmente Paščenko aveva ragione: meno persone erano a conoscenza della sua destinazione, meglio era. Avrebbe sempre potuto contattare Hayes in un secondo momento.

«Questa notte potete dormire qui, al sicuro», disse Paščenko. «Comincerete l'impresa domani.»

24

Sabato 16 ottobre,
ore 16.45

Alla guida di una Lada malconcia, Lord stava percorrendo una strada a due corsie. Insieme con la vettura, Paščenko aveva procurato loro anche il pieno di gasolio e cinquemila dollari americani. Lord continuava a ritenere l'intera faccenda una perdita di tempo, ma si sentiva decisamente meglio a cinque ore di distanza dalla città, tra le boscose distese della Russia sudorientale.

Indossava un paio di jeans e un maglione; gli uomini di Paščenko avevano recuperato la sua valigia al Volkhov senza incontrare problemi. Si era riposato: una doccia calda e una bella rasatura avevano fatto miracoli. Anche Akilina aveva l'aria distesa; le erano stati portati i suoi vestiti, insieme col passaporto e col visto per l'espatrio, che era fornito – senza limiti di tempo – a tutti gli artisti circensi, per facilitare i frequenti spostamenti di lavoro nelle tournée.

La donna indossava un dolcevita verde oliva, jeans e un giubbotto di pelle scamosciata. I colori scuri e lo stile sobrio le si confacevano. Gli ampi risvolti delle maniche accentuavano le spalle sottili e le donavano un'aria che ricordava l'Annie Hall di Woody Allen, un personaggio che a Lord piaceva molto.

Attraverso il parabrezza, scorsero campi e foreste. La regione era celebre per le sue patate, e a Lord tornò in mente una bizzarra storia relativa a Pietro il Grande, il quale aveva decretato che la strana pianta – da lui chiamata «la mela della terra» – venisse coltivata dai contadini locali. Le patate, però, erano una coltivazione nuova per la Russia, e lo zar non aveva saputo indicare quale parte della pianta andasse raccolta. Quando i contadini avevano cercato di mangiarla tutta, tranne la radice, si erano ammalati; in preda alla rabbia e alla delusione, avevano dato fuoco all'intero raccolto. Fu soltanto quando qualcuno assaggiò la polpa carbonizzata della radice che la pianta fu finalmente adottata.

L'itinerario li condusse attraverso numerosi insediamenti squallidi e malsani, imperniati intorno a fonderie e fabbriche di motrici. L'atmosfera era satura di una nebbia amara, e tutto era coperto di una sozza fuliggine. Un tempo, l'intera zona era stata campo di battaglia: pagani in resistenza contro i cristiani, principi in contesa per il potere, tatari alla conquista... Un luogo in cui, come aveva detto uno scrittore: «La terra russa si dissetava del sangue russo».

Starodub era un villaggio dalla conformazione stretta e allungata, cui le colonne dei negozi e gli edifici in legno e mattoni conferivano un tocco di epoca imperiale. Le strade erano bordate da file di betulle bianche; in centro si ergeva, dominante, una chiesa a tre pinnacoli incappucciata da cupole a cipolla color blu notte tempestate di stelle d'oro, scintillanti agli ultimi bagliori del tramonto. Il posto era pervaso da uno sgradevole senso di decadenza, che si leggeva nelle strutture pericolanti per mancanza di manutenzione, nell'asfalto crepato e nell'incuria delle aree verdi.

«Hai qualche suggerimento su come trovare Kolja Maks?» domandò Lord, mentre procedevano con calma lungo una delle strade. Durante le lunghe ore di viaggio avevano cominciato a darsi del tu.

Akilina indicò di fronte a sé. «Non credo sia difficile.»

Guardando attraverso il sudicio parabrezza, l'uomo scorse l'insegna del Kafe Snezinki: specialità torte, pasticci di carne e gelati. Il locale occupava il pianterreno di un edificio in mattoni su tre livelli, in cui gli infissi delle finestre presentavano allegre incisioni. Sull'insegna vide la scritta: KAFE SNEZINKI. IOSIF MAKS, PROPRIETARIO.

«Piuttosto insolito», osservò.

Normalmente i russi non pubblicizzavano la proprietà; guardandosi intorno, poi, notò che gli altri negozi non indicavano nessun nome. Ripensò alla Nevskij prospekt di San Pietroburgo e al quartiere Arbat di Mosca: due luoghi alla moda, dove centinaia di boutique di classe si succedevano per chilometri in una sarabanda commerciale. Soltanto pochi negozi indicavano i prezzi dei prodotti, ancora meno erano quelli che rivelavano la proprietà dell'esercizio.

«Un segno dei tempi, forse», commentò Akilina con un sorriso. «Il capitalismo si sta insinuando anche qui, nelle zone rurali della Russia.»

Scesi dalla Lada, si diressero verso il Kafe Snezinki. Il marciapiede era deserto, eccetto che per un cane all'inseguimento di una gazza svolazzante. Erano pochi i negozi illuminati. A parte le aree metropolitane, in effetti, in Russia i negozi aprivano di rado durante il fine settimana: un altro retaggio del passato.

L'interno del locale era scarsamente decorato. Al centro comparivano quattro file di tavoli, le vetrinette presentavano l'assortimento di cibo del giorno e un forte aroma di caffè riempiva l'aria. Tre persone erano radunate intorno a un tavolo e un'altra, solitaria, sedeva poco più in là. Nessuno parve badare ai nuovi arrivati, e Lord, stupito, si chiese quanti uomini di colore comparissero ogni giorno da quelle parti.

L'uomo al di là delle vetrinette era piccolo, corpulento, con folti capelli ramati, baffi e barba ispidi. Indossava un grembiule tempestato di macchie e, avvicinandosi, portò con sé un odore di formaggio feta. Si stava asciugando le mani con uno strofinaccio sporco.

«Lei è Iosif Maks?» chiese Lord in russo.

«Lei di dov'è?» ribatté l'uomo, con uno sguardo diffidente.

Lord decise di fornire meno informazioni possibile. «Ha importanza?»

«Sì, perché è entrato nel mio negozio a farmi l'interrogatorio, parlando come un russo.»

«Ne deduco che lei sia Iosif Maks...»

«Si faccia i fatti suoi.»

L'americano si chiese se quel tono rude e sgarbato fosse dettato da pregiudizio o ignoranza. «Ascolti, signor Maks: non siamo qui per crearle problemi. Stiamo cercando un uomo di nome Kolja Maks; probabilmente è morto da tempo, ma saprebbe dirci se ha qualche parente che vive qui?»

L'uomo socchiuse le palpebre con aria sospettosa. «Chi siete?»

«Mi chiamo Miles Lord e lei è Akilina Petrovna. Veniamo da Mosca in cerca di Kolja Maks.»

Il russo lanciò lo strofinaccio da un lato e incrociò le braccia sul petto. «Ci sono un mucchio di Maks da queste parti. Non conosco nessun Kolja.»

«Ha vissuto qui all'epoca di Stalin, ma i suoi figli o nipoti dovrebbero esserci ancora.»

«Sono Maks per parte di madre e non ho mai avuto rapporti con nessuno di loro.»

«Allora perché si chiama Maks di cognome?» chiese Lord.

Sul volto del russo comparve uno sguardo turbato. «Non ho tempo per questo. Ho i miei clienti.»

Akilina si avvicinò alla vetrina del bancone. «Signor Maks, è molto importante. Abbiamo bisogno di contattare i parenti di Kolja Maks: potrebbe dirci, per favore, se vivono da queste parti?»

«Che cosa vi fa pensare che abitino qui?»

Udendo un rumore di passi, Lord si voltò e vide entrare un poliziotto, vestito con l'uniforme campestre della *milicija* e una *šapka* di pelliccia azzurra. Si sbottonò e si tolse il cappotto, poi si sedette a un tavolo e fece un cenno a Iosif Maks. Il proprietario capì e si mise all'opera per preparare un caffè.

Lord si avvicinò al bancone; la presenza del poliziotto lo innervosiva. Si rivolse di nuovo a Maks, stavolta con un tono di voce più basso: «Chi persevererà sino alla fine sarà salvato».

Maks si voltò di scatto. «Che cosa significa?»

«Me lo dica lei.»

Il russo scosse il capo. «Pazzo di un americano... È fuori di testa, per caso?»

«Chi le ha detto che sono americano?»

Maks si rivolse ad Akilina. «Che ci fa con questo *čudak*?»

Lord non reagì all'epiteto. Dovevano abbandonare il caffè creando il minimo scompiglio possibile. Eppure negli occhi di Maks c'era qualcosa che contraddiceva le sue parole. Non ne era sicuro, ma sentiva che l'uomo voleva comunicargli che quello non era il luogo né il momento per parlare di certe cose. Decise di seguire l'istinto. «Noi andiamo, signor Maks. Potrebbe indicarci un posto in cui passare la notte?»

Quando ebbe finito di preparare il caffè, il proprietario si diresse dall'altra parte della stanza, verso il tavolino del poliziotto. Posata la bevanda, tornò verso di loro.

«Provate all'Hotel Oktjabrskaja: all'angolo a sinistra, poi sempre dritto verso il centro fino al terzo isolato.»

«Grazie.»

Maks tornò dietro la vetrina del bancone. Lord e Akilina, diretti verso l'uscita, furono costretti a passare accanto al poliziotto, che se ne stava seduto a sorseggiare il caffè; il suo sguardo sembrò indugiare troppo a lungo sugli estranei. Raggiunta l'estremità del locale, Lord, voltandosi, notò che pure Maks si era accorto di quel particolare indugio.

Trovarono l'Hotel Oktjabrskaja, un edificio di quattro piani in cui le stanze sulla strada erano dotate di balconi malfermi. Il pavimento della hall era sporco di terra nera e l'aria era satura del tipico odore sulfureo causato dall'incuria degli impianti idraulici. L'uomo alla reception, visibilmente irascibile, dichiarò subito l'indisponibilità dell'albergo a ospitare stranieri. Akilina prese in mano la situazione, informando il tizio – con fare adirato – che Lord era suo marito e che si aspettava fosse trattato con rispetto. Dopo un po' di contrattazione, riuscirono a farsi assegnare una stanza, anche se a una tariffa più alta del normale. Salirono al secondo piano.

La stanza, spaziosa, era consunta dal tempo; l'arredamento sembrava ispirato a un film degli anni '40. L'unica traccia di modernità era un piccolo frigorifero, che brontolava a intermittenza in un angolo. Il bagno attiguo non era migliore: mancavano sia il sedile del water sia la carta igienica. Quando fece per sciacquarsi il viso, Lord scoprì che l'acqua calda e quella fredda non potevano scorrere nello stesso momento.

«Non credo che molti turisti si spingano tanto a sud», commentò, uscendo dal bagno e asciugandosi il volto con l'asciugamano.

Akilina era seduta sul bordo del letto. «Durante il comuni-

smo questa era una zona interdetta agli stranieri ed è stata ria-
perta soltanto di recente.»

«Grazie per ciò che hai fatto alla reception.»

«Mi è dispiaciuto anche ascoltare il modo in cui ti ha chiamato Maks: non aveva nessun diritto...»

«Non sono sicuro che intendesse farlo davvero.» Lord
spiegò l'impressione che aveva colto nello sguardo del russo.
«Credo che il poliziotto abbia suscitato in lui i nostri stessi ti-
mori.»

«Perché, se ha detto che non conosceva Koljà Maks?»

«Secondo me ha mentito.»

La ragazza sorrise. «Sei un corvo ottimista.»

«Ottimista non so, ma presumo che in tutta questa storia ci
sia un fondo di verità.»

«Mi auguro che tu abbia ragione. Avevi ragione ieri sera,
nel dire che i russi ricordano soltanto il lato buono del governo zarista che invece, come hai giustamente sottolineato, era
un'autocrazia repressiva e crudele. Però... stavolta potrebbe
essere diverso.» Un sorriso increspò le labbra della donna.
«La nostra impresa potrebbe confutare le tesi comuniste una
volta per tutte: i Romanov potrebbero essere sopravvissuti.
Non sarebbe bello?»

Sì, pensò lui.

«Sei affamato?» chiese Akilina.

Lo era. «Dovremmo rimanere nascosti. Andrò di sotto a
comprare qualcosa da mangiare al bar della hall; il pane e il
formaggio avevano un bell'aspetto. Ci faremo una cenetta
tranquilla qui in camera.»

«Perfetto», approvò lei.

Al pianterreno, Lord si avvicinò all'anziana signora che gesti-
va il piccolo bar e ordinò una forma di pane nero, un po' di
formaggio, due salsicce e due birre. Pagò con un biglietto da
cinque dollari e lasciò il resto. Mentre ritornava verso la scala,
udì un rumore di automobili in avvicinamento; poi, nell'oscurità, vide luci rosse e blu che lampeggiavano, illuminando la
hall attraverso le finestre sul lato della strada. Guardò fuori:

tre macchine della polizia inchiodarono, e si aprirono le portiere.

Sapeva dov'erano diretti i poliziotti.

Salì di corsa le scale e si precipitò in camera. «Prendi la tua roba. Di sotto c'è la polizia.»

Akilina si mosse in fretta, infilandosi il cappotto e mettendo la borsa in spalla.

Anche lui afferrò sacca e soprabito. «Non ci vorrà molto perché vengano a sapere il numero di questa stanza.»

«Dove andiamo?»

C'era un solo posto in cui fuggire: il terzo piano. «Vieni.» Le fece strada fuori della porta, che poi richiuse delicatamente.

Salirono la scala di legno poco illuminata, sentendo i passi provenire dalla hall. Giunti sul pianerottolo, si avviarono in punta di piedi verso il piano più alto. Il rumore dei passi era ora arrivato al corridoio del secondo piano. Alla luce di una lampadina isolata, Lord esaminò le sette stanze: tre davano sulla strada, tre sul retro e una si trovava in fondo al corridoio; tutte avevano la porta aperta, segno che non erano occupate.

Si udì provenire da sotto il battito dei pugni sul legno.

Lord fece segno di rimanere in silenzio e indicò l'ultima stanza sul retro.

Akilina si mosse nella direzione segnalata.

Seguendola, Lord chiuse piano tutte le altre porte, poi entrò anche lui nella camera e chiuse a chiave l'uscio dietro di sé.

Altri pugni da sotto.

La stanza era buia, ma Lord non osò accendere la lampada del comodino. Guardò fuori della finestra: circa dieci metri più in basso c'era un vicolo pieno di automobili parcheggiate. Sollevò il vetro e sporse la testa all'aria fredda. Nessun poliziotto in vista. Evidentemente avevano ritenuto che un'incursione a sorpresa fosse una garanzia di successo sufficiente. Sulla destra, il tubo di scarico della grondaia collegava il tetto con l'acciottolato della strada.

Si ritirò all'interno. «Siamo in trappola.»

Akilina gli passò accanto e gettò uno sguardo fuori della finestra. Lui udì passi pesanti salire la scala verso di loro; di certo i poliziotti avevano constatato che la stanza al secondo piano era vuota. Le porte chiuse avrebbero rallentato il loro arrivo, ma non di molto.

Akilina si sfilò la borsa di spalla e la buttò giù dalla finestra.

«Dammi la tua.»

Lui eseguì l'ordine, ma poi chiese: «Che intendi fare?»

La donna lanciò la sacca e rispose: «Seguimi e fa' come me».

Si sporse dalla finestra e si strinse al davanzale. Lui la vide aggrapparsi al tubo e spostare il proprio peso, fino a posizionarsi coi piedi infilati tra i mattoni della facciata e le braccia intorno al ferro umido. Si calò giù facendo leva sulle gambe, regolando la presa e sfruttando la gravità per la discesa. Nell'arco di pochi istanti balzò giù dal muro, sulla strada.

Lord udì le porte che si aprivano nel corridoio. Non era per niente sicuro di essere in grado di emulare Akilina, ma non aveva scelta. Ancora qualche secondo e la stanza si sarebbe riempita di poliziotti.

Scivolò fuori della finestra e si aggrappò anche lui al tubo di scarico. Il freddo del metallo gli ghiacciò le mani e la patina viscida lo fece scivolare, ma lui si tenne con forza. Piantò i piedi tra i mattoni e cominciò a scendere.

Sentì bussare alla porta.

Accelerò la discesa e oltrepassò le finestre del primo piano. Nella stanza si udì rumore di legno spezzato, quando qualcuno forzò la porta chiusa. Nel proseguire, gli mancò la presa in corrispondenza di un rinforzo del muro e cadde, proprio nel momento in cui una testa si protese fuori della finestra del terzo piano. Si preparò all'impatto, il suo corpo sfregò contro la ruvida parete di mattoni e infine urtò contro l'asfalto.

Rotolò su se stesso per poi sbattere contro la ruota di una vettura parcheggiata.

Sollevò lo sguardo e vide il poliziotto impugnare una pistola. Noncurante del dolore alla coscia, si alzò di scatto, afferrò Akilina e la spinse dall'altra parte dell'automobile.

Il fragore di due spari infranse il silenzio della notte.

Un proiettile rimbalzò sul cofano, un altro colpì il parabrezza.

«Seguimi e stai giù», disse lui.

Procedettero lungo il vicolo a tentoni, aggrappati alle proprie borse, facendosi scudo con le macchine. Furono inseguiti da una sfilza di pallottole ma, evidentemente, la finestra del terzo piano non offriva un'angolazione ideale per lo sparo. Al saettare dei proiettili, si udivano l'infrangersi dei vetri e il suono del metallo contro il metallo. Avvicinandosi al fondo del vicolo, Lord si domandò se altri poliziotti li stessero aspettando dietro l'angolo.

Uscirono dal vicolo.

I negozi sui due lati della strada erano bui e persino i lampioni erano spenti. Cominciarono a correre verso il lato opposto della strada.

Sulla destra un'automobile svoltò l'angolo, li abbagliò coi fari e avanzò dritta verso di loro.

I due restarono pietrificati in mezzo alla carreggiata.

La vettura inchiodò sull'asfalto umido.

Non si trattava di una volante, poiché era priva di sirene e scritte; riconobbero invece il volto del guidatore attraverso il vetro.

Iosif Maks.

«Salite!» gridò il russo.

Eseguirono l'ordine, e Maks accelerò di colpo.

«Giusto in tempo», commentò Lord guardando lo specchietto retrovisore.

Il russo corpulento tenne lo sguardo fisso verso la strada.

«Kolja Maks è morto, ma domani incontrerete suo figlio.»

Mosca,
domenica 17 ottobre,
ore 7.00

Hayes entrò nella sala da pranzo principale del Volkhov. L'albergo offriva uno squisito buffet mattutino, di cui lui apprezzava in modo particolare i *bliny*, che lo chef preparava con zucchero a velo e decorazioni di frutta fresca. Si sedette al tavolo e cominciò a scorrere le notizie del giorno sull'*Izvestija* che il cameriere gli aveva sollecitamente portato.

Un articolo in prima pagina ricapitolava le attività della Commissione per lo zar, svolte durante la settimana precedente. Dopo la sessione di apertura di mercoledì, si era dato inizio alle proposte di candidatura. Stefan Baklanov era stato il primo e, come da accordi, la sua presentazione era stata condotta dallo stimato sindaco di Mosca. I Cancellieri Segreti avevano ritenuto che il ricorso a un'autorità rispettata dalla gente comune avrebbe alimentato la credibilità di Baklanov; avevano avuto ragione, dal momento che l'editoriale dell'*Izvestija* riferiva un incremento del sostegno a suo favore.

Due rami rivali dei Romanov avevano nominato un rappresentante anziano, affermando un legame di sangue e di matrimonio più prossimo a Nicola II. Erano stati proposti altri tre nomi, ma a nessuno di loro il giornalista attribuiva credito, in quanto assai distanti rispetto al lignaggio imperiale. Un riquadro a lato della pagina segnalava che, in relazione alla possibile esistenza di numerosi russi con sangue Romanov nelle vene, i laboratori di San Pietroburgo, Novosibirsk e Mosca offrivano la possibilità – al prezzo di cinquanta rubli – di eseguire esami del sangue per paragonare i propri marcatori genetici con quelli della famiglia imperiale. Diverse persone avevano pagato per fare il test.

Il dibattito iniziale sulle nomine, avvenuto all'interno della commissione, era stato vivace, ma Hayes sapeva che si trattava soltanto di una montatura, poiché, dagli ultimi aggiornamenti a lui forniti, quattordici dei diciassette membri erano già stati corrotti. Il dibattito era stato una sua idea: meglio che in un primo momento i commissari apparissero discordi e venissero pian piano indirizzati verso la scelta, piuttosto che prendere subito una decisione.

Il resoconto terminava con una nota che indicava per l'indomani il giorno in cui si sarebbe concluso il processo di nomina; dopodiché la rosa dei candidati sarebbe stata ristretta a tre elementi e, dopo altri due giorni di dibattito, si sarebbe giunti al voto finale di giovedì.

Il tutto era destinato a concludersi entro il venerdì successivo. Stefan Baklanov sarebbe diventato Stefano I, zar di tutte le Russie. I clienti di Hayes sarebbero rimasti soddisfatti, così come gli altri Cancellieri Segreti e, del resto, lui stesso, più ricco di diversi milioni di dollari.

Terminò l'articolo, meravigliandosi una volta di più di quanto i russi amassero la spettacolarizzazione degli eventi pubblici, meccanismo cui avevano anche dato un nome: *pokazuka*. L'esempio migliore che gli venne in mente fu la visita di Gerald Ford negli anni '70: in quell'occasione, il percorso dell'ospite dall'aeroporto era stato abbellito con file di abeti appositamente prelevati da una foresta limitrofa e piantati nella neve.

Il cameriere gli servì *bliny* caldi e caffè. Hayes sfogliò il resto del giornale, buttando l'occhio su qualche notizia qua e là. Un titolo in particolare catturò la sua attenzione: *Anastasia è viva e vive con suo fratello, lo zar*. Avvertì un brivido lungo la schiena e si tranquillizzò soltanto quando, leggendo, capì che l'articolo recensiva un recente spettacolo teatrale di Mosca:

Ispirata dalla lettura di uno squallido libro cospiratorio reperito in una libreria di seconda mano, la commediografa inglese Lorna Gant ha cominciato a interessarsi alle storie riguardanti la supposta incompletezza dell'esecuzione della famiglia imperiale. « Ero affascinata dal-

la storia di Anastasia/Anna Anderson», ha affermato la Gant in riferimento alla più famosa aspirante Anastasia. Lo spettacolo suggerisce che, nel 1918, Anastasia e suo fratello Alessio siano riusciti a scampare la morte a Ekaterinburg. Dal momento che i loro corpi non sono mai stati ritrovati, per decenni si sono sprecate le ipotesi su quanto sia potuto realmente accadere in quell'occasione: tutto materiale fertile per l'immaginazione della scrittrice.

Secondo la Gant: «La storia ha l'atmosfera delle leggende tipo 'Elvis è vivo e vive in Alaska con Marylin Monroe'. Il messaggio è pieno di humour noir e di tanta ironia».

Proseguendo la lettura, Hayes apprese che lo spettacolo era più una farsa che un resoconto serio della possibile sopravvivenza dei Romanov; il giornalista lo definiva, infatti, «una specie d'incontro fra Čechov e Carol Burnett». Al termine dell'articolo, il recensore consigliava di evitare lo spettacolo, perché noioso.

La lettura fu interrotta dal rumore di una sedia, fatta scorrere da sotto il suo tavolo.

Alzando lo sguardo, Hayes vide Feliks Orleg che si sedeva.

«La sua colazione ha un bell'aspetto», esordì l'ispettore.

«Farei un'ordinazione anche per lei, ma forse questo posto è un po' troppo in vista», replicò l'americano senza celare il proprio fastidio.

Orleg si avvicinò il piatto e prese la forchetta; quindi versò lo sciroppo sopra le sottili frittelle e le divorò con avidità.

Hayes ripiegò il giornale e lo posò sul tavolo. «Un caffè?» domandò con palese sarcasmo.

«Va bene un po' di succo di frutta», rispose il russo con la bocca piena.

Hayes esitò, ma poi fece segno al cameriere di portare una caraffa di succo d'arancia. Finiti i bliny, Orleg si pulì la bocca col tovagliolo. «Sapevo che questo albergo preparava una colazione prelibata, ma non avevo mai potuto permettermi un assaggio.»

«Per fortuna lei potrebbe presto guadagnare un bel po' di denaro.»

Un sorriso deformò le labbra unte dell'ispettore. «Di certo

non svolgo questo incarico per il piacere della compagnia, glielo assicuro.»

«A che cosa devo questa adorabile visita di domenica mattina?»

«Il comunicato su Lord diffuso alla polizia ha funzionato. È stato localizzato a Starodub, circa cinque ore a sud della capitale.»

Hayes collegò subito il nome della città col materiale che Lord aveva trovato negli archivi. Lenin vi faceva riferimento in relazione a un nome: Kolja Maks. Quali erano le parole esatte del leader? «Il villaggio di Starodub è stato menzionato anche da altre due guardie bianche, anch'esse persuase con metodi analoghi. Sta succedendo qualcosa, ne sono certo.»

In quel momento ne fu sicuro anche lui: troppe coincidenze. Era ovvio che Lord si era invischiato in qualcosa di grosso. Venerdì sera la sua stanza era stata misteriosamente svuotata, e il fatto aveva innervosito i Cancellieri Segreti. Gli avevano detto di occuparsi della situazione; lui aveva tutte le intenzioni di farlo.

«Che cos'è successo?» domandò.

«Lord è stato trovato in un albergo della città, in compagnia di una donna.»

Attese ulteriori dettagli. Orleg stava assaporando il momento, ovvio.

«La *milicija* locale bilancia la mancanza d'intelligenza con una buona dose di stupidità. Hanno fatto un'irruzione, ma hanno tralasciato di sorvegliare il retro dell'albergo, permettendo a Lord e alla donna di scappare da una finestra. Nonostante gli spari, i due sono riusciti a fuggire.»

«Si è scoperto perché si trovavano lì?»

«Lord è stato visto in un locale del posto, mentre faceva domande su un certo Kolja Maks.»

Ecco la conferma che aspettava. «Che ordini ha impartito alla polizia locale?»

«Di attendere ulteriori istruzioni da parte mia», rispose Orleg.

«Dobbiamo partire subito.»

«Lo pensavo anch'io, ecco perché sono venuto qui. Ora ho anche fatto colazione...»

Il cameriere servì il succo d'arancia.

Hayes si alzò. «Beva con calma. Devo fare una telefonata, prima di partire.»

26

Una pioggia fredda picchiettava sul parabrezza; Akilina guardò Lord mentre rallentava. La notte precedente Iosif Maks li aveva nascosti in una casa – nella parte orientale di Starodub – di proprietà di un suo parente, il quale aveva messo a disposizione due giacigli di fronte a un camino.

Dopo qualche ora, Maks era tornato e aveva riferito dell'irruzione dei poliziotti a casa sua, nel cuore della notte, alla ricerca dell'uomo di colore e della donna russa che erano stati al Kafe Snezinki poche ore prima. Lui aveva raccontato l'accaduto nei dettagli, dal momento che vi aveva assistito anche l'ufficiale della *milicija* seduto al tavolo. Sembrava gli avessero creduto, dal momento che non si era presentato più nessuno. Grazie al cielo, nessun testimone aveva assistito alla fuga dall'Oktjabrskaja.

Maks aveva quindi fornito loro un'automobile – una Mercedes coupé color crema, ammaccata e coperta di fango, coi sedili di pelle logori dall'usura – e le indicazioni per giungere a casa del figlio di Kolja Maks.

La fattoria in questione si presentò come un edificio disposto su un unico piano, rivestito di doppie tavole di legno impermeabilizzate con uno spesso strato di stoppa. Le assi del tetto erano annerite dalla muffa, e un camino di pietra soffiava nell'aria gelida una densa colonna di fumo grigio. Sotto una tettoia erano riposti aratri ed erpici, e un vasto campo si apriva in lontananza.

Il panorama, nel suo complesso, richiamò alla mente di Akilina la casupola in cui viveva sua nonna, anch'essa fiancheggiata da un boschetto di betulle bianche. Da sempre l'autunno le incuteva tristezza; giungeva senza preavviso e cedeva repentinamente all'inverno, portandosi via il verde delle foreste e dei prati erbosi... Anche quello era un ricordo della sua infanzia, che affiorava insieme con l'immagine del villaggio vicino agli Urali in cui era cresciuta e alla scuola, dove tutti indossavano la divisa, grembiule e fiocco rosso. I maestri li istruivano sull'oppressione subita dai lavoratori nell'epoca zarista e sul cambiamento portato da Lenin a quella condizione; sulla malvagità del capitalismo e sulle responsabilità del singolo nei confronti della collettività. In ogni classe, così come nelle case, era affissa l'effigie di Lenin, l'autorità del quale non andava mai messa in discussione. La comunione del pensiero all'interno della società era dipinta come un bene rassicurante.

L'individuo non esisteva.

Suo padre tuttavia aveva avuto l'ardire di esserlo.

Avrebbe soltanto desiderato vivere in Romania con suo figlio e la sua nuova moglie, una condizione molto semplice che il *kollektiv* non permetteva. Un buon padre doveva per forza essere anche membro del partito. Chi non possedeva «ideali rivoluzionari» andava denunciato. Una vicenda famosa aveva visto come protagonista un figlio che aveva denunciato il padre per aver venduto documenti a coloni ribelli e, dopo aver testimoniato contro di lui, era poi stato ucciso dai braccianti stessi. In seguito furono composti poemi e canzoni in ossequio a quel giovane, e ai bambini fu insegnato a idealizzare una simile devozione alla madrepatria.

Ma perché?

Che cosa c'era di ammirevole nel tradire un membro della propria famiglia?

«Sono stato nella campagna russa soltanto due volte, prima d'ora», disse Lord, interrompendo i ricordi della ragazza. «Ma stavolta è diverso... Mi sembra un altro mondo.»

«All'epoca zarista i villaggi rurali erano chiamati *mir*», lo informò Akilina, ponendo l'accento sulla parola che voleva dire «pace». «Era una situazione in cui pochissimi abbandonavano la loro terra, vista come il proprio mondo: un luogo di pace, appunto.»

Le fabbriche inquinanti di Starodub avevano lasciato posto

ad alberi verdeggianti, colline color smeraldo e campi di fieno che la donna immaginò, in estate, frequentati dagli storni.

Lord parcheggiò di fronte alla casa.

Bussarono alla porta e videro comparire un uomo piccolo, robusto, dai capelli castano ramati e un volto rotondo e paffuto come una barbabietola; Akilina lo giudicò vicino ai settanta, ma notò in lui una sorprendente agilità. L'uomo li esaminò con attenzione, poi li invitò a entrare.

L'interno della casupola era piuttosto ampio e dotato di una camera da letto singola, una cucina e un salottino accogliente. L'arredamento consisteva in un abbinamento imperfetto di necessità e praticità. Il pavimento era rivestito di grosse assi di legno levigate con la sabbia, ormai quasi del tutto prive di verniciatura. Non c'era elettricità, e le uniche fonti d'illuminazione dei locali erano un camino e fumose lampade a olio.

« Mi chiamo Vasilij Maks, sono il figlio di Kolja », si presentò l'uomo.

Erano seduti intorno al tavolo della cucina. Una stufa a legna stava scaldando una pentola di *lapša*, la pasta fatta in casa che piaceva tanto ad Akilina. La donna sentiva un forte odore di carne arrosto, temperato dalla puzza stantia del tabacco a buon mercato. Un angolo della stanza era dedicato a un'icona circondata da candele; anche sua nonna aveva conservato un angolo sacro fino al giorno della sua scomparsa.

« Ho preparato il pranzo », disse Maks. « Spero che abbiate appetito. »

« Un pasto è sempre ben accetto », replicò Lord. « C'è un buon profumino. »

« La cucina è uno degli ultimi piaceri che mi concedo. » Maks si alzò, si diresse verso la stufa e rimescolò la pasta che bolliva nella pentola. « Mio nipote mi ha detto che dovevate dirmi qualcosa. »

Lord parve capire. « Chi persevererà sino alla fine sarà salvato. »

L'anziano posò il cucchiaio e tornò a sedersi. « Non pensavo che avrei mai ascoltato quelle parole; credevo fossero uno scherzo dell'immaginazione di mio padre... Per di più pro-

nunciate da un uomo di colore.» Maks si rivolse ad Akilina.
«Il suo nome significa 'aquila', ragazza mia.»
«Così mi hanno detto.»
«Lei è una creatura incantevole.»
Akilina sorrise.
«Spero che questa impresa non danneggi tanta bellezza.»
«Potrebbe?» ribatté lei.
L'uomo si sfregò il naso a patata. «Nell'informarmi della
missione, mio padre mi disse che un giorno mi sarebbe potuta
costare la vita. Non l'ho mai preso sul serio, finora.»
«Quali informazioni ha da darci?» chiese Lord.
L'anziano sospirò. «Penso spesso all'accaduto. Mio padre
mi aveva detto che sarebbe successo, ma io non gli ho mai creduto. Mi sembra di vederli, mentre li svegliavano di soprassalto nel cuore della notte e li facevano scendere in fretta e furia. Pensavano che l'Armata Bianca avrebbe messo sotto sopra
la città per liberarli. Jurovskij, l'ebreo matto, disse loro che si
era reso necessario trasferirli, ma prima occorreva scattare una
fotografia per dimostrare a Mosca che erano vivi e in salute. Li
fece mettere in posa personalmente, ma poi, al posto del fotografo, entrò il plotone d'esecuzione; dopodiché Jurovskij rivelò quale fosse il loro vero destino e puntò l'arma.»
L'anziano si fermò un istante e scosse la testa.
«Finisco di preparare il pranzo. Poi vi racconterò tutto ciò
che successe a Ekaterinburg quella notte di luglio.»

*Jurovskij fece fuoco con la sua Colt; il cranio di Nicola II, zar di tutte
le Russie, esplose in un mare di sangue. L'imperatore crollò all'indietro, addosso al figlio. Alessandra si stava facendo il segno della croce,
quando un altro uomo aprì il fuoco; le pallottole falciarono la zarina,
facendola cadere dalla sedia. Jurovskij aveva assegnato un membro
della famiglia a ciascun elemento del plotone d'esecuzione e aveva ordinato di mirare al cuore, così da ridurre al minimo il sanguinamen-
to. Tuttavia il corpo di Nicola proruppe in una serie di spasmi violen-
ti, quando anche gli altri undici uomini decisero di puntare alla loro
vecchia, un tempo divina, maestà.*
*Il plotone era disposto in file da tre: i componenti della seconda e
della terza fila facevano fuoco tenendo l'arma sopra le spalle di quelli*

davanti. La distanza molto ravvicinata fece sì che gli uomini in prima fila fossero ustionati dalla polvere bollente delle armi dei colleghi. Kolja Maks, in prima fila, udì il fischio di due proiettili provenienti da tergo; aveva l'ordine di sparare a Olga, la figlia maggiore, ma non riuscì a farlo. Era arrivato a Ekaterinburg tre giorni prima, col compito di organizzare la fuga della famiglia, ma aveva visto gli eventi precipitare in un lampo.

Poco prima, Jurovskij aveva radunato le guardie nel suo ufficio e aveva detto loro: «Oggi uccideremo l'intera famiglia imperiale, compresi il medico e la servitù che vive con loro. Avvertite il distaccamento di non preoccuparsi al rumore degli spari».

Furono selezionati undici uomini, tra cui Maks: un colpo di fortuna, dettato dal fatto che l'uomo era stato raccomandato dal Soviet degli Urali come uno dei più fidati; evidentemente Jurovskij aveva bisogno di lealtà.

Due lettoni dichiararono subito di non voler sparare alle donne; Maks fu colpito nel constatare che quei bruti possedevano una coscienza. Senza battere ciglio, Jurovskij li sostituì subito con altri due uomini, che si fecero avanti senza riserve. Il reggimento finale comprendeva sei lettoni e cinque russi, più Jurovskij. Erano persone senza cuore: Nikulin, Ermakov, due Medvedev e un Pavel; nomi che Kolja Maks era destinato a ricordare per sempre.

Per coprire il rumore degli spari, fu parcheggiato all'esterno un furgone col motore acceso. Il fumo fuoriuscito dalle canne delle armi avvolse tutto in una nebbia densa e inquietante. Diventò difficile vedere chi stesse sparando a chi. Maks pensò che la lunga bevuta dovesse aver confuso i sensi dei componenti del plotone; soltanto lui era sobrio, forse anche Jurovskij. In pochi avrebbero conservato un ricordo dell'accaduto, a parte l'immagine di guardie che sparavano a qualsiasi cosa si muovesse. Lui aveva bevuto poco, perché sapeva di dover restare lucido.

Maks osservò il corpo di Olga accasciarsi, colpito da una pallottola in testa. Sebbene i tiratori mirassero al cuore delle vittime, stava accadendo qualcosa di strano: i proiettili rimbalzavano sul petto delle donne, volando in giro per la stanza come chicchi di grandine. Un lettone mormorò che Dio stava proteggendo i reali, un altro si chiese ad alta voce se stessero facendo la cosa giusta.

Maks vide poi le granduchesse Maria e Tatiana accovacciarsi in un angolo in cerca di riparo, con le braccia alzate per proteggersi: furono raggiunte da una raffica di proiettili, che in parte rimbalzarono e in parte penetrarono. Due uomini ruppero la formazione, raggiunsero le giovani donne e spararono loro in testa.

Il domestico, il cuoco e il medico di corte furono freddati sul posto, e i loro corpi caddero come i bersagli di un parco giochi. La cameriera invece si agitava con fare scomposto in giro per la stanza, urlando e facendosi scudo con un cuscino; diversi tiratori mirarono e fecero fuoco contro quella risibile protezione, ma videro i proiettili rimbalzare via. Era spaventoso: che razza di scudo avevano quelle persone? Infine la cameriera dovette soccombere a una pallottola che la colpì in testa, ponendo fine alle sue urla.

«Basta sparare», urlò Jurovskij.

Nella stanza calò il silenzio.

«Gli spari si sentiranno in strada. Finiteli con le baionette.»

I componenti del plotone gettarono via i revolver e impugnarono i fucili Winchester americani, disperdendosi per la stanza.

Chissà come, la cameriera era riuscita a sopravvivere al proiettile al capo e, sollevatasi, cominciò a farsi strada tra i cadaveri sanguinanti, gemendo sottovoce. Due lettoni le si avvicinarono e infilarono le lame nel cuscino che lei ancora abbracciava. Il ferro non riusciva a penetrare a causa di un ostacolo; la donna afferrò una baionetta e ricominciò a urlare. Allora gli uomini le si accostarono, e uno la picchiò in testa col calcio del fucile. Il lamento pietoso che seguì ricordò a Maks il mugolio di un animale ferito. Ancora qualche colpo in testa e i gemiti cessarono, lasciando via libera alle guardie di affondare le baionette nel corpo della cameriera; sembrava che i due stessero esorcizzando un demone, e Maks non seppe dire quante coltellate le avessero inflitto.

Un fumo acre riempiva l'atmosfera, saturandogli i polmoni. Maks si diresse verso lo zar. Densi fiotti di sangue sgorgavano sulla camicia da campo e sui pantaloni. Gli altri erano concentrati a prendere a baionettate la cameriera e una granduchessa. Jurovskij era intento a esaminare la zarina.

Maks si chinò e voltò Nicola da un lato; sotto di lui vide lo zarevič, vestito con la stessa tenuta militare – camicia, pantaloni, stivali e bustina – che gli aveva visto indosso tante volte. Gli piaceva vestirsi uguale al suo papà.

Alessio spalancò gli occhi in uno sguardo terrorizzato, e Maks si affrettò a tappargli la bocca con una mano e si portò un indice alle labbra. «Stai fermo, fa' il morto», disse senza parlare, muovendo le labbra.

Lo zarevič richiuse gli occhi.

Maks si alzò, gli puntò la pistola di fianco alla testa e sparò. Il proiettile lacerò le tavole di legno e un fremito scosse il bambino. Maks fece nuovamente fuoco dall'altro lato della testa, sperando che nessuno notasse i brividi del corpo a terra; tutti sembravano assorbiti dalla carneficina. Undici vittime, dodici tiratori, uno spazio angusto, pochissimo tempo a disposizione.

«Lo zarevič era ancora vivo?» domandò Jurovskij attraverso il fumo.

«Ora non più.»

La risposta sembrò soddisfare il comandante.

Maks rotolò di nuovo il corpo di Nicola II sopra quello del figlio; poi, alzando lo sguardo, vide un lettone diretto verso Anastasia. Era caduta nella sparatoria iniziale e giaceva prostrata in un lago di sangue. Maks udì la fanciulla gemere e si chiese se i proiettili fossero davvero riusciti a raggiungere l'obiettivo. Quando vide il lettone sollevare il fucile per terminare il lavoro con un colpo in testa, lo fermò.

«Lascia fare a me», mormorò. «Non ho ancora avuto il piacere.»

L'altro si ritirò con un ghigno sulle labbra. Maks si chinò sulla ragazza: il petto era oppresso dall'affanno e le sue vesti erano intrise di sangue, ma era impossibile capire se fosse suo o delle sorelle accanto a lei.

Pregò che Dio lo perdonasse.

Colpì la giovane in testa col calcio del fucile, sperando di riuscire ad angolare il colpo in modo da renderla incosciente senza ucciderla.

«La finirò», disse poi, voltando il fucile dalla parte della baionetta.

Il lettone si diresse verso un altro cadavere, senza parlare.

«Fermi!» gridò Jurovskij.

Di nuovo un inquietante silenzio. Niente più lame affondate nella carne, niente più spari né gemiti. Soltanto dodici uomini in piedi in una densa nebbia; la lampadina sopra le loro teste era simile al sole in una tempesta.

«Aprite le finestre per fare uscire il fumo», ordinò il comandante. «Non si vede niente, dannazione. Quindi tastate i polsi e riferite.»

Maks si diresse verso Anastasia. Si sentiva il battito, seppur debole. «Granduchessa Anastasia: deceduta», dichiarò a voce alta.

Gli altri annunciarono i loro morti, mentre lui si diresse verso lo zarevič e spostò il cadavere di Nicola. Toccò il polso del bambino: il battito era forte, tanto che si chiese se fosse stato colpito. «Zarevič: deceduto.»

«Gran bella liberazione!» urlò un lettone.

«Dobbiamo sbarazzarci in fretta dei cadaveri», disse Jurovskij. «Occorre pulire questa stanza entro l'alba.» Il comandante si rivolse a un russo. «Va' a prendere le lenzuola di sopra.» Si voltò. «Cominciate a mettere in fila i corpi.»

Maks vide un lettone che afferrava una granduchessa, difficile capire quale.

«Guardate!» esclamò la guardia.

Tutti rivolsero la propria attenzione al cadavere sanguinante della giovane donna. Maks si avvicinò agli altri, presto raggiunto da Jurovskij. Dal corsetto lacerato emerse il luccichio di un diamante, che il comandante si chinò a toccare. Incise poi il bustino con una baionetta così da sfilarlo dal busto della vittima, e fece cadere altri gioielli, tra i rivoli di sangue.

«Le pietre facevano da scudo», osservò Jurovskij. «Quei maledetti bastardi le avevano nascoste sotto i vestiti.»

Alcuni si resero conto di essere circondati da un tesoro e puntarono verso le donne.

«No!» gridò Jurovskij. «Dopo. Tutto ciò che trovate dovete consegnarlo a me, perché appartiene allo Stato. Chiunque intaschi anche un solo bottone verrà eliminato, chiaro?»

Nessuno aprì bocca.

Arrivò l'uomo con le lenzuola. Maks aveva capito che Jurovskij aveva fretta di portare via di lì i cadaveri. L'alba era vicina e anche l'Armata Bianca era in rapido avvicinamento, ormai a poca distanza dalla città.

Il corpo dello zar fu avvolto per primo e portato fuori, nel furgone.

Una granduchessa, gettata su una lettiga, si drizzò all'improvviso e cominciò a gridare. Tutti furono raggelati dall'orrore ed ebbero l'impressione che il cielo si fosse rivoltato loro contro. Dal momento che porte e finestre erano ormai spalancate, non era più possibile sparare. Jurovskij afferrò un fucile e infilzò con la baionetta il petto della ragazza, ma la lama penetrò appena; voltata in fretta l'arma, le diede un forte colpo in testa col calcio, e Maks udì il rumore della frattura del cranio. Infine Jurovskij infilò la lama nel collo e girò di scatto la baionetta: gorgoglii, strappi, schizzi di sangue, e poi più nulla.

« Portate via queste streghe », borbottò Jurovskij. « Sono possedute. »

Maks corse da Anastasia e la avvolse in un lenzuolo. Dal corridoio si udì di nuovo un trambusto: un'altra granduchessa si era risvegliata, e Maks vide alcune guardie gettarsi su di lei col calcio del fucile o con la baionetta. Approfittò dell'attimo di distrazione per andare dallo zarevič, che giaceva ancora nel mare di sangue dei suoi genitori.

Gli si avvicinò. « Piccolo. »

Alessio aprì gli occhi.

« Non fare rumore, ti devo portare sul furgone. Capito? »

Lo zarevič fece un timido cenno col capo.

« Se ti muovi o fai il minimo rumore, ti uccideranno. »

Avvolse il bambino nel lenzuolo e lo portò fuori a spalle, insieme con Anastasia. Sperò che la granduchessa non si svegliasse e che nessuno le controllasse il polso. Ma gli altri erano molto più interessati ai tesori che si trovavano sui cadaveri: orologi, anelli, braccialetti, portasigarette e gioielli.

« Restituite tutto o sarete uccisi », ribadì Jurovskij. « Di sotto ho visto un orologio che non c'è più. Ora entro a recuperare l'ultimo cadavere; quando esco, voglio che salti fuori. »

Nessuno aveva dubbi su che cosa sarebbe successo in caso contrario, perciò un lettone se lo sfilò di tasca e lo gettò insieme col resto del bottino.

Jurovskij ritornò con l'ultima vittima, che fu scagliata nel retro del furgone. Il comandante aveva in mano una bustina.

« È dello zar », disse, mettendola in testa a uno dei carnefici. « Ti sta bene. »

Gli altri risero.

« Erano duri a morire », commentò un lettone.

Jurovskij guardò il furgone. « Non è facile uccidere le persone. »

Fu distesa una tela cerata sul mucchio di cadaveri, al di sotto dei quali erano state poste altre lenzuola per assorbire il sangue. Jurovskij scelse quattro accompagnatori e salì davanti. Il resto del plotone si disperse, ciascuno diretto verso la propria destinazione. Maks, che non era stato scelto, si accostò al finestrino del passeggero.

« Compagno Jurovskij, posso venire anch'io? Vorrei dare una mano a finire. »

Jurovskij lo scrutò. La notte era così buia da far apparire tutto nero: la barba, i capelli, la giacca di pelle. Maks riuscì a percepire soltanto il bianco degli occhi attraverso uno sguardo gelido.

« Perché no? Sali con gli altri. »

Il furgone si allontanò da casa Ipatiev. Qualcuno annunciò l'ora ad alta voce: le tre del mattino. Dovevano fare in fretta. Furono fatte passare due bottiglie di vodka tra gli uomini stipati nel vano insieme coi cadaveri. Maks si limitò a un paio di sorsi.

Era stato inviato a Ekaterinburg per preparare il terreno alla fuga. Nel vecchio comando dello zar c'erano generali che prendevano molto sul serio il giuramento alla corona. Erano mesi che giravano voci sul fatto che il destino della famiglia imperiale fosse segnato, ma soltanto nelle ultime ventiquattr'ore Maks si era reso conto di quanto ciò fosse vero.

Spostò lo sguardo verso il mucchio di corpi sotto la cerata; aveva deposto Alessio e Anastasia in alto, subito sotto la madre. Chissà se lo zarevič aveva riconosciuto il suo volto. Forse proprio per quello era rimasto in silenzio.

Il furgone percorse un itinerario di periferia, attraversando paludi, giacimenti e miniere abbandonate. Dopo la fabbrica di Isetsk, oltrepassati i binari ferroviari, si addentrarono in una foresta. Dopo un altro paio di chilometri comparvero nuovi binari; le sole strutture presenti nella zona erano alcuni gabbiotti dei ferrovieri di guardia, che a quell'ora erano tutti addormentati.

Maks percepì il battuto della strada tramutarsi in fango e gli pneumatici slittare al contatto con la terra scivolosa. Le ruote posteriori s'impantanarono, girando a vuoto nonostante gli sforzi dell'autista per liberare il mezzo. Il cofano cominciò a fumare, costringendo il guidatore a spegnere il motore surriscaldato. Jurovskij scese dall'autocarro, indicò il gabbiotto ferroviario che avevano appena oltrepassato e disse al conducente: « Va' a svegliare la guardia e fatti dare un po' d'acqua ». Poi si voltò verso il retro della vettura. « Trovate un po' di legna per liberare il furgone da questa merda. Io avanzerò a piedi in cerca di Ermakov e dei suoi uomini. »

Due guardie erano già addormentate per il troppo alcol ingerito, mentre altre due scesero e sparirono nell'oscurità. Maks finse di essere ubriaco e rimase nel retro del furgone; guardò l'autista dirigersi verso il gabbiotto e bussare. Il sorvegliante accese una luce, aprì e ascoltò il conducente chiedere un po' d'acqua. La conversazione si protrasse, e Maks udì voci diverse: erano gli altri due che avvisavano di aver trovato la legna.

Era il momento giusto.

Sollevò con cautela la cerata e fu colto dai conati per l'odore acre del sangue. Voltò il cadavere della zarina, avvolto nel lenzuolo, e afferrò il fagotto dello zarevič.

« Sono io, piccolo. Stai fermo e zitto. »

Alessio mormorò qualcosa che Maks non capì.

Scaricò l'involto e lo depose nella foresta, a qualche metro di distanza dalla strada.

« Non muoverti », sussurrò.

Ritornò in fretta al furgone e scaricò anche il lenzuolo che avvolgeva Anastasia; dopo averlo posato delicatamente a terra, rimise a posto la cerata. Abbracciò il secondo involto e lo portò accanto a quello del fratellino. Sollevò le lenzuola e controllò il polso della fanciulla: debole, ma presente.

Alessio lo guardò.

« Lo so, è terribile, ma dovete restare qui. Bada a tua sorella e non muoverti. Io ritornerò, anche se non so ancora quando. Capito? »

Il bambino fece un cenno con la testa.

« Ti ricordi di me, vero? »

Alessio annuì di nuovo.

« Allora fidati, piccolo. »

Lo zarevič lo abbracciò, avvolgendolo in una stretta disperata che gli spezzò il cuore.

« Dormi, ora. Io ritornerò. »

Maks si precipitò di nuovo sull'autocarro, distendendosi sul retro accanto alle altre due guardie addormentate. Quando udì i passi in avvicinamento al buio, emise un finto mugolio e si sollevò a sedere.

« Sveglia, Kolja, devi aiutarci », gli disse un collega. « Abbiamo trovato un po' di legna di fianco al gabbiotto. »

Saltò giù e aiutò gli altri due a stendere le tavole sul fango. L'autista fece ritorno con una tanica d'acqua per il motore.

Jurovskij comparve dopo qualche minuto. « Ermakov e i suoi sono poco più avanti. »

Il motore si riavviò dopo alcuni tentativi, e le tavole di legno offrirono la trazione necessaria. Dopo circa trecento metri incontrarono alcuni uomini che li attendevano con le torce in mano; da come urlavano, si capiva che la maggior parte di loro era ubriaca fradicia. Maks riconobbe Pëtr Ermakov, vedendolo in piedi alla luce dei fari. Jurovskij aveva il compito di portare a termine la sentenza di esecuzione; l'eliminazione dei cadaveri invece era responsabilità del compagno Ermakov, operaio allo stabilimento di Isetsk, un uomo che amava a tal punto uccidere da meritarsi il soprannome di « compagno Mauser ».

Qualcuno gridò: « Perché non ce li avete portati vivi? »

Maks sapeva che cosa Ermakov doveva aver promesso ai suoi. « Comportatevi da buoni russi, eseguite gli ordini e lascerò che vi divertiate con le ragazze davanti agli occhi di papà zar.» La prospettiva del godimento carnale con quattro vergini doveva senz'altro essere un ottimo incentivo per indurli a svolgere i preparativi necessari.

Un gruppetto si riunì intorno al retro del furgone e illuminò con le torce il mucchio coperto dalla cerata. Un uomo sollevò la tela.

« Merda, puzza da morire! » esclamò qualcuno.

« È la puzza della regalità », commentò un altro.

« Spostate i corpi sulle carrette », ordinò Jurovskij.

Qualcuno brontolò di non voler toccare quelle cose ripugnanti, al che Ermakov saltò sul retro della vettura. « Portate via questi dannati cadaveri. C'è ancora molto da fare e mancano soltanto un paio d'ore all'alba. »

Maks capì che Ermakov non era un tipo da sfidare. Gli uomini, dunque, presero a trascinare via i corpi avvolti nelle lenzuola e a gettarli sui drožkie. *C'erano soltanto quattro carrette di legno, e Maks sperò che nessuno si mettesse a contare i cadaveri. L'unico a conoscerne il numero esatto era Jurovskij, il quale però si era allontanato con Ermakov. Le altre guardie provenienti da casa Ipatiev erano troppo ubriache o stanche per preoccuparsi del fatto che vi fossero nove invece di undici corpi.*

A mano a mano che ogni cadavere era caricato, veniva rimosso il lenzuolo. Maks vide che alcuni frugavano nelle tasche delle vesti insanguinate, e un membro del plotone d'esecuzione raccontò agli altri la scoperta di prima.

Jurovskij comparve e sparò un colpo per aria. « Non se ne parla nemmeno. Li rimuoveremo sul luogo di sepoltura, ma tutto ciò che verrà scoperto dovrà essere consegnato, pena l'uccisione sul posto.» Nessuno protestò.

A causa della penuria di carrette, fu deciso che l'autocarro avanzasse il più possibile per trasportare alcuni cadaveri. Seduto sul bordo posteriore del furgone, Maks guardava le carrette procedere poco per volta dietro il veicolo; nel giro di poco tempo avrebbero dovuto abbandonare la strada e addentrarsi nella foresta. Aveva sentito dire che, come luogo di sepoltura, era stato scelto il pozzo di una miniera abbandonata che chiamavano «I Quattro Fratelli».

Dopo venti minuti di viaggio, il furgone si fermò e fece scendere Jurovskij. Il comandante si diresse verso Ermakov, che guidava una carretta, lo afferrò e gli puntò una pistola al collo.

«Maledizione», ringhiò Jurovskij. «L'uomo sul furgone dice che non riesce a trovare la strada per la miniera. Ci siete stati ieri e ora, all'improvviso, avete perso la memoria? Sperate che io mi stanchi e vi lasci soli coi corpi per poterli derubare, ma ciò non accadrà. Vedete di trovare la strada, o vi faccio fuori. Il Comitato degli Urali mi sosterrà, ve lo assicuro.»

Due membri del plotone di esecuzione scattarono sull'attenti e fecero riecheggiare nella notte gli spari dei loro fucili. Maks fece altrettanto.

«D'accordo, compagno», disse Ermakov, con calma. «Non c'è bisogno di ricorrere alla violenza. Farò strada io personalmente.»

27

Lord vide gli occhi di Vasilij Maks colmi di lacrime. Chissà quante volte l'uomo aveva ripensato a quegli eventi.

«Mio padre era una guardia di corte di Nicola II, assegnata a Palazzo Aleksandrovskij, a Carskoe Selo, dove viveva la famiglia imperiale. I bambini, soprattutto Alessio, conoscevano bene il suo viso.»

«Com'è capitato a Ekaterinburg?» domandò Akilina.

«Fu inviato da Feliks Jusupov come infiltrato. I bolscevichi preferivano le guardie di corte, che usavano per fare propaganda alla legittimità della rivoluzione, mostrando come persino gli uomini di fiducia dello zar fossero pronti a ribellarsi all'autorità del monarca. Molti, in effetti, gli voltarono davvero le spalle – codardi che tentavano di salvarsi la pelle –, ma alcuni, tra cui mio padre, furono reclutati come spie. Kolja conosceva molti leader rivoluzionari, i quali furono lieti di accoglierlo tra le proprie file. Fu un colpo di fortuna che fosse arrivato in tempo a Ekaterinburg, ancor più che Jurovskij lo avesse scelto come membro del plotone di esecuzione.»

Erano seduti intorno al tavolo della cucina e avevano appena finito di pranzare.

«Suo padre aveva l'aria di essere un uomo coraggioso», osservò Lord.

«Oh, sì, lo era eccome. Ebbe un coraggio enorme a rispettare sino in fondo il suo giuramento di fedeltà allo zar.»

Lord era curioso di conoscere il destino di Alessio e Anastasia. «Sono sopravvissuti? Che accadde?» domandò.

L'anziano increspò le labbra in un abbozzo di sorriso. «Accadde una cosa meravigliosa. Ma prima, altre atrocità.»

Il convoglio si addentrò nella foresta. La strada era poco più di un rozzo sentiero scavato nel fango, dove l'incedere era lento. Quando il furgone si bloccò tra due alberi, Jurovskij decise di abbandonare il mezzo e di proseguire verso la miniera con le carrette. I cadaveri sul furgone furono trasferiti su lettighe ricavate tagliando della tela cerata. La miniera dei Quattro Fratelli era a meno di cento passi di distanza e Maks aiutò a trasportare il corpo dello zar.

« *Stendeteli a terra* », *ordinò Jurovskij, una volta giunti allo spiazzo.*

« *Credevo fosse compito mio* », *disse Ermakov.*

« *Lo era* », *puntualizzò il comandante.*

Fu acceso un fuoco, in cui bruciare gli indumenti dei cadaveri. Trenta uomini ubriachi rendevano la scena un caos totale, e Maks ne fu lieto: nella confusione generale era difficile rendersi conto della mancanza di due cadaveri.

« *Diamanti* », *urlò un uomo.*

Tutti accorsero.

« *Kolja, vieni con me* », *lo chiamò Jurovskij, facendosi largo tra la massa.*

Il gruppo si era radunato intorno al cadavere di una donna, addosso al quale gli uomini di Ermakov avevano rinvenuto un corsetto pieno di gioielli. Jurovskij, che brandiva una Colt, strappò di mano il diamante allo scopritore.

« *Non ci sarà nessun saccheggio, il primo che ci prova lo uccido. Se tentate di farmi fuori, il Comitato vi assicurerà un'adeguata ricompensa. Ora fate come vi dico: svestite i cadaveri e consegnate a me tutto ciò che trovate.* »

« *Così se lo tiene lei?* » *chiese qualcuno.*

« *Non è né mio né vostro, ma dello Stato. Intendo consegnare il materiale al Comitato degli Urali, come da ordini ricevuti.* »

« *'Fanculo, ebreo!* » *esclamò una voce.*

Al bagliore del fuoco, Maks vide il volto di Jurovskij tingersi di rabbia. Conosceva abbastanza quel losco individuo da sapere che non gli piaceva affatto rivangare le proprie origini. Era uno dei dieci figli di un vetraio e di una cucitrice; dopo un'infanzia dura, trascorsa tra gli stenti, era divenuto un fedele membro del partito dopo il primo tentativo di rivoluzione, fallito, del 1905. La sua attività sovversiva era stata punita con l'esilio a Ekaterinburg, ma, dopo la recente rivolta di febbraio, era stato eletto nel Comitato degli Urali e, da allora, era stato uno dei membri più diligenti del partito. Non era più un ebreo, ma un comunista leale, un uomo su cui si poteva contare per eseguire gli ordini alla perfezione.

Tra i pioppi cominciarono a spuntare le prime luci dell'alba.

« *Potete andarvene tutti* », *annunciò Jurovskij ad alta voce.*
« *Tranne gli uomini venuti con me.* »

« *Non può farlo* », *obiettò Ermakov.*

« *Andatevene o vi sparo.* »

I quattro membri del plotone di esecuzione imbracciarono e carica-rono le armi, a sostegno del loro comandante. Il resto del gruppo sem-brò accorgersi dell'inutilità di una resistenza; anche se fossero riusciti a sbarazzarsi di quei pochi, il Comitato degli Urali non avrebbe la-sciato impunita la loro trasgressione. Maks non fu sorpreso, dunque, quando vide l'accolita di ubriachi disperdersi lungo il sentiero.

Quando furono spariti, Jurovskij ripose la pistola nella fondina.
« *Finite di svestire i cadaveri!* »

Ormai era difficile identificare i corpi, a parte quello della zarina, caratterizzato dall'età e dalle dimensioni. Maks avvertì un nodo allo stomaco e provò pietà per quelle persone, che un tempo aveva servito.

Furono rinvenuti altri due bustini colmi di gioielli, ma la scoperta più sorprendente riguardava la zarina: Alessandra aveva nascosto nella sottoveste un'intera cintura di perle.

« *Ci sono soltanto nove cadaveri* », *notò all'improvviso Jurovskij.*
« *Dove sono finiti lo zarevič e una delle donne?* »

Nessuno aprì bocca.

« *Bastardi. Luridi bastardi* », *commentò il comandante.* « *Devono averli nascosti per la via, convinti di poter trovare qualcosa di prezio-so. Probabilmente li staranno setacciando proprio ora.* »

Maks trasse un sospiro di sollievo.

« *Che facciamo adesso?* » *domandò una guardia.*

« *Riferiremo di averne buttati nove nel pozzo e di averne bruciati altri due* », *rispose Jurovskij, senza esitazione.* « *Poi cercheremo di rintracciarli sulla via del ritorno, chiaro?* »

Maks capì che nessuno dei presenti, Jurovskij compreso, aveva in-tenzione di rivelare la mancanza di due cadaveri. Nessuna scusa, in-fatti, avrebbe risparmiato loro l'ira del comitato. Il silenzio generale palesò il comune consenso.

Altri vestiti insanguinati furono gettati nel fuoco, e poi nove ca-daveri spogli furono deposti a pancia in giù vicino a un buco nero nella terra. Maks notò che i lacci dei corsetti avevano lasciato l'im-pronta dei nodi sulla carne morta. Al collo delle granduchesse furono inoltre trovati amuleti con l'immagine di Rasputin e una preghiera all'interno; anch'essi furono gettati nel cumulo del tesoro. Maks ricordò quanto fossero belle quelle donne in vita e si rattristò all'idea che la morte ne avesse cancellato ogni traccia.

Un uomo allungò le mani e palpò il petto di Alessandra.

Altri due lo imitarono.

«Ora che ho strizzato le tette dell'imperatrice, posso morire tranquillo», dichiarò uno di loro, suscitando l'ilarità generale.

Maks si voltò dall'altra parte e guardò il fuoco scoppiettare, mentre le vesti si trasformavano in cenere.

«Buttate giù i cadaveri», ordinò Jurovskij.

Ognuno trascinò un cadavere sul bordo del pozzo e lo gettò di sotto. Soltanto dopo alcuni secondi di silenzio si udì provenire dalla profondità il rumore dell'impatto con l'acqua.

In meno di un minuto erano tutti spariti.

Vasilij Maks s'interruppe un istante, sospirò diverse volte e poi sorseggiò un bicchiere di vodka. «A quel punto Jurovskij si sedette su un ceppo e fece colazione con le uova bollite che il giorno prima le suore del monastero avevano portato per lo *zarevič*. Il comandante aveva ordinato di metterle via, sapendo esattamente che cosa sarebbe successo. Dopo essersi riempito la pancia, lanciò alcune bombe a mano nel pozzo per far saltare in aria la miniera.»

«Prima ha detto che stava per accadere anche qualcosa di bello», osservò Lord.

L'anziano bevve un altro sorso di vodka. «Infatti così fu.»

Abbandonarono il luogo di sepoltura verso le dieci del mattino. Fu lasciato sul posto un uomo di guardia, e Jurovskij si allontanò per fare rapporto al Comitato degli Urali; non aveva dato ordine di cercare i due cadaveri mancanti, dicendo che avrebbe riferito di averli bruciati a parte.

Fu loro comandato di ritornare in città senza attirare l'attenzione di nessuno, ordine che Maks giudicò quantomeno strano: considerando il numero di persone coinvolte nel trasporto notturno, nonché il sentimento di amarezza e l'avidità che le caratterizzavano, non c'era modo di tenere nascosto il luogo di sepoltura. Jurovskij specificò co-

munque di non rivelare a nessuno l'accaduto e di presentarsi nel pomeriggio a casa Ipatiev, per il rapporto.

Maks lasciò che gli altri quattro lo precedessero, adducendo la scusa di voler percorrere una strada diversa per schiarirsi la mente. Si udì il rombo dei cannoni in lontananza. I compagni lo avvertirono che l'Armata Bianca si trovava a pochi chilometri da Ekaterinburg, ma rispose loro che nessun bianco sarebbe stato felice d'incontrarlo.

Abbandonati i compagni, Maks attese una buona mezz'ora prima di ripercorrere il sentiero di andata. Alla luce del giorno riconobbe la foresta, dal ricco sottobosco; ritrovò il gabbiotto del sorvegliante ferroviario, ma se ne tenne alla larga. Individuò il punto sulla strada dove le tavole di legno erano state poste nel fango.

Si guardò intorno: nessuno in vista. Si addentrò fra gli alberi.

«Piccolo, ci sei?» Abbassò la voce fino a sussurrare. «Sono io, piccolo: Kolja. Sono tornato.»

Niente.

S'inoltrò più a fondo nella foresta, facendosi largo tra i rami fitti. «Alessio, sono tornato. Fatti vedere, abbiamo poco tempo.»

Risposero soltanto gli uccelli.

Si fermò in una radura circondata da pini antichi, i cui ampi tronchi rivelavano i secoli trascorsi. Uno di essi aveva ceduto al peso degli anni e giaceva a terra da un lato; le radici scoperte gli ricordarono l'immagine di braccia e gambe scomposte destinata a rimanere per sempre impressa nella sua mente. Che disgrazia! Chi erano quei demoni che si proclamavano rappresentanti del popolo? Il loro proposito per la Russia era meglio di quello del «diavolo» contro il quale si erano ribellati? Come poteva essere, dati i terribili presupposti?

Di solito i bolscevichi uccidevano i prigionieri con una pallottola alla base del cranio: qual era, dunque, la ragione di una simile barbarie? Forse l'eccidio indiscriminato d'innocenti era un preavviso di ciò che sarebbe seguito. Perché tutta quella segretezza, poi? Se Nicola II era considerato un nemico del popolo, avrebbero dovuto pubblicizzare la sua esecuzione. La risposta era semplice: nessuno avrebbe approvato il massacro di donne e bambini. Era un orrore.

Qualcosa si mosse dietro di lui.

Maks portò istintivamente la mano alla pistola, impugnò il calcio e si voltò.

Attraverso la canna dell'arma vide il profilo dolce, quasi angelico di Alessio.

Sua madre lo chiamava «Piccolino» o «Raggio di sole», perché era al centro dell'attenzione dell'intera famiglia: un bambino solare e affettuoso, ma anche ostinato. A corte, Maks aveva sentito parlare della sua disattenzione, del suo rifiuto a studiare, del suo amore per l'abbigliamento contadino. Era viziato e capriccioso; una volta era giunto a ordinare a un gruppo di guardie di palazzo di marciare nel mare. Spesso suo padre si chiedeva per scherzo se la Russia sarebbe mai riuscita a sopravvivere ad Alessio il Terribile.

Ma ora era lui lo zar. Alessio II: il sacro, divino successore che Maks aveva giurato di proteggere.

Dietro Alessio c'era Anastasia, per certi versi molto simile al fratello: famosa per la sua testardaggine, arrogante al limite della sopportazione. Aveva la fronte insanguinata e le vesti lacere, attraverso cui s'intravedeva un corsetto. Entrambi i ragazzi erano macchiati di sangue, sporchi e puzzavano di morte.

Ma erano vivi.

Lord non riusciva a credere alle proprie orecchie, ma la convinzione con cui l'anziano aveva parlato fugò in lui ogni dubbio. Due Romanov erano sopravvissuti al sanguinario massacro di Ekaterinburg grazie al coraggio di un solo uomo. In molti avevano avanzato tale ipotesi, affidandosi però a scarse prove e speculazioni selvagge.

Eppure era la verità.

«Quella notte stessa mio padre li portò via da Ekaterinburg. In periferia incontrò altri aiutanti, che condussero i ragazzi verso est, il più lontano possibile da Mosca.»

«Perché non raggiungere l'Armata Bianca?» chiese Lord.

«I Bianchi non erano zaristi: odiavano i Romanov tanto quanto i Rossi. Nicola si sbagliava a credere che potessero salvarli; probabilmente avrebbero anch'essi ucciso la famiglia. Nel 1918 più nessuno teneva ai Romanov, a parte poche, preziose eccezioni.»

«Quelli per cui lavorava suo padre?»

Maks annuì.

«Di chi si trattava?»

«Non ne ho idea. Nessuno me l'ha mai detto.»

«Che cos'è successo poi ai bambini?» domandò Akilina.

«Mio padre li allontanò dalla guerra civile, che imperversò per altri due anni, e li condusse al di là degli Urali, nel cuore della Siberia. Fu facile confonderli nella popolazione del posto; nessuno, eccetto la corte di San Pietroburgo, ne conosceva le fattezze, e la maggior parte dei suoi membri era stata uccisa. Inoltre i vestiti vecchi e i volti sporchi costituirono un buon travestimento.» Maks si fermò a sorseggiare la vodka. «Vissero in Siberia con alcuni complici e infine si spostarono a Vladivostok, sul Pacifico, da dove poi furono fatti espatriare. Non so dove. Non ho avuto accesso alle informazioni riguardanti il secondo atto dell'impresa.»

«In che condizioni erano, quando suo padre li ha trovati?» chiese Lord.

«Alessio non era stato sfiorato dalle pallottole, perché il corpo del padre gli aveva fatto da scudo. Anastasia invece aveva riportato alcune ferite non gravi: entrambi indossavano corsetti colmi di gioielli. La famiglia aveva nascosto le pietre preziose tra le vesti per proteggerle dai ladri e poterle rivendere in un secondo momento. Quell'espediente tuttavia era servito a salvare loro la vita.»

«Insieme col coraggio di suo padre.»

Maks assentì. «Era un buon uomo.»

«Che ne è stato di lui?»

«Ha trascorso qui la sua vecchiaia, scampando alle purghe. È morto trent'anni fa.»

Lord ripensò a Jakov Jurovskij, il quale era andato incontro a un destino meno tranquillo. Era morto vent'anni dopo l'esecuzione di Ekaterinburg, sempre in luglio, per un'ulcera emorragica. Prima, però, Stalin aveva inviato sua figlia in un campo di lavoro; tutti gli sforzi del padre, ex militante del partito, si erano rivelati inutili per aiutarla. A nessuno importava che fosse stato l'uccisore dello zar, e sul letto di morte aveva osato lamentarsi del proprio fato. Lord, però, capì il perché di quella fine. La Bibbia, ancora una volta. Lettera ai romani, 12, 19: «A me la vendetta, sono io che ricambierò».

«Che cosa dobbiamo fare, ora?» domandò.

Maks alzò le spalle. «Sarà mio padre a fornirvi la risposta.»
«Com'è possibile?»

«La risposta è celata in una scatola di metallo, alla quale io non ho mai potuto accedere. Il mio compito era riferire questo messaggio a coloro che fossero venuti da me pronunciando le parole che voi mi avete riferito.»

Lord era confuso. «Dov'è la scatola?»

«Il giorno della morte di mio padre, l'ho vestito con l'uniforme imperiale e ho seppellito la scatola con lui. Giace da trent'anni sul suo petto.»

La prospettiva non era allettante.

«Sì, Corvo. Mio padre ti aspetta nel suo sepolcro.»

Starodub,
ore 16.30

Hayes guardò Feliks Orleg forzare la porta di legno; il respiro del russo corpulento formava una nuvola nell'aria secca e gelida. L'insegna appesa al muro di mattoni diceva: KAFE SNE-ZINKI. IOSIF MAKS, PROPRIETARIO. Il meccanismo si sbloccò di colpo e la porta si spalancò verso l'interno. Orleg entrò.

Stalin seguì Hayes dentro il locale. La strada era deserta e i negozi chiusi. Il viaggio da Mosca a Starodub aveva richiesto quasi cinque ore e l'oscurità li aveva ormai avvolti. I Cancellieri Segreti avevano ritenuto che la *mafija* fosse l'organo più efficiente con cui risolvere il problema, perciò si erano assicurati la presenza di Stalin, conferendogli la piena responsabilità della riuscita del piano e l'autorizzazione a ricorrere a qualsiasi mezzo.

Per prima cosa si erano recati a casa di Iosif Maks, nei sobborghi della cittadina. La polizia locale, infatti, stava tenendo sotto controllo la vicenda fin dal mattino e aveva pensato che l'uomo fosse rimasto a casa. La moglie tuttavia aveva riferito loro che il marito si era recato in centro per lavorare. La luce nel retro del caffè aveva alimentato le speranze di trovare Maks e aveva spinto Stalin a entrare in azione.

Droopy e Cro-Magnon erano stati piazzati sul retro dell'edificio. Ripensando ai soprannomi che Lord aveva dato ai suoi aggressori, Hayes li giudicò più che appropriati. Era venuto a conoscenza di come Droopy fosse stato portato via dal Circo di Mosca con una pistola alla tempia e di come, poi, l'ostaggio avesse ucciso il suo rapitore, la cui identità restava al momento sconosciuta e non correlata con la Sacra Compagnia di cui Semjon Paščenko forse era a capo. L'intera situazione stava sfociando nell'assurdo, ma la serietà con cui l'affrontavano i russi non poteva fare a meno di destare in lui una certa inquietudine: tipi come quelli non si alteravano di frequente.

Orleg fece la sua comparsa da un ingresso sul retro e aggirò una serie di vetrinette, tenendo stretto un uomo baffuto, dalla chioma fulva e cespugliosa. Dietro di lui comparvero Droopy e Cro-Magnon.

«Stava scappando dalla porta posteriore», disse Orleg.

Stalin indicò una sedia di legno. «Fatelo sedere lì.»

Hayes colse il cenno che Stalin fece a Droopy e Cro-Magnon, i quali, interpretandolo all'istante, chiusero la porta d'ingresso e si posizionarono alle finestre con le armi in pugno. Un'ora prima Orleg aveva ordinato alla polizia del posto di ritenersi esclusa dal seguito dell'operazione, e la *milicija* locale tendeva a non ignorare i comandi di un ispettore di Mosca. Khruščëv aveva inoltre sfruttato il proprio legame col governo per avvisare le autorità di Starodub dell'imminente svolgimento di un'operazione di polizia in città – connessa con un omicidio sulla Piazza Rossa – con cui non si doveva assolutamente interferire.

«La questione è molto seria, signor Maks», esordì Stalin. «Vorrei che lei lo capisse.»

Hayes osservò la reazione dell'uomo a quelle parole: sul suo volto non comparve nemmeno l'ombra della paura.

Stalin si avvicinò alla sedia. «Ieri sono venuti qui un uomo e una donna, si ricorda?»

«Ho molti clienti», rispose l'inquisito.

«Ne sono sicuro, ma credo che non siano molti i *čudak* che frequentano il suo locale.»

Il russo tenace sollevò il mento. «Vaffanculo.»

Stalin non reagì all'insolenza; tuttavia gli bastò un cenno affinché Droopy e Cro-Magnon si avvicinassero al proprietario e lo sbattessero faccia a terra, contro il pavimento di legno.

«Fateci divertire un po'», ordinò Stalin.

Droopy sparì nel retro, mentre Cro-Magnon teneva ferma la vittima. Orleg era stato posto di guardia di fronte alla porta posteriore; l'ispettore aveva ritenuto importante non essere parte attiva del piano, come del resto lo stesso Hayes. Nel caso avessero avuto bisogno di contatti con la *milicija* nelle settimane a venire, Orleg era la fonte migliore di cui disponevano nel distretto di Mosca.

Droopy tornò con un rotolo di nastro isolante, con cui legò stretti i polsi di Maks. Cro-Magnon tirò su Maks e lo scaraventò di nuovo sulla sedia di legno, alla quale fu assicurato con altri giri di nastro intorno al petto e alle gambe. Infine fu posto un sigillo anche sulla bocca.

Stalin si rivolse nuovamente all'ostaggio. «Dunque, signor Maks, lasci che le racconti che cosa sappiamo. Ieri sono venuti qui un americano di nome Miles Lord e una russa chiamata Akilina Petrovna chiedendo di un certo Kolja Maks, che lei ha detto di non conoscere. Voglio sapere chi è Kolja Maks e perché quei due lo stavano cercando. So che possiede la risposta al mio primo quesito, e sono convinto che possa fornirmi anche quella per il secondo.»

Maks scosse il capo.

«Stupida decisione, signor Maks.»

Droopy strappò un pezzetto di nastro grigio e lo porse a Stalin, come se stesse eseguendo un rituale noto a entrambi. Stalin si scostò un ciuffo di capelli dalla fronte abbronzata e si chinò, esercitando una lieve pressione del frammento adesivo intorno al naso di Maks. «Quando farò aderire il nastro alle narici, il suo naso sarà del tutto tappato. A quel punto nei suoi polmoni rimarrà poca aria, sufficiente per mantenerla in vita qualche istante appena, facendola soffocare in un paio di secondi. Vuole una dimostrazione?» Stalin strinse il nastro intorno al naso.

Hayes vide gonfiarsi il torace di Maks. Sapeva che quel nastro, particolarmente spesso, veniva usato per sigillare i condotti di ventilazione perché era a tenuta d'aria. Gli occhi dell'uomo cominciarono a gonfiarsi per il debito d'ossigeno e l'incarnato assunse diverse sfumature di colore, per poi stabilizzarsi su un bianco cinereo. Maks dondolava sulla sedia nell'estremo sforzo di respirare, ma Cro-Magnon lo teneva fermo da dietro.

Con gesto calmo, Stalin allungò un braccio e strappò il pezzo di nastro dalla bocca del prigioniero, che ingerì subito una gran quantità d'aria recuperando il colorito perduto.

«La prego di rispondere alle mie due domande», disse Stalin.

Maks si limitò a respirare.

«È ovvio che lei è un uomo coraggioso, signor Maks, anche se non so bene a cosa sia dovuto il suo eroismo. Tuttavia riconosco il suo coraggio.» Stalin fece una breve pausa, forse per consentire il recupero della vittima. «Deve sapere che, quando ci siamo recati da sua moglie, lei ci ha invitati a entrare: che donna affascinante. Abbiamo conversato un po', e lei ci ha detto dove avremmo potuto trovarla.»

Sul volto di Maks comparve uno sguardo tinto prima di ferocia, poi di terrore.

«Non si preoccupi, sta bene», lo rassicurò Stalin. «Ci crede inviati del governo impegnati in un'inchiesta ufficiale, niente di più. Tuttavia le assicuro che questa procedura funziona perfettamente anche con le donne.»

«Dannata *mafija*!»

«Qui non c'entra la *mafija*, ma qualcosa di ben più grosso. Sono certo che lei lo capisce benissimo.»

«Mi ucciderete comunque, a prescindere da ciò che vi dirò.»

«Ma le do la mia parola che sua moglie non sarà coinvolta, se mi dirà ciò che voglio sapere.»

Il russo fulvo sembrò valutare la proposta.

«Mi crede?» domandò Stalin con calma.

Maks rimase in silenzio.

«Se si ostina a non parlare, stia certo che invierò i miei uomini a prelevare sua moglie, la legherò a una sedia e la farò soffocare davanti ai suoi occhi. Dopodiché lascerò lei in vita, signor Maks, affinché il terribile ricordo la tormenti per il resto della sua esistenza.»

Stalin parlò con calma e discrezione, come se stesse negoziando un contratto d'affari. Hayes rimase colpito dalla naturalezza con cui quel bell'uomo, coi suoi jeans Armani e col pullover di cachemire, dispensava sofferenza.

«Kolja Maks è morto», confessò infine Iosif Maks. «Suo figlio Vasilij vive a dieci chilometri a sud di qui, lungo la strada principale. Non so perché Lord lo stesse cercando. Vasilij è il mio prozio; ha chiesto ai membri della mia famiglia che lavorano in città di esporre un'insegna col nostro nome, e io l'ho fatto.»

«Credo che lei stia mentendo, signor Maks. Fa parte della Sacra Compagnia?»

Maks non rispose. Evidentemente la sua disponibilità a collaborare aveva un limite.

«No. Non lo ammetterebbe mai, vero? Fa parte della sua devozione allo zar.»

Maks aveva uno sguardo duro. «Chiedete a Vasilij.»

«Lo farò», replicò Stalin alzandosi.

Droopy sigillò di nuovo la bocca di Maks col nastro adesivo.

Il russo dondolò sulla sedia in cerca di aria, crollando a terra per il troppo slancio.

Dopo un minuto i suoi sforzi cessarono.

«Un buon uomo che protegge sua moglie», commentò Stalin guardando il cadavere. «Degno di ammirazione.»

«Manterrà la sua promessa?» domandò Hayes.

Stalin gli rivolse uno sguardo di sincero disappunto. «Ma certo. Per chi mi ha preso?»

29

Lord parcheggiò tra gli alberi, nel fango. Un freddo crepuscolo si era appena tramutato in una gelida serata buia, senza luna. L'idea di riesumare una bara vecchia di trent'anni non lo esaltava, ma non sembrava esserci scelta. Ormai era anche lui convinto che due Romanov fossero sfuggiti al massacro di Ekaterinburg; se poi fossero riusciti a mettersi in salvo e a sopravvivere abbastanza a lungo da generare una discendenza, quella era un'altra questione. C'era un solo modo per scoprirlo.

Vasilij Maks aveva fornito loro due pale e una torcia, spiegando che il cimitero si trovava nel cuore della foresta, a trenta chilometri da Starodub; era circondato da fitti pioppi, accanto a una vecchia cappella di pietra usata ogni tanto per i funerali.

«Il cimitero dovrebbe essere laggiù, lungo il sentiero», osservò Lord, scendendo dall'auto.

Iosif Maks gli aveva procurato il veicolo quella mattina, assicurando che sarebbe tornato la sera stessa a riportare la loro automobile. Dal momento che alle sei non si era ancora visto nessuno, Vasilij li aveva invitati ad avviarsi, dicendo che avrebbe parlato lui a Iosif e li avrebbero aspettati assieme a casa. L'anziano sembrava impaziente quanto loro di conoscere il segreto conservato dal padre, e aveva inoltre spiegato di dover rivelare ancora un elemento delle informazioni da lui possedute, ma soltanto dopo la scoperta del segreto. Era un'altra misura di sicurezza che avrebbe dovuto comunicare a suo nipote Iosif, destinato a divenire custode delle informazioni dopo la sua morte.

Lord indossava una giacca e un paio di guanti di pelle, insieme con calze di lana spesse; i jeans erano l'unico capo di abbigliamento casual che avesse messo in valigia prima di partire per la Russia, mentre il maglione lo aveva acquistato durante il soggiorno a Mosca. Il suo era un mondo di giacche e di cravatte, che confinava il look sportivo alla domenica pomeriggio, ma gli eventi degli ultimi giorni avevano determinato una netta svolta nel suo stile di vita.

Maks aveva procurato loro un piccolo mezzo di difesa: un vecchio fucile a cartucce che poteva essere classificato come pezzo d'antiquariato, ma che in realtà era ben oliato e aveva dimostrato di essere ancora funzionante. Erano stati avvertiti della presenza degli orsi, che in quel periodo vagavano per la foresta di notte per prepararsi al letargo invernale. Lord ne sapeva poco di armi, avendo sparato soltanto un paio di volte in Afghanistan; il fatto di girare armato non lo metteva a proprio agio, anche se l'idea d'imbattersi in un orso affamato gli suscitava una sensazione di disagio senz'altro maggiore. Akilina invece lo aveva stupito, imbracciando prontamente il fucile e sparando tre colpi di dimostrazione contro un albero distante una cinquantina di metri; si trattava di un'altra lezione di sua nonna. Lord fu lieto di sapere che almeno uno di loro sapeva che cosa stava facendo.

Afferrò torcia e pale dal sedile posteriore, dove avevano riposto anche i loro borsoni. Dopo aver completato lo scavo e aver salutato in fretta Vasilij Maks, avevano intenzione di ripartire, anche se la destinazione non era ancora decisa. Tuttavia Lord aveva stabilito che, se fossero finiti in un vicolo cieco, si sarebbe diretto a sud-ovest e poi da Kiev avrebbe preso un volo per gli Stati Uniti; una volta ad Atlanta, al sicuro, avrebbe chiamato Taylor Hayes.

«Andiamo», mormorò. «Cerchiamo di sbrigarci.»

Tutto intorno, gli alti fusti degli alberi si ergevano come scure colonne, i cui rami vibravano per una gelida brezza che fece loro venire la pelle d'oca. Lord cercò di usare la torcia il meno possibile, così da conservare le batterie per lo scavo.

In una radura apparve l'immagine offuscata delle lapidi; anche attraverso l'oscurità, lo stato d'incuria in cui versavano risultò evidente. Tutto era coperto da uno strato di ghiaccio, e il colore cupo del cielo lasciava presagire il ritorno della pioggia. L'area non era delimitata da recinzioni e mancava un cancello d'ingresso, per cui la strada, attraverso un sentiero nel bosco, penetrava fino alla prima fila di lapidi. Gli sembrava di vedere il corteo funebre, guidato da un solenne sacerdote vestito di nero, mentre accompagnava una semplice bara di legno verso il rettangolo scavato nella terra scura.

Il fascio luminoso della torcia rivelò che tutte le tombe erano coperte dal sottobosco; alcuni tumuli di pietra avevano pezzi sparsi in giro e la maggior parte delle stele funerarie era infestata da ciuffi di erbacce e spinose piante rampicanti. Illuminando le lapidi, Lord vide che alcune date risalivano a due secoli prima.

«Maks ha detto che la tomba era la più lontana dalla strada», disse addentrandosi nel cimitero, seguito da Akilina.

Il terreno si era ammorbidito a causa della pioggia che aveva continuato a scendere fino al tardo pomeriggio, condizione che Lord giudicò ideale per lo scavo.

Trovarono la tomba di Kolja Maks.

Sotto il nome erano incise le parole: CHI PERSEVERERÀ SINO ALLA FINE SARÀ SALVATO.

Akilina si sfilò il fucile di spalla. «A quanto pare siamo sulla strada giusta.»

Lui le porse una pala. «Scopriamolo subito.»

Le soffici zolle di terra, dall'acre odore di fango, furono spalate via con facilità. Vasilij aveva detto che la bara di legno non si trovava in profondità, come da usanza russa. Si augurarono che l'anziano avesse ragione.

Akilina stava lavorando vicino alla lapide; Lord, dalla parte opposta, decise di scavare subito a fondo per valutare la distanza della bara, che la sua pala urtò dopo circa un metro. Tolse la terra umida e scorse il legno, marcio e consumato.

«Non credo che riusciremo a tirare fuori il sarcofago intero», osservò.

«Figurati in che condizioni sarà il corpo...»

Proseguirono lo scavo e, dopo circa venti minuti, ricavarono un'ampia apertura rettangolare.

Lord illuminò l'interno con la torcia.

Gli squarci nel legno lasciarono intravedere il corpo. Forzando con la pala i frammenti rimasti, Lord svelò Kolja Maks.

Il russo indossava l'uniforme delle guardie di corte. Il debole fascio luminoso rivelò sporadici sprazzi di colore: i toni smorzati di rosso, di blu e di ciò che una volta era stato certamente bianco erano ormai scuriti dalla terra. Soltanto qualche bottone d'ottone e la fibbia dorata erano rimasti intatti, ma dei pantaloni e della giacca non rimanevano che pochi brandelli, insieme coi lacci di cuoio e con la cintura.

Il tempo non era stato clemente neppure col cadavere: la carne si era del tutto consumata sia sulle mani sia sul volto.

Proprio come aveva spiegato il figlio, Kolja custodiva una scatola di metallo su ciò che rimaneva del torace: le costole sporgevano in posizioni improbabili e i resti degli arti anteriori erano ancora incrociati.

Lord si aspettava di sentire fetide esalazioni, ma così non fu e percepì soltanto l'odore di fango e muschio. Separò con la pala i resti delle braccia. Una coppia di vermi attraversò in fretta il coperchio della scatola. Akilina la sollevò, deponendola con delicatezza sul prato. L'aspetto esterno era sporco, ma intatto; Lord pensò che dovesse trattarsi di bronzo, resistente all'umidità. Sul davanti era presente un lucchetto.

«È pesante», osservò Akilina.

Lord s'inginocchiò e soppesò l'oggetto: la donna aveva ragione. Lo scosse avanti e indietro, e sentì che all'interno c'era qualcosa. Posò di nuovo la scatola per terra e afferrò la pala.

«Sta' indietro.»

Accostò la lama alla serratura e spinse tre volte, prima di far saltare la chiusura. Quando fu sul punto di aprire il coperchio, scorse un bagliore tra gli alberi. Si voltò di scatto e vide in lontananza quattro punti luminosi: erano i fari di due automobili in rapido avvicinamento; quando le vetture raggiunsero il luogo dove loro avevano parcheggiato, le luci svanirono.

«Spegni la torcia», sussurrò. «E seguimi.»

Posò la pala e afferrò la scatola, mentre Akilina imbracciava il fucile.

S'infilarono tra gli alberi e avanzarono in mezzo al sottobosco fino a raggiungere una postazione abbastanza infrattata da risultare nascosta. Quindi si mossero lentamente verso la loro automobile, aggirando il cimitero in direzione del parcheggio.

Il vento, fattosi più freddo, muoveva i rami degli alberi a un ritmo assai più sostenuto.

In lontananza si accesero due torce.

Lord si accovacciò tra gli alberi e, avvicinandosi poco per volta alla radura in cui si trovava la tomba, vide quattro profili scuri addentrarsi nel cimitero: tre erano alti e dal passo sicuro, uno ricurvo e più lento. Il bagliore di una torcia rivelò il volto di Droopy, mentre il fascio luminoso di un'altra palesò la sagoma tarchiata dell'ispettore Orleg. I profili più vicini resero possibile identificare anche gli altri due uomini: si trattava di Cro-Magnon e di Vasilij Maks.

«Mr Lord, sappiamo che è qui», gridò Orleg in russo. «Non complichi la situazione, per favore.»

«Chi è?» domandò Akilina con un sussurro nel suo orecchio.

«Un problema», rispose Lord.

«L'uomo con la torcia era sul treno», mormorò lei.

«Anche l'altro.» Guardò il fucile impugnato dalla donna. «Almeno siamo armati.»

Al di là delle scure venature degli alberi, vide i quattro che si avvicinavano alla tomba aperta, preceduti dai fasci luminosi delle torce.

«È qui che è sepolto suo padre?» chiese Orleg.

Vasilij Maks si accostò alla lapide illuminata, ma un soffio improvviso di vento rese impossibile captare la risposta dell'anziano. Si udì invece forte e chiaro l'urlo di Orleg: «Lord, venga subito fuori o ucciderò questo vecchio. A lei la scelta».

Avrebbe voluto afferrare il fucile di Akilina e lanciarsi all'attacco, ma di certo gli altri tre erano armati e sapevano come reagire. Lui, al contrario, era spaventato a morte e stava rischiando la vita per la profezia di un ciarlatano ucciso un secolo addietro.

Fu Vasilij tuttavia a prendere la decisione. «Non preoccuparti per me, Corvo. Sono preparato.»

Maks prese a correre via dalla tomba, verso le macchine. Gli altri tre non si mossero, ma Lord vide Droopy alzare il braccio e puntare una pistola.

«Se mi senti, Corvo», gridò Maks. «Russian Hill.»

Uno sparo echeggiò nella notte, e l'anziano crollò a terra.

Lord rimase senza fiato e sentì Akilina irrigidirsi. I due videro Cro-Magnon dirigersi con calma verso il cadavere, trascinarlo in direzione della tomba e infine gettarlo nella fossa.

«Dobbiamo andare», sussurrò alla donna.

Strisciando tra gli alberi, si diressero verso il parcheggio per raggiungere l'automobile.

Dal cimitero giunse il rumore di passi in rapido avvicinamento.

Avevano soltanto un'ultima possibilità.

Si accovacciarono tra i cespugli, subito dietro la strada fangosa.

Apparve Droopy con una torcia in mano. Nell'oscurità si udì il tintinnìo delle chiavi, che aprirono il bagagliaio di una delle due auto. Lord corse allo scoperto. Droopy sembrò accorgersene e si sollevò dal bagagliaio, ma fu colpito in testa con la scatola di metallo; si accasciò al suolo.

Lord gettò un'occhiata nel bagagliaio aperto, e una debole luce illuminò lo sguardo senza vita di Iosif Maks.

Che cosa aveva detto Rasputin? «Dovranno morire in dodici, prima che la risurrezione possa dirsi completa.» Ne erano appena morti altri due.

Akilina corse verso di lui e vide il cadavere. «O no, tutti e due?»

«Ora non c'è tempo, sali sulla nostra macchina.» Le porse le chiavi. «Mi raccomando, fa' piano con la portiera e non mettere in moto finché non sarò io a dirtelo.» Le diede la scatola di metallo e si prese il fucile.

Il cimitero distava una cinquantina di metri dalla strada, che era molle e fangosa: non proprio il teatro ideale per uno scontro notturno, insomma. Probabilmente Cro-Magnon e Orleg stavano ispezionando le fratte e avevano inviato Droopy a recuperare il cadavere per gettarlo nella fossa insieme con l'altro; quale nascondiglio migliore per due cadaveri? Lord aveva persino lasciato due pale a disposizione. Ancora pochi istanti, tuttavia, e i due avrebbero cominciato a notare l'assenza del collega.

Lord caricò un colpo, puntò il fucile verso la ruota posteriore destra di una delle due vetture e sparò; quindi ricaricò in fretta l'arma e fece fuoco contro quella anteriore dell'altra automobile. Infine corse verso la propria macchina e balzò dentro.

«Va', ora!»

Akilina girò la chiave e ingranò la marcia; le ruote girarono vorticosamente quando la donna puntò a sinistra e accelerò in direzione della strada.

Schiacciò al massimo l'acceleratore, e la vettura si dileguò nell'oscurità.

Raggiunto lo stradone principale, si diressero a sud. Nessuno dei due aprì bocca per più di un'ora, poiché l'eccitazione del momento era ben presto sfociata nell'amarezza per la morte dei due uomini.

Cominciò a piovere, come se anche il cielo condividesse il loro dolore.

«Non posso credere a quello che sta accadendo», disse Lord, più a se stesso che ad Akilina.

«Il professor Paščenko deve averci detto la verità», replicò lei.

Non erano esattamente le parole che avrebbe voluto sentire. «Accosta laggiù.»

Intorno a loro soltanto campi scuri e fitte foreste. Non avevano visto una casa per chilometri. Nessuna macchina li aveva seguiti, e avevano incrociato soltanto tre vetture provenienti dalla direzione opposta.

Akilina sterzò a sinistra. «Cosa facciamo, ora?»

Lord si sporse verso il sedile posteriore e afferrò la scatola di metallo. «Scopriamo se ne valeva la pena.»

Si mise in grembo il contenitore, coperto di fango. La serratura era saltata a colpi di pala e la parte inferiore era ammaccata per l'urto con la testa di Droopy. Sfilò il lucchetto, sollevò con delicatezza il coperchio e illuminò l'interno con la torcia.

Per prima cosa vide lo scintillio dell'oro.

Sollevò il lingotto, grande pressappoco come una tavoletta di cioccolato; trent'anni di sepoltura non ne avevano intaccato la luminosità. Sopra c'era inciso un numero e le lettere NR, separati da un'aquila a due teste, il simbolo di Nicola II. Il lingotto pesava un paio di chili e, se non ricordava male la quotazione dell'oro al grammo, doveva valere quasi trentamila dollari.

«Proviene dal tesoro reale», commentò.

«Come fai a saperlo?»

«Lo so.»

Sotto il lingotto c'era un piccolo sacchetto di tela logora che, a giudicare dal tatto, doveva essere velluto e che alla debole luce della torcia mostrava un colore violaceo o blu scuro. Lo tastò: all'interno sembravano esserci un oggetto duro e uno più piccolo. Porse la torcia ad Akilina e sfilò il tessuto marcescente.

Estrasse un foglio d'oro su cui erano incise alcune parole e una chiave d'ottone con una scritta: CMB 716. Il foglio invece riportava un'iscrizione in cirillico che Lord lesse ad alta voce.

L'oro è a vostra disposizione: potreste aver bisogno di fondi, e lo zar sa qual è il suo dovere. Questo stesso foglio potrà essere fuso e scambiato con valuta corrente. La chiave vi darà accesso al secondo portale, di cui dovreste già conoscere l'ubicazione. Se così non è, allora il vostro percorso termina qui, come prescritto. Soltanto la Campana dell'Inferno può indicare la via da percorrere. Al Corvo e all'Aquila: buona fortuna e buon viaggio. All'intruso: possa il diavolo esserti eterno compagno.

«Ma noi non sappiamo dov'è il portale», disse Akilina.

«Forse sì.»

Lei lo guardò.

Gli sembrava ancora di sentire le parole gridate da Vasilij Maks prima di morire: «Russian Hill».

Sapeva che, durante la guerra civile russa del 1918-1920, l'Armata Bianca aveva ricevuto cospicui finanziamenti dagli Sati Uniti, dalla Gran Bretagna e dal Giappone, che consideravano i bolscevichi una seria minaccia; perciò erano stati fatti pervenire in Russia oro, munizioni e altri rifornimenti attraverso la città di frontiera di Vladivostok, sull'oceano Pacifico.

Maks aveva detto loro che i due piccoli Romanov erano stati condotti a est, lontano dall'Armata Rossa, e il punto più orientale era proprio Vladivostok. Migliaia di profughi russi avevano percorso lo stesso itinerario, chi per fuggire ai comunisti, chi per ricominciare una nuova vita, chi semplicemente per scappare. La costa occidentale degli Stati Uniti era diventata un polo magnetico per i profughi, ma anche per i finanziamenti dell'Armata Bianca in difficoltà, poi definitivamente sconfitta da Lenin e dai bolscevichi.

Gli sembrò di udire ancora una volta il grido di Vasilij Maks.

Quel luogo... si trovava a ovest di North Beach e a nord di Nob Hill. In cima e sui fianchi erano disseminate bellissime vecchie abitazioni, caffè e simpatici negozietti: era la zona alla moda di una città alla moda. Ma era proprio lì che, ai primi dell'Ottocento, era stata sepolta una colonia di commercianti russi di pellicce. In seguito, il litorale roccioso e i terreni scoscesi erano stati abitati soltanto da tribù Miwok e Ohlone, ed erano trascorsi decenni prima dell'arrivo dell'uomo bianco dominatore. Era stata la leggenda della sepoltura a dare al luogo il suo attuale nome.

Russian Hill.

San Francisco.

Ecco dov'erano stati portati i due Romanov. In California.

Rivelò ad Akilina i suoi pensieri. «Tutto torna. Gli Stati Uniti sono molto vasti, il luogo ideale in cui nascondere due adolescenti sconosciuti a tutti. Gli americani, infatti, sapevano poco o niente delle vicende della famiglia imperiale russa. Se Jusupov era così intelligente come sembra, questa è la tessera che ci manca.» Sollevò la chiave e guardò le iniziali incise: CMB 716. «Credo che questa sia la chiave di una cassetta di sicurezza in una banca di San Francisco. Quando saremo là dovremo soltanto scoprire di che banca si tratta e sperare che esista ancora.»

«C'è una possibilità?» domandò Akilina.

Lord alzò le spalle. «San Francisco possiede un quartiere finanziario molto antico, per cui, sì, abbiamo buone probabilità. Oltretutto, qualora la banca non esista più, potrebbe aver consegnato i beni in custodia all'istituto di credito che le è succeduto, secondo l'usanza comune.» Si fermò un istante, poi riprese: «Vasilij ci aveva detto di doverci fornire un'ultima parte dell'informazione, una volta tornati dal cimitero. Scommetto che San Francisco è la meta successiva dell'impresa».

«Però ci aveva anche detto che non sapeva dove fossero stati portati i bambini.»

«Non possiamo sapere se fosse la verità... Magari era soltanto un espediente per indurci a recuperare la scatola. Ora dobbiamo trovare la Campana dell'Inferno, qualsiasi cosa sia.» Sollevò il lingotto d'oro. «Purtroppo questo non ci servirà; non passeremmo mai la dogana se fossimo trovati in possesso di oro imperiale. Credo che tu abbia ragione, Akilina: il professor Paščenko ha detto la verità. Nessun contadino russo avrebbe conservato un simile oggetto senza fonderlo molto tempo fa, a meno che il suo valore non stesse proprio nella sua veste originale. Kolja Maks aveva preso molto sul serio la sua missione, proprio come Vasilij e Iosif, giunti a sacrificare entrambi la propria vita.»

Guardando oltre il parabrezza scuro, Lord fu scosso da un'ondata di determinazione. «Hai idea di dove ci troviamo?»

«Vicino al confine ucraino, quasi fuori della Russia», rispose Akilina. «Questa strada porta dritta a Kiev.»

«Quanto è lontana?»

«Quattrocento chilometri, forse meno.»

Lord ricordò che, prima di partire per Mosca, aveva letto alcuni rapporti del dipartimento di Stato che sottolineavano l'assenza di dogane sul confine russo-ucraino, dovuta sia a motivi di costo eccessivo per il personale di controllo sia all'inutilità connessa alla grande quantità di russi che risiedevano in Ucraina.

Guardò il lunotto posteriore. Dietro di loro, a circa un'ora di distanza, c'erano Droopy, Cro-Magnon e Orleg. Davanti, nessuno.

«Andiamo. Prenderemo un volo da Kiev.»

30

Mosca,
lunedì 18 ottobre,
ore 2.00

Hayes esaminò i volti delle cinque persone riunite nella stanza dalle pareti di legno, la stessa in cui si riunivano da sette settimane. C'erano Stalin, Lenin, Brežnev, Khruščëv e il sacerdote inviato dal patriarca Adriano, un uomo con la barba crespa e occhi verdi acquosi. L'uomo si era dimostrato abbastanza lungimirante da indossare giacca e cravatta, così da celare qualsiasi legame con la Chiesa. Gli altri lo avevano sbrigativamente battezzato Rasputin, un soprannome che al sacerdote non andava per nulla a genio.

Tutti i presenti erano stati svegliati nel cuore della notte e convocati nel giro di un'ora: la posta in gioco era troppo alta per attendere il mattino seguente. Hayes fu lieto di notare la presenza di cibi e bevande; c'erano vassoi con affettati di carne e di pesce, caviale nero e rosso su uova bollite, cognac, vodka e caffè.

Aveva dedicato gli ultimi minuti a descrivere quanto accaduto il giorno precedente a Starodub. Avevano ucciso due Maks senza ottenere informazioni utili, poiché entrambi si erano ostinatamente rifiutati di collaborare. Iosif Maks si era limitato a indicare la via per raggiungere Vasilij, il quale li aveva poi condotti alla tomba. L'anziano non aveva rivelato nulla, tranne ciò che aveva gridato al Corvo.

«La tomba era di Kolja Maks, padre di Vasilij», riferì Stalin. «Kolja era una guardia di corte di Nicola II che aveva preso parte alla rivoluzione e si era ritrovata a Ekaterinburg all'epoca dell'uccisione della famiglia imperiale. Il suo nome non risulta nell'elenco del plotone di esecuzione, ma ciò è irrilevante considerando l'approssimazione con cui venivano stilati i rapporti in quel periodo. Non ha mai rilasciato una deposizione ed è stato sepolto con un'uniforme imperiale, credo.» Brežnev avanzò sulla sedia e si rivolse a Hayes. «Il suo Mr Lord aveva certamente bisogno di qualcosa che si trovava in quella tomba e che ora possiede.»

Durante la notte, Hayes e Stalin si erano recati personalmente al cimitero, dopo il resoconto ricevuto dagli uomini. Non avevano trovato nulla; i due Maks uccisi riposavano già col loro avo.

«Vasilij Maks ci ha condotti alla tomba soltanto per far avere a Lord il messaggio», osservò Hayes. «Solo per questo ha accettato di accompagnarci.»

«Che cosa glielo fa pensare?» domandò Lenin.

«Era un uomo con un gran senso del dovere; non avrebbe mai rivelato l'ubicazione del sepolcro, se non avesse avuto bisogno di far sapere qualcosa a Lord. Sapeva di dover morire e ha voluto completare la sua missione prima che ciò accadesse.» La pazienza di Hayes nei confronti dei soci russi stava venendo meno. «Vi dispiacerebbe mettermi al corrente di ciò che sta accadendo? Mi mandate in giro per il Paese ad ammazzare la gente senza nemmeno sapere il perché. Che cosa stanno cercando Lord e la donna? Esiste qualche Romanov sopravvissuto a Ekaterinburg?»

«Voglio sapere anch'io cosa succede», intervenne Rasputin. «Mi avevano detto che la questione della successione era sotto controllo, che non c'erano problemi. Invece mi sembra che ci sia una grande inquietudine nell'aria.»

Brežnev sbatté il bicchiere di vodka sul tavolino lì accanto. «Per anni sono girate voci sulla mancata uccisione di alcuni membri della famiglia imperiale, e spuntavano in tutto il mondo granduchesse e zarevič. Al termine della guerra civile, nel 1920, Lenin si convinse dell'esistenza di un Romanov sopravvissuto dopo aver appreso che Feliks Jusupov poteva averne fatto espatriare almeno uno; tuttavia non riuscì mai a dimostrarlo e la sua salute lo abbandonò prima che potesse scoprire altro.»

Hayes era ancora scettico. «Jusupov uccise Rasputin: Nicola e Alessandra lo odiavano per questo. Perché diavolo avrebbe dovuto essere coinvolto nella salvezza della famiglia imperiale?»

Gli rispose Khruščëv. «Jusupov era un individuo unico nel suo genere, che soffriva d'improvvisi mutamenti di posizione. Uccise lo *starec* d'impulso, credendo di liberare la famiglia imperiale dalla morsa del demonio. Curiosamente, fu punito col semplice confino in una delle sue proprietà nel cuore della Russia, e fu proprio l'esilio a salvargli la vita in occasione delle Rivoluzioni di Febbraio e d'Ottobre, quando furono uccisi molti Romanov e diversi nobili.»

Hayes aveva appena cominciato a conoscere la storia russa, dal momento che il destino della famiglia imperiale aveva costituito un'interessante lettura durante il suo lungo viaggio aereo. Si ricordò di aver letto che il granduca Michele, fratello minore di Nicola, era stato ucciso sei giorni *prima* di Ekaterinburg, mentre la sorella di Alessandra, il cugino di Nicola – Sergio – e altri quattro granduchi erano stati assassinati il giorno *successivo* e poi gettati nel pozzo di una miniera degli Urali. Nei mesi seguenti erano morti numerosi altri granduchi e duchesse, sicché nel 1919 la dinastia Romanov era ormai decimata; i pochi fortunati, scampati alla devastazione, fuggirono in Occidente.

Intervenne Khruščëv. «Rasputin predisse che, se un boiaro lo avesse ucciso, le mani dell'assassino sarebbero rimaste macchiate di sangue e che se il responsabile del suo omicidio fosse stato un parente dello zar, nessun membro della famiglia imperiale sarebbe sopravvissuto per più di due anni, perché sarebbero stati tutti uccisi dal popolo russo. Rasputin fu assassinato nel dicembre 1916 dal marito della nipote dello zar; di lì all'agosto del 1918 la famiglia imperiale fu cancellata.»

«Non esistono prove dell'avveramento della profezia», obiettò Hayes, che continuava a rimanere indifferente.

Brežnev lo fulminò con lo sguardo. «Adesso sì. La lettera di pugno di Alessandra, trovata dal suo Mr Lord, conferma che Rasputin ha rivelato la sua profezia alla zarina nell'ottobre 1916, due mesi prima di essere ucciso. A quanto pare, poi, il grande fondatore di questo Paese – ossia il nostro caro Lenin – considerò la questione con molta serietà. Lo stesso

Stalin, terrorizzato, insabbiò le testimonianze e uccise chiunque fosse a conoscenza dei fatti.»

Fino a quel momento Hayes non si era reso conto dell'importanza del materiale scoperto da Lord.

Lenin continuò la sommaria ricostruzione storica. «Nel marzo 1917, dopo l'abdicazione di Nicola e del fratello Michele, il governo provvisorio offrì il trono a Jusupov; dal momento che la dinastia Romanov era finita, il governo pensò di poter passare lo scettro agli Jusupov. Del resto, Feliks era molto stimato per aver ucciso Rasputin, e il popolo lo riteneva un salvatore. Tuttavia lui rifiutò il trono e, dopo la salita al potere dei comunisti, abbandonò il Paese.»

«Se non altro, Jusupov era un patriota», osservò Khruščëv. «Quando Hitler gli offrì di diventare governatore della Russia, in previsione della conquista del Paese da parte della Germania, lui rifiutò con disdegno; così come rifiutò la proposta di diventare curatore di numerosi musei russi. Amava molto la madrepatria e si rese conto troppo tardi di aver commesso un errore a uccidere Rasputin. Non avrebbe mai immaginato che la famiglia imperiale sarebbe stata giustiziata ed evidentemente sviluppò un enorme senso di colpa per la morte dello zar, al punto da elaborare un piano per rimediare.»

«Come fate a sapere tutte queste cose?» domandò Hayes.

Stalin sorrise. «Da quand'è caduto il comunismo, gli archivi hanno rivelato i segreti custoditi. Un po' come una matrioska: ogni strato si elimina per accedere al successivo. Nessuno avrebbe voluto che ciò accadesse, ma sapevamo che sarebbe stato questo il momento della rivelazione.»

«Sospettavate già della sopravvivenza di un Romanov?»

«Non sospettavamo nulla», rispose Brežnev. «Temevamo soltanto che i semi gettati decenni fa potessero fruttificare con la rielezione di un sovrano e, a quanto pare, non avevamo torto. Non ci aspettavamo il coinvolgimento del suo Mr Lord, anche se forse è stato un bene che la situazione si sia evoluta in questo modo.»

«Gli archivi di Stato sono pieni di deposizioni dei membri del plotone di esecuzione di Ekaterinburg», riprese Stalin. «Jusupov, però, è stato intelligente a coinvolgere il minor numero possibile di persone nel suo piano. I servizi segreti bolscevichi vennero a conoscenza soltanto di dettagli minori. Non ci sono mai state conferme.»

Hayes sorseggiò il caffè, poi fece un'altra domanda: «Da quello che ricordo, Jusupov ha condotto un'esistenza modesta dopo aver lasciato la Russia. È vero?»

«Seguì il monito dello zar e rimpatriò tutti gli investimenti esteri allo scoppio della prima guerra mondiale», spiegò Brežnev. «Il che significa che tutti i suoi averi erano qui. I bolscevichi sequestrarono le sue proprietà in Russia, tra cui anche le opere d'arte e i gioielli. Tuttavia Feliks, che era più furbo di quanto desse a vedere, aveva investito dei capitali in Europa, soprattutto in Svizzera e in Francia. Sebbene conducesse una vita discreta, dunque, era piuttosto benestante. Vi sono documenti che attestano l'acquisto di azioni ferroviarie americane negli anni '20 e la conversione in oro prima della Depressione. I comunisti sono andati in cerca del deposito di oro, ma senza risultati.»

«Può anche darsi che abbia amministrato gli investimenti dello zar scampati al sequestro bolscevico», ipotizzò Lenin. «Secondo alcuni, Nicola II avrebbe occultato milioni di rubli in banche straniere, e Jusupov compì numerosi viaggi negli Stati Uniti fino alla sua morte, avvenuta alla fine degli anni '60.»

Nonostante la stanchezza, Hayes sentì l'adrenalina scorrergli nelle vene. «Ora che cosa facciamo?»

«Dobbiamo trovare Miles Lord e la donna», rispose Khruščëv. «Ho allertato tutte le stazioni di confine, ma temo che sia troppo tardi. Il punto di fuga più vicino era il confine con l'Ucraina, che non monitoriamo più da tempo. Mr Hayes, lei ha la possibilità di viaggiare quando e dove vuole: deve tenersi pronto, Lord la contatterà quanto prima, non ha motivo di dubitare di lei. Quando lo farà, agisca in fretta. Credo che lei ora abbia capito la gravità della situazione.»

«Oh, sì», replicò Hayes. «La situazione mi è molto chiara.»

Atlanta,
ore 7.15

Akilina guardò Lord infilare la chiave nella serratura e aprire la porta di casa, quindi lo seguì all'interno.

Avevano trascorso la notte di sabato all'aeroporto di Kiev, da dove il mattino seguente avevano preso un volo dell'Aeroflot per Francoforte. Lì avevano scoperto che tutti i voli del pomeriggio erano pieni, perciò avevano dovuto attendere al terminal un volo notturno della Delta Airlines per Atlanta, su cui Lord aveva acquistato due posti in classe turistica con metà dei soldi offerti da Semjon Paščenko.

Avevano depositato il lingotto in un armadietto dell'aeroporto di Kiev, per nulla convinti della sicurezza di una simile operazione. Akilina, però, aveva dato ragione a Lord: non ci sarebbe stato modo di portarsi dietro l'oro senza destare sospetti.

Sebbene avessero entrambi dormito in aereo, il cambiamento di fuso orario si era fatto sentire. Giunti ad Atlanta, Lord aveva prenotato due posti su un volo per San Francisco in partenza a mezzogiorno. Si erano quindi recati in taxi a casa di Lord per rinfrescarsi e cambiarsi d'abito.

Akilina rimase sorpresa nel vedere l'appartamento, molto più lussuoso di quello di Paščenko, anche se forse piuttosto comune per un americano. La moquette era morbida e pulita, l'arredamento elegante e costoso, dal suo punto di vista. Faceva un po' freddo, ma quando Lord regolò il termostato della climatizzazione autonoma, gli ambienti si riscaldarono subito. Una bella differenza rispetto ai termosifoni del suo alloggio moscovita, che erano sempre freddi o surriscaldati, pensò la donna. L'ordine e la pulizia invece non la stupirono: Lord, infatti, le era parso fin dall'inizio una persona perfettamente in grado di gestirsi da sola.

«Nel bagno ci sono asciugamani puliti. Prego, serviti pure», le disse lui in russo. «Poi puoi cambiarti in quella camera lì.» Akilina parlava male l'inglese; all'aeroporto aveva avuto difficoltà a seguire la conversazione di Lord con l'ufficiale di dogana. Tuttavia il suo visto di espatrio come artista circense le aveva garantito l'ingresso nel Paese senza ulteriori domande.

«C'è un bagno anche in camera mia, ci vediamo tra un attimo», la avvertì Lord.

La donna fece una lunga doccia, lasciando che le carezze dell'acqua calda distendessero i muscoli tesi; il suo corpo era stanco come se fosse stata notte fonda. Entrò in camera da letto e s'infilò l'accappatoio che trovò disteso sul letto. Avevano a disposizione un'ora, prima di recarsi di nuovo all'aeroporto e prendere il volo che li avrebbe portati ancora più a ovest. Si tamponò i capelli con l'asciugamano, poi li sciolse, lasciando che i boccoli le scendessero sulle spalle.

Andò in salotto e dedicò qualche istante ad ammirare le fotografie appese al muro e appoggiate su due tavolini di legno: Miles Lord faceva parte di una famiglia numerosa. In molte foto, infatti, era ritratto con una serie di uomini e donne più giovani, in vari stadi della vita. Doveva essere il maggiore; un ritratto di famiglia lo raffigurava a circa vent'anni, attorniato da quattro fratelli e sorelle non molto più giovani.

Altri scatti lo ritraevano in tenuta atletica, col volto coperto da un casco con visiera e indosso una maglia numerata dalle spalle imbottite. Isolata in un angolo, un'immagine del padre, da solo: un uomo sui quaranta, con occhi seri, profondi e capelli rasati neri. Era ritratto in piedi dietro un pulpito, con la fronte madida di sudore, la bocca spalancata, i denti bianchissimi e l'indice destro puntato al cielo. Nell'angolo in basso a destra c'era una scritta a pennarello nero. Akilina sollevò la cornice e cercò di leggere, ma non era molto abile con l'alfabeto occidentale.

«Dice: 'Vieni, figlio, seguimi'», spiegò Lord in russo.

La donna si voltò.

Lord apparve sulla soglia, il profilo scuro avvolto in un lungo accappatoio color porpora da cui spuntavano i piedi nudi. L'apertura sul petto lasciava intravedere un torace muscoloso coperto da una leggera peluria riccia.

«Mi ha regalato quella foto per convincermi a partecipare al suo ministero pastorale», rivelò.

«Perché hai rifiutato?»

Lord le si avvicinò, portando con sé la scia profumata di shampoo e bagnoschiuma. Lei notò che si era rasato; senza la barba di due giorni che gli ricopriva guance e collo, si vedeva la carnagione color cioccolato, per nulla intaccata dal tempo e dalle sofferenze.

«Mio padre ha tradito mia madre e ci ha lasciati senza un soldo. Non avevo nessuna voglia di seguire le sue orme.»

Ad Akilina tornò in mente l'amarezza con cui lui le aveva parlato a casa di Semjon Paščenko. «E tua madre?»

«Lei lo amava, lo ama ancora. Non ha mai dato ascolto alle voci sul suo conto, proprio come i fedeli: per loro, Grover Lord era un santo.»

«Nessuno sapeva com'era veramente?»

«Nessuno ci avrebbe mai creduto. Lui si sarebbe limitato a gridare alla discriminazione e avrebbe ruggito dal pulpito quanto fosse difficile sopravvivere per un nero di successo.»

«A scuola ci hanno parlato della discriminazione razziale presente nel vostro Paese, di come le persone di colore fatichino a farsi largo nella società dei bianchi. È la verità?»

«Una volta era così, e secondo alcuni in parte lo è ancora, ma non a mio avviso. Non dico che questo Paese sia perfetto – anzi è ben lungi dall'esserlo – però è la terra delle opportunità. Bisogna soltanto saper approfittare delle occasioni.»

«Tu l'hai fatto, Miles Lord?»

Lui sorrise. «Perché fai così?»

Sul viso di Akilina comparve uno sguardo perplesso.

«Perché mi chiami con nome e cognome?» precisò lui.

«È un'abitudine, non volevo offenderti.»

«Chiamami Miles. Per rispondere alla tua domanda, credo di aver colto tutte le opportunità che mi si sono presentate: ho studiato molto e ho conquistato ogni singolo obiettivo raggiunto.»

«Hai cominciato presto a coltivare l'interesse per il mio Paese?»

Lord indicò una fila di scaffali della libreria, nella stanza illuminata dal sole. «Sono sempre stato affascinato dalla Russia; la vostra storia offre interessanti letture. Vivete nel Paese degli estremi: nelle dimensioni, nella politica, nel clima. Negli atteggiamenti.»

Mentre parlava, lei lo osservava con attenzione, ascoltando le vibrazioni emotive del suo tono di voce.

«Gli avvenimenti del 1917 rappresentarono una tragedia per un Paese che si trovava al culmine del suo rinascimento sociale e che aveva raggiunto vette inaudite in campo letterario, poetico, artistico e teatrale. La stampa era libera. Poi, di colpo, tutto finì.»

«Vuoi partecipare alla nostra rinascita, vero?»

«Chi avrebbe mai detto che un ragazzino del South Carolina avrebbe mai raggiunto una posizione simile?» replicò lui.

«Sei molto legato ai tuoi fratelli e alle tue sorelle?»

Lord alzò le spalle. «Siamo disseminati in giro per gli Stati Uniti, sempre troppo impegnati per prenderci la briga di una visita.»

«Anche loro si sono conquistati una buona posizione sociale?»

«Uno è medico, due sono insegnanti e un altro è commercialista.»

«A quanto pare tuo padre non ha poi fatto un brutto lavoro», osservò Akilina.

«Lui non ha fatto un bel niente, è mia madre che ci ha cresciuti.»

Sebbene non conoscesse Grover Lord, la donna credeva di aver capito la situazione. «Forse tutti voi avevate bisogno di un esempio di quel tipo.»

«Ne avrei fatto volentieri a meno», ribatté lui, sorridendo amaramente.

«È per questo che non ti sei mai sposato?»

Lord si avvicinò a una finestra e guardò fuori, il soleggiato paesaggio mattutino. «Non proprio... In realtà sono stato sempre troppo impegnato.»

Si udì il rumore del traffico in lontananza. «Nemmeno io mi sono mai sposata; volevo continuare a esibirmi. In Russia il matrimonio non è una questione semplice... Noi non siamo la terra delle opportunità.»

«C'è stata una persona importante nella tua vita?»

Per un attimo Akilina fu incerta se raccontargli di Tusja, poi decise che era meglio di no. «Nessuno in particolare.»

«Credi davvero che la restaurazione dello zar possa risolvere i problemi del tuo Paese?» domandò Lord.

Fu lieta che avesse cambiato argomento. Forse si era accorto della sua esitazione. «I russi sono sempre stati governati da qualcuno, se non lo zar, il capo del partito o il premier. Non importa chi governa, finché il governo è saggio.»

«Pare che qualcuno stia tentando di fermare la nostra impresa. Forse vogliono approfittare del ritorno della monarchia per assumere il controllo.»

«Ora sono lontani migliaia di chilometri.»

«Grazie al cielo.»

Dopo qualche secondo, Akilina disse: «Pensavo ai Maks; sono morti per ciò in cui credevano. Vuoi dire che siamo coinvolti in un'impresa tanto importante?»

Lord si diresse verso uno scaffale, da cui estrasse un volume con l'immagine di Rasputin in copertina: la fotografia inquietante ritraeva il volto barbuto dell'uomo, con uno sguardo magnetico. «Forse questo opportunista detiene la chiave per il futuro della tua nazione. Lo ritenevo un ipocrita che ha avuto la fortuna di trovarsi nel posto giusto al momento giusto. Questo scaffale è colmo di libri su di lui; ho letto molto sul suo conto e l'ho sempre reputato un ciarlatano come mio padre.»

«E ora?»

L'uomo trasse un lungo sospiro. «Non so che cosa pensare... L'intera vicenda è incredibile: il fatto che in qualche modo Feliks Jusupov abbia nascosto due piccoli Romanov in America.» Indicò un altro scaffale. «Ho diverse biografie su Jusupov, ma nessuna lo descrive come uno scaltro manipolatore; al contrario, compare come un pasticcione idealista, che ha ucciso un uomo per sbaglio.»

Akilina si avvicinò, gli prese il libro di mano e fissò lo

sguardo di Rasputin sulla copertina. «Questi occhi inquietano ancora adesso.»

«Mio padre diceva sempre che il mistero divino è indecifrabile. Credevo fosse un modo per tenersi stretto i fedeli, per far sì che tornassero da lui. Ora mi auguro che mentisse.»

I loro sguardi s'incontrarono.

«Non dovresti odiare tuo padre», disse lei.

«Non ho mai detto di odiarlo.»

«Non ce n'è bisogno.»

«Nutro rancore per ciò che ha fatto, per aver sconvolto la nostra vita, per la sua ipocrisia.»

«Forse, però, tuo padre ha lasciato un'eredità più importante di quanto tu creda, proprio come Rasputin. Forse tu sei quell'eredità: il Corvo.»

«Tu credi in tutto ciò, vero?»

In quell'ambiente caldo e accogliente, Akilina cominciava a rilassarsi. «So soltanto che, dal momento in cui sei entrato nel mio scompartimento, mi sono sentita diversa. È difficile da spiegare... Sono una donna di origini umili; mia nonna è stata uccisa e la vita dei miei genitori è andata distrutta. Ho trascorso l'intera esistenza a vedere la gente soffrire, chiedendomi che cosa poter fare. Forse adesso ho l'opportunità di cambiare la situazione.»

Lord estrasse dalla tasca la chiave di ottone e osservò le iniziali: CMB 716. «Sempre che riusciamo a trovare la Campana dell'Inferno e scopriamo che cosa apre questa chiave...»

«Sono certa che ce la faremo.»

Lui scosse la testa. «Per fortuna almeno uno di noi due ne è convinto.»

Hayes esaminò Stefan Baklanov. L'erede al trono era seduto a un tavolo rivestito da un drappo di seta, di fronte ai diciassette membri della Commissione per lo zar. La Sala Grande del Palazzo dei Diamanti era gremita di spettatori e giornalisti, e l'aria stantia era satura di una nebbia bluastra provocata dal fumo dei commissari, che amavano assaporare il tabacco in ogni sua forma.

Vestito con un abito scuro, Baklanov non sembrava turbato dalle domande dei commissari. Era la sua ultima comparsa di fronte alla commissione, prima del voto finale che avrebbe avuto luogo la mattina seguente e avrebbe scelto in una rosa di tre nomi. Delle nove candidature, soltanto quattro erano basate su seri legami di sangue e conformi alle norme stabilite dall'atto di successione del 1797. Il dibattito iniziale si era incentrato sull'analisi dei matrimoni successivi al 1918 e sulla conseguente diluizione dei legami di sangue. A ciascuno dei nove aspiranti eredi era stata offerta la possibilità di presentare il proprio caso di fronte alla commissione e di rispondere alle domande. Hayes aveva fatto in modo che Baklanov parlasse per ultimo.

«Ripenso ai miei avi», stava dicendo Baklanov al microfono, con voce bassa, ma risoluta. «In questa sala del Palazzo dei Diamanti, i boiari si riunirono nel gennaio del 1613 per scegliere il nuovo zar. Dodici anni d'interregno avevano gettato il Paese nello scompiglio. Quel gruppo, proprio come voi ora, stabilì regole precise per la rielezione e, dopo lunghi dibattiti e numerose esclusioni, scelse all'unanimità di eleggere un nobile sedicenne: Michele Romanov. Interessante notare come il giovane vivesse nel Monastero di Ipatiev, il luogo in cui ebbe origine la dinastia Romanov; trecento anni dopo, sempre nella casa di proprietà di un Ipatiev – 'la casa a destinazione speciale' – ebbe fine il regno della famiglia.» Baklanov fece una pausa. «Almeno per un certo periodo.» Intervenne un commissario. «Tuttavia Michele fu scelto perché si dichiarò disponibile a consultare i boiari prima di qualsiasi decisione, non è così? In pratica, trasformò la Duma in un'assemblea nazionale. Lei ha intenzione di fare lo stesso?» Baklanov s'irrigidì, ma il suo viso conservò un'espressione aperta e affabile. «Non fu certo l'unica ragione per cui il mio antenato fu scelto. Prima della votazione, infatti, l'assemblea svolse un'indagine, da cui emerse che la popolazione dava ampio appoggio a Michele Romanov. Lo stesso vale nel mio caso, commissario: tutte le inchieste nazionali rivelano che un vasto consenso popolare appoggia la mia elezione. Per rispondere alla sua domanda, però, le dirò che Michele viveva in un'epoca diversa. La Russia ha sperimentato la democrazia, e ogni giorno ne vediamo i risultati. La nostra nazione deve potersi fidare del proprio governo; la storia non ci ha preparati ad affrontare le continue sfide del regime democratico. La gente, qui, si aspetta che il governo entri nella propria vita. La società occidentale invece predica l'opposto. La Russia ha perso la propria grandezza nel 1917. Ciò che un tempo era l'impero più grande del mondo oggi dipende dalla generosità delle nazioni straniere. Io soffro per questo. Abbiamo passato ottant'anni a costruire bombe e ad armarci fino ai denti, mentre le fondamenta del nostro Paese si sgretolavano. È tempo di capovolgere questa realtà.»

Hayes sapeva che Baklanov stava recitando di fronte alle telecamere, che trasmettevano la sessione in diretta nazionale e internazionale: la CNN, la CNBC, la BBC e la Fox fornivano il punto di vista dell'Occidente. La risposta fu quasi perfetta: Baklanov era riuscito a eludere la vera domanda, approfittando dell'occasione per offrire una prospettiva d'insieme. Forse quell'uomo non avrebbe saputo governare, ma di certo era un maestro di ruffianeria.

Intervenne un altro commissario. «Se ricordo bene, di fatto fu il padre di Michele, Filarete, a governare il Paese per la maggior parte del regno del figlio. Michele, dunque, si rivelò un fantoccio. Il Paese deve preoccuparsi di questo anche con lei? Potranno altri pilotare le sue decisioni?»

Baklanov scosse il capo. «Le assicuro, commissario, che nessuno prenderà le decisioni per me. Ciò non significa tuttavia che non ricorrerò al parere del Consiglio di Stato. Mi rendo perfettamente conto che, per sopravvivere, un monarca necessita dell'appoggio del popolo e del governo.»

Un'altra risposta eccellente, pensò Hayes.

«Cosa ci dice dei suoi figli? Sono pronti per la responsabilità che potrebbe attenderli?» domandò lo stesso commissario.

Quell'uomo, così insistente, era uno degli ultimi tre a non essere stato ancora del tutto corrotto; il prezzo della sua fiducia era ancora in fase di contrattazione. Hayes, però, aveva ricevuto la garanzia che entro il giorno seguente l'unanimità sarebbe stata una certezza.

«I miei figli sono pronti. Il maggiore comprende la propria responsabilità ed è preparato a diventare *zarevič*. L'ho educato fin dalla nascita a una simile eventualità.»

«Era sicuro che si sarebbe giunti alla restaurazione?»

«Il mio cuore ha sempre saputo che un giorno il popolo russo avrebbe desiderato il ritorno dello zar, che era stato strappato loro con la violenza. Un atto infame non può portare onore, né il bene ha mai avuto origine dal male. Questa nazione è in cerca del suo passato; possiamo soltanto sperare e pregare d'imparare dal fallimento per raggiungere il successo. Le origini di un popolo sono importanti, soprattutto per quelli con radici imperiali. Il trono di questo Paese deve essere retto da un Romanov, e io sono l'erede maschio più prossimo a Nicola II. Un grande onore comporta grandi responsabilità: sono pronto ad assumerle per il bene del mio popolo.» Baklanov bevve un sorso d'acqua dal bicchiere che aveva di fronte. Quindi, posato il bicchiere, proseguì: «Nel 1613 Michele Romanov era riluttante all'idea di diventare zar. Io, al contrario, non nascondo il mio profondo desiderio di governare questa nazione. La Russia è la mia madrepatria; se, come credo, a ogni Paese corrisponde un genere, la Russia è chiaramente femmina e, in quanto tale, fertile per il suo popolo. Un biogra-

fo di Fabergé, per quanto inglese, descrisse bene questa pecu-
liarità: 'Datele il via, gettate il seme e lei darà vita, in modo del
tutto originale, a risultati sorprendenti'. Il mio destino è vedere quei risultati maturi. Ogni seme richiede il suo tempo di
maturazione; io ho avuto il mio. Un popolo può essere spinto
al terrore, ma non all'amore. Io lo capisco: non voglio che la
Russia debba temermi, non bramo conquiste imperiali, non intendo dominare il mondo. Ciò che farà grande il nostro Paese
negli anni a venire deriverà dall'aver garantito alla gente benessere e prosperità. Non importa poter annientare il mondo
mille volte, importa dare da mangiare al nostro popolo, curare
le malattie, offrire uno stile di vita confortevole e assicurare la
prosperità alle generazioni future».

Le parole furono accompagnate dalla tipica emozione che
traspare via audio e video. Hayes era sempre più stupito.

«Non intendo dire che Nicola II fosse privo di colpe», continuò Baklanov. «Era un autocrate ostinato che aveva perso di
vista i propri obiettivi. Oggi sappiamo che sua moglie condi-
zionò la sua lucidità e che la tragica malattia del figlio li rese
entrambi vulnerabili. Sotto molti aspetti, Alessandra era una
donna magnifica, ma era anche ingenua; si lasciò influenzare
da Rasputin, un individuo disprezzato da tutti come un opportunista. La storia è un'ottima insegnante: non ripeterò quegli errori. Questa nazione non può permettersi una guida debole. Le strade devono essere sicure, e le istituzioni giudiziarie
e governative hanno bisogno di verità e sicurezza. Soltanto così il nostro Paese potrà progredire.»

«Da come parla, signore, sembra che lei si sia già nominato
zar», osservò un commissario.

«I miei natali lo hanno stabilito per me, commissario. Io
non discuto sulla questione; il trono russo appartiene ai Romanov.»

«Ma Nicola non rinunciò al trono per sé e suo figlio Alessio?» domandò una voce dal pubblico.

«Abdicò per sé, ma dubito che qualsiasi giurista possa stabilire che avesse il diritto di farlo anche per il figlio, il quale,
dopo la rinuncia paterna del marzo 1917, divenne legittima-
mente Alessio II. Non avrebbe avuto diritto di privare Alessio

dell'eredità al trono; quel trono è Romanov e io sono il discendente più prossimo di Nicola II. »

Hayes fu soddisfatto dell'esibizione. Baklanov aveva saputo esattamente cosa dire e quando, mostrando il proprio punto di vista con decisione sufficiente a prendere posizione senza offendere.

Stefano I sarebbe stato un ottimo zar.

Sempre che, naturalmente, fosse tanto disposto a obbedire quanto lo era a comandare.

Lord si voltò verso Akilina. I due erano seduti sul lato sinistro del volo L1011 della United Airlines, che sorvolava a dodicimila metri di altezza il deserto dell'Arizona. Erano partiti da Atlanta alle 12.05; considerando che il volo durava cinque ore, ma ve ne erano tre di fuso orario, sarebbero atterrati a San Francisco poco dopo le due. Nelle ultime ventiquattr'ore, Lord aveva girato tre quarti del mondo, e in quel momento fu lieto di essere sul suolo – o meglio nel cielo – americano, anche se non era ancora sicuro di che cosa stessero andando a fare in California.

«Non ti riposi mai?» domandò Akilina in russo, con voce calma.

«Di solito sì, ma al momento vivo una situazione diversa dal solito.»

«Volevo dirti una cosa.»

Lui colse una strana vibrazione nel tono di lei.

«Non sono stata del tutto sincera con te, prima, nel tuo appartamento.»

Lord rimase perplesso.

«Mi hai chiesto se nella mia vita ci fosse stato un uomo importante e io ho risposto di no. In realtà c'è stato.»

Il viso della donna s'incupì di apprensione, tanto che lui si sentì in dovere di rassicurarla. «Non sei tenuta a darmi spiegazioni.»

«Voglio farlo.»

Lord si sistemò sulla poltrona.

«Si chiamava Tusja, lo incontrai alla scuola d'arte circense alla quale fui iscritta dopo il diploma. Era escluso che frequentassi l'università; mio padre era un artista e ci si aspettava che io percorressi la sua stessa strada. Tusja era un acrobata, bravo ma non abbastanza da poter essere avviato alla carriera dopo la scuola. Tuttavia insistette affinché ci sposassimo.»

«Che cosa accadde?»

«La famiglia di Tusja viveva al nord, vicino alle lande ghiacciate. Non essendo lui un moscovita, dunque, saremmo stati costretti a vivere coi miei genitori finché non ci fosse stata concessa l'autorizzazione per ottenere un appartamento nostro. Avevamo quindi bisogno che i miei dessero il consenso per il matrimonio e per accogliere Tusja in casa. Mia madre rifiutò.»

Lord si stupì. «Perché?»

«Allora era una donna crudele nella sua sofferenza; non perdonava a mio padre di essere finito in un campo di lavoro per il suo desiderio di lasciare il Paese. Soffocò la felicità che vide nei miei occhi per placare il suo stesso dolore.»

«Non potevate andare a vivere da un'altra parte?» chiese Lord.

«Tusja non voleva; desiderava essere un moscovita, come tutti quelli che non lo erano. Si unì all'esercito senza consultare il mio parere, poiché era l'unico modo per evitare di essere spedito in qualche fabbrica sperduta. Mi disse che sarebbe tornato da me quando avesse avuto i soldi per vivere dove voleva.»

«Che ne è stato di lui?»

Akilina esitò, prima di rispondere. «È morto in Cecenia. Inutilmente, dal momento che non è cambiato nulla. Non ho mai perdonato mia madre per ciò che ha fatto.»

Lord percepì l'amarezza nella voce della donna. «Tu lo amavi?»

«Per quanto potesse amare una ragazzina. Ma che cos'è l'amore? Per me era una fuga momentanea dalla realtà. Prima mi hai chiesto se penso che le cose possano cambiare con lo zar. Come potrebbe andare peggio di così?»

Lui rimase in silenzio.

«Noi due siamo molto diversi. Per molti versi io e mio padre siamo simili: entrambi fummo privati dell'amore per la crudeltà della madrepatria. Tu, al contrario, odi tuo padre ma hai approfittato delle opportunità offerte dal tuo Paese.

Curioso come la vita crei realtà così diametralmente opposte...»

L'aeroporto internazionale di San Francisco era affollato. Entrambi avevano un solo bagaglio: le borse da viaggio che Paščenko aveva messo a loro disposizione. Se nell'arco di un paio di giorni non avessero scoperto nulla, Lord sarebbe tornato ad Atlanta per contattare Hayes. Anche prima di lasciare la Georgia era stato sul punto di chiamare l'ufficio, ma poi aveva desistito per rispettare il più a lungo possibile la volontà del professore, dando credito almeno in parte a una profezia che all'inizio aveva considerato assurda.

Oltrepassato il ritiro bagagli, gremito di turisti, si diressero all'esterno. Attraverso la parete vetrata videro profilarsi la costa del Pacifico, illuminata dall'abbagliante sole pomeridiano.

«Ora che facciamo?» domandò Akilina.

Non le rispose. La sua attenzione era stata catturata da qualcosa oltre il terminal brulicante di folla.

«Vieni», disse prendendo per mano la donna e guidandola tra la calca.

Su una parete distante, oltre il ritiro bagagli dell'American Airlines c'era un manifesto pubblicitario, uno dei tanti che rivestivano i muri dei terminal. Le scritte colorate pubblicizzavano di tutto, dagli ampliamenti condominiali ai piani tariffari per chiamate a lunga distanza. Lesse le parole scritte su un edificio a forma di tempio:

CREDIT AND MERCANTILE BANK OF SAN FRANCISCO
Una tradizione locale dal 1884

«Che cosa c'è scritto?» chiese Akilina.

Lui glielo disse, poi estrasse dalla tasca la chiave di ottone e guardò di nuovo le iniziali incise: CMB.

«Credo che questa sia la chiave di una cassetta di sicurezza della Credit and Mercantile Bank, che esisteva già ai tempi di Nicola II.»

«Come fai a essere certo che sia il posto giusto?»

«Non lo sono affatto.»

«Come faremo a scoprirlo?»

«Bella domanda. Dobbiamo inventarci una storia convincente per accedere al deposito; non credo basterà mostrare una vecchia chiave perché la banca ci lasci entrare e ci apra ogni varco. Ci faranno delle domande.» Rimise in moto il suo cervello di avvocato. «Ma credo di poter trovare una soluzione.»

Il taxi li portò in centro in mezz'ora. Lord aveva prenotato in un Marriot vicino al quartiere finanziario. Il gigantesco edificio specchiato, che aveva l'aspetto di un enorme juke-box, era stato scelto non soltanto per la sua ubicazione, ma anche perché dotato di un attrezzato centro congressi.

Dopo aver posato i bagagli in camera, i due scesero al pianterreno. Lord scelse un computer, aprì il word processor e digitò le parole: TRIBUNALE DELLA FULTON COUNTY. Durante l'ultimo anno di università aveva lavorato in uno studio legale occupandosi in particolare di successioni, per cui aveva dimestichezza con le nomine degli esecutori testamentari, mediante le quale un tribunale autorizzava un individuo ad agire per conto di un defunto. Ne aveva redatti a centinaia, ma, tanto per essere sicuro, controllò su Internet. Trovò moltissimi indirizzi di studi legali che offrivano di tutto: dagli ultimi pareri di appello a modelli per redigere persino i documenti più oscuri. Sul sito della Emory University di Atlanta, che consultava spesso, individuò il linguaggio giusto con cui confezionare una nomina falsa.

Porse ad Akilina la copia appena uscita dalla stampante. «Sei la figlia di una certa Zaneta Ludmila, morta di recente, che ti ha lasciato questa chiave per la sua cassetta di sicurezza. Il tribunale della Fulton County, in Georgia, ti ha nominata esecutrice testamentaria della defunta e io sono il tuo avvocato. Dal momento che parli poco l'inglese, io ti ho accompagnato per aiutarti. In quanto esecutrice, è tuo dovere inventariare tutti i beni di tua madre, incluso il contenuto di questa cassetta.»

Akilina sorrise. «Proprio come in Russia: i documenti falsi sono l'unica garanzia di successo.»

A differenza dell'impressione trasmessa dal manifesto pubblicitario, la Credit and Mercantile Bank non aveva sede in un edificio di granito in stile neoclassico, ma in uno dei più moderni palazzi con la struttura in acciaio del quartiere finanziario. Lord sapeva i nomi dei colossi circostanti – l'Embarcadero Center, il Russ Building e l'inconfondibile Transamerica Tower – e conosceva la storia di quel quartiere: la presenza dominante di banche e compagnie di assicurazioni aveva conferito al luogo il nome di «Wall Street dell'Ovest». Nella zona proliferavano altresì società petrolifere, giganti dei media, studi d'ingegneria e sedi di marche di abbigliamento. Il quartiere era stato costruito in origine con l'oro della California, anche se oggi era l'argento del Nevada ad assicurarle un posto nel panorama finanziario americano.

L'interno della Credit and Mercantile Bank era una miscela di legno laminato, pavimenti alla veneziana e vetro. Le cassette di sicurezza erano collocate al secondo piano, dove una donna dai capelli biondissimi attendeva dietro una scrivania. Lord mostrò la chiave, i falsi incarti amministrativi e la tessera d'identificazione dell'avvocatura della Georgia, il tutto condito da un sorriso e modi gentili, così da prevenire qualsiasi domanda. Tuttavia lo sguardo stranito sul volto della donna non gli infuse entusiasmo.

«Non abbiamo cassette con quel numero», li informò freddamente l'addetta.

Lord indicò la chiave che la donna teneva in mano. «CMB è la vostra banca, no?»

«Sono le nostre iniziali», ammise la donna.

Decise di provare con un atteggiamento più risoluto. «Senta signora, la signorina Ludmila è impaziente di sistemare la questione dei beni della madre, la cui morte le ha provocato un profondo dolore. Abbiamo ragione di credere che quella scatola sia molto vecchia; questa banca non conserva cassette per lungo tempo? La vostra pubblicità dice che esistete dal 1884.»

«Mr Lord, forse se parlo più piano mi capirà.» Quel tono gli piaceva sempre meno. «In questa banca non ci sono cassette col numero 716. Noi usiamo da sempre un sistema di classificazione diverso, basato sulla combinazione di una lettera e di una sequenza numerica.»

Lord si voltò verso Akilina e le si rivolse in russo. «Non vuole venirci incontro, dice che la banca non ha cassette numerate 716.»

«Che cosa sta dicendo?» domandò l'impiegata.

«Le ho detto che dovrà trattenere il suo dolore più a lungo del previsto, perché qui non abbiamo trovato risposte.» Si rivolse di nuovo ad Akilina. «Fai uno sguardo triste, magari con qualche lacrimuccia...»

«Sono un'acrobata, non un'attrice.»

Le afferrò una mano e le rivolse uno sguardo di compassione. «Provaci, servirà.»

Akilina guardò un istante la donna con aria preoccupata.

«Sentite», disse infine l'impiegata restituendo la chiave a Lord. «Perché non provate alla Commerce and Merchants Bank? È lungo la strada, a tre isolati da qui.»

«Ha funzionato?» domandò Akilina.

«Cosa ha detto?» volle sapere l'impiegata.

«Voleva che traducessi la sua proposta.» Si voltò verso Akilina e le disse in russo: «Forse la stronza ha un cuore, dopotutto». Infine chiese alla donna: «Sa per caso da quanto tempo esiste quella banca?»

«È molto vecchia, come la nostra. Credo sia qui dall'ultimo decennio dell'Ottocento.»

La Commerce and Merchants Bank si presentava come un possente monolito dal basamento in granito grezzo, col rivestimento in marmo e un colonnato corinzio sul prospetto frontale. L'edificio creava un netto contrasto con la Credit and Mercantile Bank e gli altri grattacieli circostanti, le cui facciate dall'andamento geometrico in vetro argentato e acciaio rispecchiavano la contemporaneità.

Entrando, Lord rimase colpito dall'aspetto e dall'atmosfera

tipici di una banca vecchio stile: le finte colonne in marmo, il pavimento di pietra intarsiato, gli sportelli... tutte vestigia di un'epoca in cui le sbarre di metallo decorative svolgevano la funzione poi assegnata alle telecamere di sicurezza.

Una guardia in uniforme li dirottò al primo piano interrato, dove si trovava l'ufficio che controllava l'accesso al deposito.

Nell'ufficio videro un uomo di colore di mezz'età, con la chioma brizzolata; indossava giacca e cravatta e, sulla pancetta incipiente, pendeva la catenella dorata di un orologio da tasca. L'uomo si presentò col nome di Randall Maddox James, con evidente orgoglio per le tre componenti del suo nome.

Lord gli mostrò la nomina dell'esecutore testamentario e la chiave. Senza nessuna rimostranza né ulteriori indagini – a parte qualche domanda pro forma – James li guidò lungo il corridoio principale, nei meandri del labirintico piano interrato. Le cassette di sicurezza occupavano diversi locali spaziosi, in ognuno dei quali le porte si presentavano come rettangoli di acciaio allineati in interminabili file. Furono condotti oltre una di quelle porte, di fronte a una fila di scatole più antiche, dal rivestimento di metallo verde ossidato e la chiusura costituita da un piccolo foro.

«Queste sono le più antiche che conserviamo», spiegò James. «Sono i pochi dinosauri sopravvissuti al terremoto del 1906. Spesso ci chiediamo se mai qualcuno verrà a rivendicarne il contenuto.»

«Non controllate, dopo un certo periodo di tempo?» s'informò Lord.

«La legge non lo permette, finché ogni anno è pagata la rata.»

Lord sollevò la chiave. «Vuole dirmi che l'affitto di questa cassetta è stato pagato dagli anni '20 a oggi?»

«Certo, altrimenti l'avremmo dichiarata inattiva e avremmo fatto saltare la serratura. Evidentemente il vostro defunto ha fatto in modo che ciò non accadesse.»

James indicò la cassetta col numero 716, situata a metà della parete. La porta di accesso misurava all'incirca cinquanta centimetri per venticinque di altezza.

«Se ha bisogno di qualcosa, mi troverà nel mio ufficio», si congedò l'impiegato.

Lord aspettò di sentir chiudere la porta, segno che erano rimasti soli. Poi infilò la chiave nella serratura.

Aprì la cassetta e vide un'altra scatola di metallo. La estrasse e, a giudicare dal peso, si rese conto che conteneva qualcosa. La posò su un vicino tavolo di noce.

All'interno c'erano tre sacchetti di velluto viola – in condizioni decisamente migliori rispetto a quello conservato da Kolja Maks nella tomba – e un quotidiano svizzero, di Berna, datato 25 settembre 1920. Il giornale, piegato in due, era fragile, ma intatto. Palpando il sacchetto più lungo, Lord ne intuì il contenuto; estrasse due lingotti d'oro, identici a quello che avevano lasciato all'aeroporto di Kiev, con le lettere NR e l'aquila a due teste incisi sopra. Quindi afferrò un secondo sacchetto, più panciuto, quasi rotondo. Allentò i lacci di chiusura.

Il contenuto lo stupì.

L'uovo, in smalto trasparente rosa su fondo arabescato, poggiava su gambe a cabriole verdi che, da vicino, si rivelarono foglie avvolte su se stesse e venate da file di diamanti tagliati a rosetta. In cima c'era una piccola corona imperiale posata su un doppio arco, tempestata di diamanti e ornata da uno splendido rubino. L'intero ovale era diviso da quattro file di diamanti e, su ogni spicchio, c'erano rami di mughetti in perle e diamanti, accostati ad altre foglie di smalto traslucido verde. L'intero gioiello era alto quindici centimetri, dalla corona alle gambe.

Lord lo aveva già visto. «È di Fabergé. Un uovo di Pasqua imperiale.»

«Lo so», replicò Akilina. «Ne ho visti di simili all'armeria del Cremlino.»

«Questo, noto col nome di *Uovo con mughetti*, fu offerto in dono a Maria Fëdorovna, madre di Nicola II, nel 1898. C'è soltanto un problema: quest'uovo faceva parte della collezione privata del miliardario americano Malcom Forbes, che acquistò dodici delle cinquantaquattro uova conosciute, arrivando a possederne più dell'armeria del Cremlino. Ho visto questo stesso uovo in una mostra a New York...»

Si udì un cigolìo metallico quando la griglia dall'altra parte della stanza si aprì. Videro James dirigersi verso di loro. Lord si affrettò a riporre l'uovo nel sacchetto di velluto e tirò i lacci di chiusura. I lingotti erano già stati messi via.

«Tutto a posto?» chiese l'uomo, avvicinandosi.

«Sì, grazie», rispose Lord. «Ha per caso una scatola di cartone o un sacchetto di carta in cui poter riporre questi oggetti per il trasporto?»

L'uomo perlustrò il tavolo con una rapida occhiata. «Certamente, Mr Lord. La banca è a sua disposizione.»

Lord avrebbe voluto finire di esaminare il contenuto della cassetta, ma ritenne più saggio abbandonare la banca il prima possibile: considerava Randall Maddox James un po' troppo indiscreto. Sentiva di essere ormai prossimo alla paranoia, ma continuava a ripetersi che, dati gli eventi degli ultimi giorni, la paranoia era comprensibile.

Infilati gli oggetti in una borsa di carta con manici di corda della Commerce and Merchants Bank, il Corvo e l'Aquila uscirono dalla banca e si diressero in taxi alla biblioteca pubblica. Lord si ricordò di aver visto l'edificio in una visita precedente: era un'elegante struttura di fine Ottocento disposta su tre piani, che aveva resistito ai terremoti del 1906 e del 1989. La signora del punto informativo li dirottò nel palazzo moderno situato accanto. Prima d'ispezionare di nuovo il contenuto della borsa, Lord prese alcuni libri su Fabergé, incluso il catalogo completo delle uova di Pasqua imperiali.

Entrarono in una sala lettura, chiusero la porta ed estrassero gli oggetti, disponendoli poi sul tavolo. Lord aprì un libro, da cui lesse che le uova create erano in tutto cinquantasei. La prima era stata commissionata a Carl Fabergé dallo zar Alessandro III nel 1885 come regalo di Pasqua per la moglie, l'imperatrice Maria; la Pasqua era la festività più importante della Chiesa ortodossa russa e veniva celebrata col rituale scambio di uova e tre baci. Il dono era stato talmente apprezzato che lo zar ne aveva fatto fare uno ogni anno. Nicola II, che aveva ereditato il trono nel 1894, aveva continuato la tradizione del padre, ordinandone due per volta: uno per la moglie Alessandra e uno per la madre.

Ogni creazione unica – sempre forgiata con oro smaltato e pietre preziose – conteneva una sorpresa: una piccola carrozza dell'incoronazione, una riproduzione dello yacht imperiale, un treno, animali con congegni a molla o altre complicate miniature meccaniche. Era stata attestata l'esistenza di quarantasette delle cinquantasei uova, la cui ubicazione era indicata nella didascalia sotto le fotografie. Le restanti nove non erano mai più state individuate dopo la rivoluzione bolscevica.

Sotto la fotografia a tutta pagina dell'*Uovo con mughetti*, c'era una didascalia:

Questa meraviglia fu creata da Michael Perchin, mastro orafo di Fabergé. Contiene, come sorpresa, tre ritratti in miniatura dello zar e delle granduchesse Olga e Tatiana, le primogenite.
New York, collezione privata.

La fotografia a colori riproduceva – quasi a grandezza naturale – l'uovo, su cui si vedevano spuntare i tre ritratti in miniatura sormontati dalla corona di diamanti con rubino. Ciascun ritratto era incorniciato da un ovale di diamanti a rosetta su sfondo d'oro. Al centro c'era Nicola II in uniforme, col volto barbuto, le spalle e l'ampio petto in evidenza. Alla sua sinistra Olga, la primogenita di tre anni, col visino angelico circondato dai boccoli biondi; a destra Tatiana, a pochi mesi d'età. Sul retro di ciascuna foto era incisa la data: 5 APRILE 1898.

Sollevò l'uovo trovato nella cassetta di sicurezza e lo affiancò all'immagine riprodotta dal libro. «Queste due uova sono identiche.»

«Il nostro, però, non ha i ritratti», osservò Akilina.

Lord lesse sul libro che il portaritratti si sollevava grazie a un meccanismo automatico che veniva attivato girando un bottone d'oro con una perla, situato sul fianco.

Esaminando l'uovo trovato nel deposito, Lord individuò il bottone di perla e, dopo aver posato l'oggetto sul tavolo, lo girò: la corona tempestata di diamanti si sollevò pian piano, svelando l'effigie di Nicola II, identica a quella dell'*Uovo con mughetti* raffigurato sul libro. Poi comparvero altri due ovali: in uno videro il volto di un maschio, nell'altro quello di una femmina.

Dopo aver sollevato del tutto i ritratti, il meccanismo si fermò.

Guardando i ritratti, Lord riconobbe i volti di Anastasia e di Alessio. Prese un altro libro e lo sfogliò sino a trovare una fotografia dei figli di Nicola II scattata nel 1916, prima della prigionia: l'identità senz'altro corrispondeva, anche se i due giovani del loro uovo erano più grandi e indossavano abiti occidentali; lo *zarevič* aveva una camicia di flanella e Anastasia una camicetta chiara. Dietro ciascun ovale di diamanti su sfondo d'oro era incisa la data: 5 APRILE 1920.

«Sono cresciuti... Sono sopravvissuti.»

Lord prese il giornale ingiallito e lo aprì. Leggeva il tedesco piuttosto bene e notò, in basso, una notizia che forse motivava l'inserimento del quotidiano nella cassetta di sicurezza. L'articolo era intitolato: «Muore l'orafo Fabergé» e riportava la morte di Carl Fabergé, avvenuta il giorno prima all'Hotel Bellevue di Losanna. Era arrivato da poco dalla Germania, dove si era rifugiato dopo l'ascesa al potere dei bolscevichi dell'ottobre 1917. Il racconto proseguiva spiegando come la casa Fabergé, diretta dallo stesso Carl per quarantasette anni, fosse stata chiusa dopo la morte dei Romanov. I comunisti avevano sequestrato tutto e fatto cessare l'attività, che per pochissimo tempo aveva cercato di sopravvivere col nome, più politicamente corretto, di «Comitato degli impiegati della società Fabergé». Il giornalista sottolineava come la mancanza del patrocinio imperiale non fosse stata l'unica causa della cessata attività; la prima guerra mondiale, infatti, aveva minato le risorse di gran parte della clientela benestante di Fabergé. In conclusione, l'articolo faceva notare come le classi privilegiate della società russa sembrassero essersi estinte per sempre. La fotografia abbinata all'articolo mostrava un Fabergé distrutto.

«Questo giornale è stato inserito come prova di autenticità», commentò Lord.

Ruotando l'uovo, notò il marchio di fabbrica dell'orafo che lo aveva forgiato: HW. Sfogliò un volume e trovò una sezione dedicata ai vari orafi che lavoravano per Fabergé. Sapeva che

Fabergé non aveva mai disegnato né costruito nulla: era il geniale presidente di un'associazione di artisti degni del suo nome e aveva fatto produrre alcuni dei più raffinati gioielli mai fabbricati, che tuttavia erano stati progettati e assemblati interamente dagli orafi. Il libro narrava che Michael Perchin, il maestro dell'*Uovo con mughetti*, era morto nel 1903, lasciando la direzione del laboratorio a Henrik Wigström, che l'aveva mantenuta fino alla chiusura ed era morto nel 1923, un anno prima di Fabergé. Il volume inoltre presentava una fotografia del marchio di fabbrica di Wigström – HW – che Lord confrontò con le iniziali incise sul fondo del suo uovo.

Erano identiche.

Vide che Akilina teneva in mano il contenuto dell'ultimo sacchetto di velluto: un altro foglio d'oro con un'incisione in cirillico. Si avvicinò; fece un po' fatica a leggere, ma riuscì a tradurre:

Al Corvo e all'Aquila: questo Paese ha dimostrato di essere il paradiso che si professa. Il sangue imperiale è al sicuro, in attesa del vostro arrivo. Lo zar regna, ma non governa; voi dovete porre rimedio a questo paradosso. I legittimi eredi rimarranno in silenzio finché voi saprete risvegliare il loro spirito nel modo giusto. Più di un secolo fa, Radiščev cantò con parole migliori il destino che io auguro ai despoti che hanno distrutto la nostra nazione: «No, non sarete dimenticati. Dannati per l'eternità. Sangue nella vostra culla, inni e il rombo della battaglia. Ah, fradici di sangue possiate cadere nella tomba». Occupatevene voi.

F. J.

«Tutto qui?» sbottò Lord. «Non ci dice nulla di più? Che cos'è la Campana dell'Inferno? L'altra incisione che abbiamo trovato nella tomba di Maks dice che soltanto la Campana dell'Inferno potrà indicarci la via al prossimo portale. Qui non dice nulla in merito.» Sollevò l'uovo e lo scosse: niente, era vuoto. Esaminando attentamente l'esterno non notò nessun segno né un'apertura. «È evidente che a questo punto dovremmo sapere più di quanto in realtà sappiamo. Paščenko ha detto che nel corso degli anni alcuni frammenti del segreto sono andati perduti; forse abbiamo saltato un passaggio che ci avrebbe rivelato che cos'è la Campana dell'Inferno.»

Avvicinò l'uovo e scrutò le tre foto che spuntavano in cima. «Alessio e Anastasia sono sopravvissuti. Erano qui, in questo Paese. Sono morti da tempo, ma forse hanno lasciato una discendenza. Siamo a un passo dall'incontrarla, ma disponiamo soltanto di oro e di quest'uovo che vale una fortuna.» Scosse la testa. «Jusupov ha passato un sacco di guai, ha persino coinvolto Fabergé, o almeno il suo ultimo mastro orafo, per forgiare questo.»

«Che cosa facciamo ora?» domandò Akilina.

Si appoggiò allo schienale della sedia e valutò la domanda. Avrebbe voluto infonderle fiducia, darle una risposta di speranza, ma alla fine disse la verità.

«Non ne ho idea.»

Mosca,
martedì 19 ottobre,
ore 7.00

Hayes si avvicinò in fretta al telefono che squillava accanto al letto. Aveva appena finito di radersi e di farsi la doccia; si stava preparando a un altro giorno di seduta in commissione, una seduta decisiva in cui sarebbero stati selezionati i tre candidati tra cui effettuare la scelta finale. Non c'erano dubbi sull'inclusione di Baklanov in quella rosa di nomi; ormai la sua elezione era scontata, dal momento che i Cancellieri Segreti avevano confermato di essere riusciti a corrompere tutti i diciassette membri della commissione. Alla fine anche il bastardo noioso che aveva assillato di domande Baklanov nella sua dissertazione finale aveva rivelato il suo prezzo.

Rispose al telefono al quarto squillo e riconobbe subito la voce di Khruščëv.

«Mezz'ora fa è giunta una chiamata dal consolato russo di San Francisco. Il suo Mr Lord è lì, in California, con Akilina Petrovna.»

Hayes rimase sbalordito. «Che cos'è andato a fare laggiù?»

«Si è presentato in una banca locale con la chiave di una cassetta di sicurezza, che deve aver recuperato nella tomba di Kolja Maks. La Commerce and Merchants Bank è una delle tante istituzioni tenute sotto controllo dai comunisti nel corso degli anni. Il KGB aveva l'ossessione di recuperare le ricchezze dello zar; era convinto che prima della rivoluzione fossero stati nascosti lingotti d'oro nei depositi di una banca. E avevano ragione, perché dopo il 1917 sono stati scoperti conti miliardari.»

«Mi sta dicendo che i suoi uomini controllano le banche in cerca di soldi risalenti a un secolo fa? Non mi sorprende che il vostro governo sia al verde: lasciate perdere, pensate al futuro.»

«Ne è convinto? Ascolti che cos'è accaduto, e forse non ci riterrà più tanto stupidi. In parte, ciò che dice è vero; dopo il crollo del comunismo non si poteva nemmeno pensare di risolvere situazioni simili. Tuttavia ho avuto l'intuizione di riallacciare alcuni contatti che risalivano alla nascita della nostra società segreta. Il consolato russo di San Francisco ha mantenuto un discreto rapporto con due tra le banche più vecchie della città, che erano state usate come depositi dagli agenti zaristi prima della rivoluzione. Per fortuna, uno dei nostri agenti ha riferito l'accesso a una cassetta di sicurezza che sospettavamo connessa allo zar.»

«Che cos'è successo?»

«Lord e la Petrovna si sono presentati, spacciandosi per i rappresentanti del patrimonio di un certo defunto. L'addetto non si è insospettito finché non ha visto la chiave di una delle cassette più antiche conservate dalla banca, che noi tenevamo sotto controllo. Lord ha lasciato la banca con tre sacchetti di velluto dal contenuto ignoto.»

«Sappiamo dove si trovano ora?»

«Lord ha firmato l'accesso al deposito lasciando il recapito di un albergo nei dintorni. Abbiamo avuto conferma che lui e la Petrovna risiedono lì; a quanto pare in America si sente più al sicuro.»

La mente di Hayes andò su di giri. Guardò l'orologio: le sette di martedì mattina a Mosca significavano le otto di lunedì sera in California.

Lord aveva cominciato un nuovo giorno dodici ore prima.

«Ho un'idea», disse a Khruščëv.

«Ci contavo.»

Lord e Akilina uscirono dall'ascensore nella hall del Marriott; il contenuto della cassetta di sicurezza si trovava al sicuro nella loro stanza. La biblioteca pubblica di San Francisco apriva alle nove, e Lord voleva andarci subito per approfondire le ricerche sulla tessera mancante del puzzle e stabilire un percorso che fornisse loro alcune risposte.

Quell'impresa, che all'inizio gli era sembrata soltanto un pretesto per abbandonare Mosca, cominciava a coinvolgerlo. All'inizio, aveva pensato soltanto di dare un'occhiata a Starodub, per poi prendere il primo aereo diretto in Georgia. Tuttavia – dopo quanto accaduto ai Maks e la scoperta del materiale ritrovato a Starodub e nella banca – si era reso conto che la posta in gioco era molto più alta del previsto. Ormai era determinato ad andare sino in fondo, a ogni costo. Oltretutto la ricerca era stata resa ancora più interessante dal sentimento che stava nascendo tra lui e Akilina.

Aveva prenotato un'unica stanza al Marriott; letti separati, ma i discorsi della sera prima avevano fatto nascere tra loro un'intimità alla quale non era più abituato. Avevano guardato una commedia romantica alla televisione; lui aveva tradotto i dialoghi e lei si era molto divertita ad ascoltare i suoi commenti. Gli piaceva stare con quella donna.

Nella sua vita aveva avuto un unico legame importante, con una compagna di studi dell'University of Virginia. Poi aveva scoperto che la ragazza era assai più interessata a far carriera che a coltivare una relazione; lo aveva lasciato subito dopo la laurea per accettare un'offerta in uno studio legale di Washington, dove, con ogni probabilità, lavorava ancora, occupata a scalare la gerarchia che l'avrebbe portata a diventare socia.

Da quando si era trasferito in Georgia per lavorare da Pridgen & Woodworth, Lord aveva avuto qualche flirt, ma niente di serio; nessun incontro si era rivelato interessante come quello con Akilina Petrovna. Non aveva mai creduto nel destino – un concetto che gli sembrava più adatto al prototipo di fedele seguace di suo padre –, tuttavia non poteva negare che sia la ricerca sia la loro reciproca attrazione fossero cose stimolanti.

«Mr Lord.»

Il suo nome, gridato nell'ampio atrio dell'albergo, lo colse di sorpresa: non conosceva nessuno a San Francisco.

Lui e Akilina si fermarono e si voltarono.

Videro avvicinarsi una specie di allegro gnomo dai capelli e baffi neri, infilato in un doppio petto con ampi risvolti, dal taglio europeo. Camminava con andatura costante, aiutandosi con un bastone e non accelerò per raggiungerli.

«Sono Filipp Vitenko, del consolato russo», si presentò l'uomo, in inglese.

Lord s'irrigidì. «Come ha fatto a trovarmi?»

«Potremmo sederci da qualche parte? Dobbiamo parlare.» Non aveva nessuna intenzione di avventurarsi chissà dove con quell'uomo, quindi indicò un gruppo di sedie lì vicino.

Quando si furono seduti, Vitenko disse: «So dell'incidente avvenuto sulla Piazza Rossa venerdì scorso...»

«Può parlare in russo, in modo che la signorina Petrovna la possa capire? Il suo inglese non è buono come il suo.»

«Certo», rispose Vitenko in russo, sorridendo ad Akilina. «Come ho detto, sono al corrente di quanto accaduto venerdì sulla Piazza Rossa. In seguito all'uccisione del poliziotto, le autorità di Mosca hanno diffuso un comunicato per favorire la sua cattura; lei dovrebbe essere interrogato.»

Lord era sempre più inquieto.

«So pure che ha avuto contatti con l'ispettore Feliks Orleg. Mi rendo conto, Mr Lord, della sua totale estraneità ai fatti della Piazza Rossa. Anzi i sospetti ricadono proprio su Orleg, ed è per questo che mi hanno ordinato di mettermi in contatto con lei e assicurare la sua collaborazione.»

«Non mi ha ancora detto come ha fatto a rintracciarci», replicò Lord, per nulla convinto da quella spiegazione.

«Per un certo numero di anni, il nostro consolato ha mantenuto i contatti con due istituzioni finanziarie della città che esistevano all'epoca dello zar ed erano usate come depositi dagli agenti imperiali. Si dice che, prima della rivoluzione, Nicola II abbia messo al sicuro molto oro. Ieri, quando lei si è presentato in entrambe le banche per aprire una cassetta di sicurezza che per lungo tempo abbiamo ritenuto connessa con l'ambiente imperiale, ci hanno avvisato.»

«Avete violato la legge», ribatté Lord. «Qui non siamo in Russia. Le banche dovrebbero tutelare la privacy dei clienti.»

Il diplomatico non aveva l'aria turbata. «Conosco le vostre

leggi. Per caso esse tutelano l'accesso a beni altrui tramite documenti falsi?»

Lord colse il messaggio. «Che cosa vuole?»

«L'ispettore Orleg è sorvegliato da un po' di tempo perché sospettato di connivenza con una certa organizzazione che intende influenzare la scelta della Commissione per lo zar. Artemij Belij, il giovane avvocato ucciso, è stato eliminato perché stava indagando su Orleg e questa associazione. Purtroppo anche lei era presente al momento dell'uccisione, perciò i sicari hanno pensato che forse Belij poteva averle rivelato qualcosa. Ecco perché la stanno seguendo, come hanno fatto sulla Piazza Rossa...»

«Anche su un treno proveniente da San Pietroburgo.»

«Non lo sapevo.»

«Quale tipo di gruppo sta tentando d'influenzare la commissione?»

«Credevamo che lei ne sapesse più di noi. Il mio governo è soltanto al corrente dell'esistenza di un'associazione e di un imponente giro di denaro in cui è coinvolto anche Orleg. Il loro obiettivo sembrerebbe favorire l'elezione di Stefan Baklanov.»

I conti cominciavano a tornare, ma lui voleva saperne di più. «Sono sospettati anche alcuni uomini d'affari americani? Il mio studio legale ne rappresenta un buon numero.»

«Abbiamo ragione di credere che sia così. In effetti, sembrerebbe proprio quella la fonte dei finanziamenti. Credevamo che pure in questo lei potesse aiutarci.»

«Avete parlato col mio capo, Taylor Hayes?»

Vitenko scosse il capo. «Il governo ha tentato di circoscrivere le indagini per mantenere segrete le informazioni. Stiamo per eseguire alcuni arresti, ma mi hanno ordinato d'interrogarla per vedere se si riusciva a scoprire qualcosa di più. Inoltre, un rappresentante di Mosca vorrebbe incontrarla, se possibile.»

A quel punto, Lord si sentì estremamente inquieto: l'idea che un moscovita sapesse dove si trovava non gli piaceva affatto.

Probabilmente sul suo volto traspariva lo stato di apprensione in cui si trovava, perché Vitenko si affrettò ad aggiungere: «Non tema, Mr Lord, la sua sarà una conversazione telefonica. Le assicuro che il governo che rappresento è interessato a far luce sui fatti accaduti negli ultimi giorni e chiede soltanto la sua collaborazione. Il voto finale della commissione è previsto tra due giorni; se c'è un processo di corruzione in atto, dobbiamo saperlo».

Lord rimase in silenzio.

«Non possiamo costruire una nuova Russia sulle fondamenta precarie del passato. Se i membri della commissione sono stati corrotti, allora forse anche Stefan Baklanov è compromesso. Non possiamo permettere che ciò accada.»

Lord lanciò una rapida occhiata ad Akilina, che gli comunicò la sua preoccupazione indugiando con lo sguardo. Mentre il delegato parlava, a Lord vennero in mente alcune domande.

«Per quale motivo il vostro governo continua a essere interessato alle ricchezze dello zar? È assurdo, dopo così tanto tempo...»

Vitenko si appoggiò allo schienale della sedia. «Prima del 1917, Nicola II nascose diversi milioni di oro imperiale, e i comunisti ritennero loro dovere ritrovare ogni singolo centesimo di quella ricchezza. A San Francisco confluirono tutti gli aiuti alleati a sostegno dell'Armata Bianca; gran parte dell'oro zarista fu depositato qui, a disposizione delle banche londinesi e newyorkesi che finanziavano l'acquisto di armamenti e munizioni. Gli emigrati russi seguirono il percorso di quell'oro e vennero qui a San Francisco; alcuni erano semplici rifugiati, ma altri arrivarono con uno scopo preciso.» Il delegato aveva assunto una postura rigida, assai adeguata alla sua indole ottusa. «All'epoca, il console generale russo si dichiarò apertamente antibolscevico e giocò un ruolo attivo nella propaganda dell'intervento americano nella guerra civile russa, approfittando a livello personale del flusso d'oro destinato all'armamento che circolava nelle banche locali. I comunisti si convinsero di poter ancora trovare qui consistenti somme di quello che consideravano il *loro* denaro. Poi c'è la questione del colonnello Nicola F. Romanov.»

Il tono con cui l'uomo pronunciò quel nome sottolineò l'importanza dell'argomento. Vitenko estrasse dalla tasca della giacca la copia di un articolo del *San Francisco Examiner* datata 16 ottobre 1919: si narrava dell'arrivo di un colonnello russo con lo stesso cognome della deposta dinastia imperiale, il quale, probabilmente, era diretto a Washington per assicurare il sostegno americano alla causa dell'Armata Bianca.

«L'arrivo di quell'uomo portò un bello scompiglio da queste parti, e il console ne tenne sotto controllo ogni attività; in effetti, possediamo ancora un dossier su di lui. Nessuno sa se fosse o no un Romanov; probabilmente no, il nome doveva essere soltanto un espediente per suscitare interesse. Fatto sta che riuscì a eludere la sorveglianza su di sé e a far sparire le tracce; non si sa che cosa fece durante la sua permanenza, né dove sia finito. Sappiamo, però, che in quell'epoca furono aperti numerosi conti correnti, di cui uno alla Commerce and Merchants Bank, dove furono affittate anche quattro cassette di sicurezza. Proprio a una di quelle cassette avete avuto accesso ieri.»

Lord cominciò a capire le ragioni dell'interesse di quell'uomo nei suoi confronti. C'erano un po' troppe coincidenze per poter parlare di casualità.

«Potrebbe dirmi che cosa c'era in quella cassetta, Mr Lord?»

Il Corvo non si fidava abbastanza di quel tizio per renderlo partecipe dell'informazione. «Non ora.»

«Forse preferisce dirlo al rappresentante di Mosca?»

Non essendo sicuro nemmeno di quell'alternativa, Lord non rispose.

Vitenko percepì di nuovo la sua titubanza. «Mr Lord, sono stato sincero con lei; non ha ragione di dubitare delle mie intenzioni. Certamente capirà perché il mio governo è interessato a ciò che è accaduto.»

«E lei certamente capirà le ragioni della mia prudenza. Negli ultimi giorni ho rischiato la vita e, tra l'altro, non mi ha ancora detto come ha fatto a trovarci.»

«Ha inserito il nome dell'albergo nella scheda di accesso alla banca.»

Bella risposta, pensò.

Vitenko estrasse dalla tasca un biglietto da visita. «Comprendo la sua diffidenza, Mr Lord. Può contattarmi a questi recapiti; qualsiasi taxista la condurrà al consolato russo. Il rappresentante di Mosca chiamerà alle quattordici e trenta, ora locale: se vorrà parlargli, la prego di recarsi nel mio ufficio. Altrimenti non sentirà più parlare di noi.»

Lord accettò il biglietto e scrutò il volto del delegato, incerto sul da farsi.

Il Corvo e l'Aquila avevano trascorso la mattinata in biblioteca, a leggere vecchi giornali, e avevano trovato un paio di articoli sulla visita del colonnello Nicola F. Romanov a San Francisco, nell'autunno 1919. Si trattava più che altro di pettegolezzi, che avevano soltanto alimentato la già evidente frustrazione di Lord. Avevano inoltre verificato che l'*Uovo con mughetti* si trovava sempre nell'originaria collezione privata, il che non spiegava come mai loro possedessero un duplicato identico in ogni particolare, tranne le fotografie.

Dopo un pranzo leggero in uno dei caffè sulla strada, erano ritornati in camera. Lord non aveva più fatto cenno a Filipp Vitenko e al suo invito a comparire al consolato russo; mancavano pochi minuti. Akilina aveva osservato il delegato con attenzione, per cercare di capire se fosse affidabile.

La donna guardò Lord, e vide un bell'uomo. Il fatto che fosse «di colore» – come le avevano insegnato a dire – non rappresentava affatto un problema per lei; le sembrava un tipo schietto e sincero, coinvolto in una vicenda straordinaria. Ormai avevano trascorso cinque notti insieme, e lui non si era mai abbandonato ad allusioni sconvenienti. Per lei era una situazione del tutto singolare, dal momento che gli uomini del circo, e quei pochi che frequentava al di fuori dell'ambiente di lavoro, sembravano fissati sul sesso.

«Akilina.»

La donna guardò Lord negli occhi.

«A che cosa pensavi?» domandò lui.

Non volendo rivelare la natura delle sue vere considerazioni, Akilina rispose: «Filipp Vitenko mi è sembrato sincero».

«Sì, anche a me, ma il fatto può non significare nulla.»

Lord si sedette sul bordo del letto con l'uovo di Fabergé in mano. «Ci manca un anello della catena... Una parte del segreto è andata perduta. È evidente che ci troviamo in un vicolo cieco.»

Lei sapeva dove lui voleva arrivare. «Andrai al consolato?»

«Credo di non avere scelta. Se qualcuno sta cercando di manipolare la commissione, devo dare il mio contributo per impedire che ciò accada.»

«Ma tu non sai niente.»

«Sono curioso di ciò che potrebbe dirmi il rappresentante di Mosca; le sue informazioni potrebbero essere utili all'uomo per cui lavoro. Non scordarti che in origine il mio mandato consisteva nel garantire la scelta di Stefan Baklanov: devo fare il mio lavoro.»

«Allora ci andremo insieme», disse lei.

«No. Forse sto per correre un rischio, ma non sono pazzo. Voglio che tu prenda tutta questa roba e ti rechi in un altro albergo. Esci dal garage, invece che dall'ingresso principale e non attraversare la hall; l'albergo potrebbe essere sotto sorveglianza. Nel caso qualcuno intenda seguirti, raggiungi il nuovo albergo con un percorso alternativo – magari in metropolitana, in autobus o in taxi – e allunga di un paio d'ore. Io mi recherò al consolato alle due e mezzo, tu chiama alle tre e mezzo da un telefono pubblico; se non rispondo, oppure ti dicono che non sono raggiungibile o che me ne sono già andato, stai in guardia e nasconditi.»

«La prospettiva non mi piace.»

Lord si alzò, si diresse verso il tavolo su cui era posato il sacchetto di velluto viola e vi fece scivolare dentro l'uovo. «Neanche a me, Akilina, ma non abbiamo scelta. Se esistono eredi diretti dei Romanov, il governo russo deve saperlo. Non possiamo lasciare che quel Rasputin, vissuto più di cent'anni fa, governi la nostra vita.»

«Ma non abbiamo idea di dove cercare.»

«La pubblicità potrebbe spingere gli eventuali discendenti di Alessio o di Anastasia a uscire allo scoperto, e il test del

DNA può facilmente distinguere un truffatore da un vero erede.»

«Ci è stato detto di compiere questa impresa da soli.»

«Siamo l'Aquila e il Corvo, giusto? E allora abbiamo il diritto di stabilire noi le regole.»

«Non sono d'accordo. Dovremmo trovare l'erede dello zar, come predetto dallo *starec*.»

Lord si appoggiò al tavolo. «Il popolo russo deve sapere la verità. Perché i concetti di apertura e trasparenza vi sono tanto estranei? Secondo me dovremmo lasciare che siano il governo russo e il dipartimento di Stato americano a occuparsi della faccenda. Dirò tutto al tizio di Mosca.»

Il percorso che Lord stava per intraprendere non la ispirava affatto; lei avrebbe preferito restare nell'anonimato, cercare la protezione che poteva offrire una metropoli. Forse invece aveva ragione lui: bisognava avvertire le autorità di competenza e fare qualcosa prima che la Commissione per lo zar scegliesse Stefan Baklanov, o chi per esso, come zar di tutte le Russie.

«Il mio compito era trovare qualsiasi cosa fosse in grado d'impugnare la candidatura di Stefan Baklanov, e credo proprio di averlo fatto. Il mio capo deve venire a conoscenza di ciò che sappiamo. La posta in gioco è molto alta, Akilina.»

«Coinvolge la tua carriera, forse?»

Lord restò in silenzio un istante. «Forse.»

Lei avrebbe voluto fargli altre domande, ma non parlò più. Era ovvio che ormai lui aveva preso la sua decisione e non aveva nessuna intenzione di cambiarla. Doveva fidarsi di lui e credere nel fatto che fosse consapevole delle proprie azioni.

«Come farai a trovarmi, dopo che sarai uscito dal consolato?» domandò Akilina.

Lord sollevò uno dei tanti dépliant, un opuscolo colorato con le fotografie di una zebra e di una tigre sul davanti.

«Lo zoo è aperto fino alle sette di sera: ci vedremo lì, alla Lion House, dove ci sono le gabbie dei leoni. La tua conoscenza dell'inglese è sufficiente per farti trovare il luogo d'incontro. Se non mi vedi arrivare entro le sei, vai alla polizia e racconta tutto. Esigi la convocazione di un rappresentante del dipartimento di Stato americano e fa' in modo che si metta in contatto con l'uomo per cui lavoro, Taylor Hayes, che si trova a Mosca con la commissione. Spiega tutto, nei minimi dettagli. Quando mi chiamerai alle tre e mezzo, a meno che non sia io a parlare personalmente con te, non credere a una sola parola di quanto ti diranno. Aspettati il peggio e fa' come ti ho detto. Tutto chiaro?»

Akilina era perplessa.

«Ti capisco», disse lui. «Vitenko mi è sembrato a posto; inoltre qui siamo a San Francisco, non a Mosca. Tuttavia dobbiamo essere realisti: se la situazione è più complicata di quello che ci hanno fatto credere, dubito che ci rivedremo ancora.»

Ore 14.30

Il consolato russo si trovava in un quartiere chic, non lontano da Chinatown e dalla lussuosa Nob Hill. L'edificio a due piani in arenaria rossiccia, dotato di una torretta, era situato sull'angolo di un incrocio trafficato. I balconi del piano superiore erano caratterizzati da elaborate volute metalliche; il tetto era rifinito con una cornice ornamentale in ghisa.

Lord scese da un taxi di fronte all'ingresso, percependo lungo la schiena il brivido provocato dalla nebbia che s'insinuava dal vicino oceano. Dopo aver pagato il taxi, percorse il vialetto di mattoni che conduceva ai gradini di granito. L'entrata era sorvegliata da una coppia di leoni di marmo, e una placca di bronzo nella pietra annunciava: CONSOLATO DELLA FEDERAZIONE RUSSA.

Entrò e vide pareti rivestite di legno dorato, statue e il pavimento a mosaico. Un guardiano in uniforme lo indirizzò al piano superiore, dove Filipp Vitenko lo stava aspettando.

Il russo gli strinse la mano e lo invitò a sedersi su una delle due poltrone rivestite di broccato. «Sono davvero lieto che abbia deciso di collaborare con noi, Mr Lord. Il mio governo gliene sarà grato.»

«Devo confessarle, signor Vitenko, che il solo fatto di essere qui mi fa sentire a disagio. Tuttavia sentivo di dover dare il mio contributo.»

«Ho riferito la sua riluttanza ai miei superiori a Mosca, i quali mi hanno garantito che non sarebbe comunque stata fatta nessuna pressione su di lei per indurla a collaborare. Capiscono perfettamente come deve sentirsi dopo le terribili esperienze vissute, e sono dispiaciuti che la sua permanenza in Russia sia stata costellata da simili disavventure.»

Vitenko afferrò un pacchetto di sigarette, fonte dell'odore

acre che permeava la stanza, e ne offrì una a Lord, il quale declinò l'offerta.

«Anch'io vorrei tanto non essere dipendente da quest'abitudine.» Vitenko inserì il filtro in un lungo bocchino d'argento e accese l'estremità opposta. Si alzò una spessa nuvola di fumo.

«Con chi parlerò?» chiese Lord.

«Con un rappresentante del ministero della Giustizia: conosceva Artemij Belij ed è a capo dell'operazione volta alla cattura di Orleg e di molti altri, per i quali sono già stati preparati gli ordini di arresto. La conoscenza di ulteriori fatti può contribuire a smascherare quanto prima quei criminali.»

«La Commissione per lo zar è stata allertata?»

«Il presidente è a conoscenza degli avvenimenti in corso, ma di certo lei comprenderà come un annuncio ufficiale vada evitato, perché non farebbe altro che intralciare le indagini. La nostra situazione politica è più che mai fragile, e le delibere della commissione sono a un punto di svolta.»

Lord cominciò a rilassarsi. La situazione non gli sembrava minacciosa, e nulla, nelle parole o nei modi di Vitenko, induceva sospetti.

Il telefono sulla scrivania si destò all'improvviso. Vitenko rispose in russo e ordinò di passare la chiamata, dopodiché rimise a posto la cornetta e premette il pulsante del vivavoce.

«Mr Lord, sono Maxim Zubarev del ministero della Giustizia di Mosca. Spero che abbia trascorso una buona giornata», disse un uomo, attraverso il microfono.

«Sì grazie, signor Zubarev», replicò Lord, chiedendosi come facesse a sapere che lui conosceva il russo. «Per lei è un po' tardi per essere ancora in piedi, invece.»

Una risata gracchiò attraverso il microfono. «In effetti qui a Mosca siamo nel cuore della notte, ma la questione è molto importante. Quando abbiamo saputo che si trovava a San Francisco abbiamo tratto un sospiro di sollievo: credevamo che gli uomini che le stavano alle costole fossero riusciti a catturarla.»

«Credevo che stessero inseguendo Artemij.»

«Artemij stava lavorando per me; eseguiva indagini riservate. Per un certo verso, infatti, mi sento responsabile, ma lui voleva offrire il suo contributo. Ho sbagliato a sottovalutare il calibro degli individui coinvolti in questo misfatto.»

Lord decise di sondare il terreno. «La commissione è stata coinvolta?»

«Non ne siamo sicuri, ma sospettiamo che sia così. Speriamo soltanto che il processo di corruzione non sia già a uno stadio troppo avanzato e possa essere fermato. In origine si credeva che l'unanimità prevista per la decisione potesse prevenire questo tipo di abuso, ma temo che in realtà non abbia fatto altro che aumentare la portata di un eventuale misfatto.»

«Lavoro per Taylor Hayes, un avvocato americano molto legato agli investimenti stranieri in Russia...»

«Conosco Mr Hayes.»

«Potrebbe contattarlo e fargli sapere dove sono?»

«Certo, ma lei mi può dire perché si trova a San Francisco e ha aperto la cassetta di sicurezza della Commerce and Merchants Bank?»

Lord si appoggiò allo schienale della poltrona. «Se glielo dicessi non mi crederebbe.»

«Perché non lascia che sia io a giudicare la verosimiglianza delle sue affermazioni?» ribatté Zubarev.

«Sto cercando Alessio e Anastasia Romanov.»

Dall'altra parte ci fu una lunga pausa. Vitenko lo guardò con aria stupefatta.

«Potrebbe spiegarsi meglio, Mr Lord?» chiese la voce attraverso il microfono.

«Sembra che due figli dello zar siano riusciti a fuggire da Ekaterinburg e siano stati portati in questo Paese da Feliks Jusupov, intento a rispettare una profezia di Rasputin risalente al 1916, di cui ho trovato testimonianze scritte negli archivi di Mosca.»

«Di quali prove dispone per dimostrare quanto afferma?»

Prima di rispondere, udì provenire dalla strada la sirena di un'ambulanza. Non l'avrebbe notato, se non avesse udito la stessa sirena anche attraverso il microfono.

In un attimo le implicazioni di quella casualità gli furono chiare.

Si alzò di scatto e uscì dalla stanza come un lampo.

Vitenko lo chiamò.

Non appena aprì la porta, Lord s'imbatté nel sordido ghigno di Droopy, dietro cui vide Feliks Orleg. Droopy lo colpì con un pugno in faccia, facendolo arretrare verso la scrivania di Vitenko, mentre fiotti di sangue gli colavano dalle narici. L'immagine della stanza andava e veniva.

Orleg gli corse incontro e lo bloccò.

Lord si accasciò sul pavimento di parquet, senza capire il significato di alcune parole che udì.

Cercò di tenere duro, ma l'oscurità calò su di lui come un sipario.

Quando Lord riprese coscienza, si ritrovò legato alla stessa poltrona su cui era seduto durante la conversazione con Vitenko; nel frattempo, però, gli erano stati legati mani e piedi e la bocca era stata sigillata col nastro adesivo. Il naso gli doleva; maglione e jeans erano macchiati di sangue. Riusciva ancora a vedere, sebbene il gonfiore dell'occhio destro rendesse sfocati i profili dei tre uomini.

«Sveglia, Mr Lord.»

Strizzò le palpebre per vedere l'uomo che si era rivolto a lui in russo. Era Orleg.

«So che mi capisce, ma vorrei che facesse un segno se mi sente.»

Lui annuì.

«Bene. È bello incontrarla di nuovo, qui in America, la terra delle opportunità. Bel posto, no?»

Droopy gli assestò un pugno tra le gambe: il dolore paralizzante gli fece salire le lacrime agli occhi. Il nastro che gli chiudeva la bocca soffocò il suo grido di dolore. Ansimò, nel disperato tentativo d'immettere aria nei polmoni attraverso le narici sofferenti.

«Maledetto *čudak*», grugnì Droopy.

Il criminale arretrò per tirare un altro colpo, ma Orleg gli fermò il pugno. «Basta, o non ci sarà di nessun aiuto. Mr Lord, quest'uomo la odia perché gli ha spruzzato lo spray negli occhi sul treno e lo ha colpito in testa nel bosco, perciò vorrebbe ucciderla. A me non importerebbe nulla, ma gli uomini per cui lavoro vogliono ottenere da lei alcune informazioni e mi hanno autorizzato a dirle che, se collaborerà, la sua vita sarà risparmiata.»

Lord non credette a una sola parola, e l'altro glielo lesse negli occhi.

«Non mi crede? Infatti è una bugia. Lei morirà, non c'è

dubbio. Intendevo dire che è sua facoltà influenzare la procedura che la condurrà alla morte.» La vicinanza di Orleg gli fece percepire, attraverso l'odore del suo stesso sangue, la puzza di alcol da quattro soldi dell'alito dell'ispettore. «Scelga: una pallottola in testa, rapida e indolore, oppure questo.» Orleg mostrò un pezzo di nastro adesivo, che poi avvolse intorno al naso fratturato di Lord.

Il dolore gli fece di nuovo venire le lacrime agli occhi, ma fu la repentina mancanza d'aria il fattore più spaventoso: col naso e con la bocca tappati, infatti, i polmoni esaurirono velocemente gli ultimi residui di ossigeno. L'impossibilità di espirare, oltre che d'inspirare, provocò un aumento improvviso del livello di anidride carbonica, che lo condusse di nuovo sulla strada del deliquio. Sembrò che gli occhi gli dovessero esplodere da un momento all'altro, e soltanto un istante prima dello svenimento Orleg strappò via il nastro adesivo dal naso.

Lord inspirò a fondo per riempirsi in fretta i polmoni. A ogni respiro il sangue gli colava in gola e, non potendo sputare, lo ingoiava. Continuò a inspirare col naso, apprezzando l'importanza di un atto che fino a quel momento aveva dato per scontato.

«L'opzione numero due non è piacevole, vero?» domandò Orleg.

Se ne avesse avuto la possibilità, Lord avrebbe ucciso Feliks Orleg a mani nude, senza esitazione, senza sensi di colpa. Ancora una volta, il suo sguardo tradì le sue intenzioni.

«Quanto odio... Le piacerebbe uccidermi, vero? Peccato che non ne avrà mai l'occasione. Come ho già detto, lei morirà; resta solo da decidere se sarà una morte rapida o lenta... E se Akilina Petrovna si unirà a lei.»

Quando udì quel nome, Lord piantò gli occhi in faccia a Orleg.

«Sapevo che in questo modo avrei attirato la sua attenzione», ridacchiò l'ispettore.

Filipp Vitenko avanzò fino a trovarsi alle spalle di Orleg. «Non stiamo esagerando un po'? Quando ho passato le informazioni a Mosca, nessuno ha parlato di omicidio.»

Orleg si voltò verso il diplomatico. «Stia zitto e seduto.»

«A chi crede di parlare?» sbraitò Vitenko. «Sono il console generale e non prendo ordini dalla *milicija* moscovita.»

«Adesso sì», ribatté Orleg facendo un cenno a Droopy. «Toglimi di torno questo idiota.»

Vitenko venne fatto arretrare con uno spintone. Liberatosi dalla presa di Droopy, il delegato si diresse dall'altra parte della stanza dicendo: «Chiamerò Mosca. Non ritengo che tutto ciò sia necessario, qualcosa non torna».

La porta dell'ufficio si aprì ed entrò un uomo anziano, con la faccia lunga e piatta e gli occhi rugosi, color ruggine. Indossava un completo scuro.

«Nessuno chiamerà Mosca, console Vitenko. Sono stato chiaro?»

Vitenko esitò un istante, come per valutare le parole. Lord riconobbe la voce: era l'uomo che gli aveva parlato attraverso il microfono. Il diplomatico si ritirò in un angolo della stanza.

La nuova comparsa si avvicinò all'americano. «Sono Maxim Zubarev, ci siamo parlati prima. A quanto pare la nostra piccola messinscena non ha funzionato.»

Orleg si ritirò. Era evidente che quell'uomo era il responsabile di tutto.

«L'ispettore aveva ragione nel dire che lei morirà: mi dispiace, ma non ho scelta. Posso prometterle, però, che la signorina Petrovna verrà risparmiata; non abbiamo motivo di coinvolgerla, dal momento che non è in possesso di oggetti o informazioni rilevanti. Naturalmente non siamo ancora riusciti a sapere che cosa sa lei. Dirò a Orleg di toglierle il cerotto dalla bocca.» L'anziano fece un cenno a Droopy, che si affrettò a chiudere la porta dell'ufficio. «Ma non perda tempo a gridare: questa stanza è insonorizzata. Forse noi due riusciremo a condurre una conversazione intelligente e, se mi dirà la verità, la signorina Petrovna sarà lasciata in pace.»

Zubarev arretrò, e Orleg strappò via il nastro dalla bocca di Lord, il quale mosse la mandibola per allentare la rigidità.

«Meglio, Mr Lord?» domandò Zubarev.

Nessuna risposta.

Zubarev prese una sedia e gli si sedette di fronte. «Ora mi dica ciò che non ha finito di raccontarmi al telefono: quali ragioni le fanno credere che Alessio e Anastasia Romanov siano scampati all'esecuzione bolscevica?»

«Lei ha corrotto Baklanov, vero?» ribatté Lord.

L'anziano trasse un respiro profondo. «Non vedo come la cosa possa interessarla, ma nella speranza d'indurla a collaborare le risponderò: sì. L'unico intralcio alla sua elezione potrebbe essere la scoperta dell'esistenza di eredi diretti di Nicola II.»

«Qual è lo scopo di tutte queste macchinazioni?»

«Lo scopo, Mr Lord, è la stabilità. Il ritorno al regime monarchico potrebbe minare in modo incisivo non soltanto i miei interessi, ma anche quelli di molte altre persone. Lei non si trovava a Mosca proprio per questo?»

«Non avevo la minima idea che Baklanov fosse una marionetta.»

«È una marionetta accondiscendente, e noi siamo abili manovratori. La Russia prospererà sotto la sua guida, e anche noi.» Zubarev esaminò con gesto casuale le unghie della sua mano destra, poi guardò di nuovo l'americano. «Sappiamo che la signorina Petrovna si trova qui a San Francisco, anche se non è più nel vostro albergo. I miei uomini la stanno cercando e, se la trovano prima che lei mi dica ciò che voglio sapere, non avrò pietà: lascerò che si divertano con lei come meglio credono.»

«Non siamo in Russia, qui», replicò Lord.

«Vero. Ma faremo in modo di riportarcela; all'aeroporto c'è un aereo che aspetta soltanto lei. Abbiamo già messo in chiaro con la dogana che la donna è ricercata per un interrogatorio. L'FBI si è persino offerto di aiutarci a cercarvi; la cooperazione internazionale è una cosa meravigliosa, non crede?»

Lord sapeva cosa fare: sperava soltanto che, non vedendolo comparire allo zoo, Akilina avrebbe lasciato la città. L'idea di non vederla mai più lo rattristava. «Non vi dirò niente.»

Zubarev si alzò. «Come preferisce.»

Quando l'anziano uscì dalla stanza, Droopy cominciò a ghignare.

Il Corvo sperò che la fine arrivasse in fretta.

Hayes alzò lo sguardo dal microfono quando vide entrare Maxim Zubarev, il cancelliere Khruščëv. Aveva ascoltato l'intera discussione dal corridoio, grazie a una microspia nella stanza. Lui, Khruščëv, Droopy e Orleg erano partiti da Mosca la sera prima, poche ore dopo la chiamata che aveva comunicato la posizione di Lord. Il fuso orario di undici ore aveva permesso loro di percorrere quattordicimila chilometri e di arrivare a San Francisco mentre Lord stava pranzando. Grazie ai legami di Zubarev col governo, Orleg aveva ottenuto il visto di espatrio della polizia; una chiamata aveva garantito l'aiuto dell'FBI e della dogana statunitense nel rintracciare Miles Lord e Akilina Petrovna, qualora necessario. Hayes, però, aveva rifiutato l'immediata offerta d'intervento americano, nella speranza di risolvere la situazione entro limiti circoscritti. Era stata concordata col dipartimento di Stato americano l'estradizione agevolata verso la Russia per Lord e la Petrovna; all'aeroporto di San Francisco, l'Ufficio immigrazione avrebbe posto poche domande: il mandato di cattura per omicidio era una ragione sufficiente per assicurarsi la collaborazione americana senza troppe domande. L'obiettivo era esporsi il meno possibile, impedendo a Lord di scoprire ciò che voleva. Il problema tuttavia è che loro non sapevano ancora quale fosse l'oggetto della ricerca di Lord, a parte la farneticazione secondo cui forse, da qualche parte negli Stati Uniti, esisteva un erede diretto di Nicola II.

«Il suo Mr Lord è un ribelle», osservò Khruščëv chiudendo la porta.

«Perché tutta questa ostinazione?» replicò Hayes.

Khruščëv si sedette. «È la domanda del giorno. Quando me ne sono andato, Orleg stava strappando due cavi da una lampada. Una scarica di elettricità nel corpo potrebbe sciogliergli la lingua, prima che muoia.»

Hayes udì attraverso il microfono la voce di Droopy che diceva a Orleg d'infilare la spina nella presa. Un urlo amplificato echeggiò nella stanza per quindici secondi.

«Forse ci ha ripensato e vuole rivelare ciò che c'interessa», disse la voce di Orleg.

Nessuna risposta.

Un secondo urlo, stavolta più lungo.

Khruščëv allungò un braccio sulla scrivania e prese un cioccolatino da un vassoio; lo scartò dall'involucro dorato e se lo gettò in bocca. «Continueranno ad allungare il tempo di esposizione alla scarica elettrica, finché il suo cuore cederà. Sarà una morte dolorosa.»

Quel tono di voce colpì Hayes per la freddezza, anche se nemmeno lui aveva compassione per Lord: l'idiota lo aveva messo in una situazione difficile, e le sue azioni istintive avevano mandato all'aria molti piani e milioni di dollari.

Un altro grido lacerò il microfono.

Il telefono sulla scrivania squillò, e Hayes alzò il ricevitore. Una voce lo informò che il centralino di sotto aveva ricevuto una chiamata per Miles Lord e l'addetta, giudicandola importante, aveva deciso di passare la telefonata.

«Mr Lord è in riunione, ora», disse Hayes. «Passi a me la chiamata.» Coprì il ricevitore con una mano. «Spenga il microfono.»

Udì prima un *clic* e poi una voce femminile. «Miles? Stai bene?»

«Mr Lord non è disponibile al momento, ma ha chiesto a me di parlare in vece sua», rispose Hayes.

«Dov'è Miles? Chi è lei?»

«Lei dev'essere Akilina Petrovna.»

«Come fa a saperlo?»

«Signorina Petrovna, dobbiamo parlare di una cosa importante.»

«Non ho niente da dirle.»

Hayes fece cenno di riaccendere il microfono. Si udì subito un grido gracchiante.

«Ha sentito, signorina Petrovna? È Miles Lord. Al momento è interrogato da un ufficiale, assai determinato, della *milicija* di Mosca. Se ci dice dove si trova e resterà in attesa, potrà porre fine alla sua sofferenza.»

Silenzio.

Un altro urlo.

«Il suo corpo è attraversato da scariche elettriche. Non credo che il cuore resisterà ancora per molto.»

La linea s'interruppe.

Hayes guardò il ricevitore. «La stronza ha messo giù. Determinati questi due, eh?»

«Molto. Dobbiamo sapere che cosa sanno. La sua idea d'ingannare Lord era buona, ma non ha funzionato.»

«Scommetto che hanno accordi ben precisi. Devono essersi dati appuntamento da qualche parte, nel caso in cui Lord non fosse caduto in trappola.»

Zubarev sospirò. «Temo che ormai non ci sia più modo di rintracciarla.»

Hayes sorrise. «Non è detta l'ultima parola.»

Ore 16.30

Akilina Petrovna trattenne a stento le lacrime. Era in piedi di fronte a un telefono pubblico, circondato da persone intente a passeggiare o a fare acquisti. Le sembrava di udire ancora l'urlo. Che cosa doveva fare? Lord le aveva espressamente proibito di chiamare la polizia e di recarsi al consolato russo, e le aveva ordinato invece di recarsi in un nuovo albergo e farsi trovare allo zoo alle sei. Soltanto allora, se non lo avesse incontrato, avrebbe dovuto recarsi dalle autorità americane, per parlare preferibilmente con un membro del dipartimento di Stato.

Il cuore le doleva. Che cosa aveva detto l'uomo al telefono? «Il suo corpo è attraversato da scariche elettriche. Non credo che il cuore resisterà ancora per molto.» Il tono con cui erano state pronunciate quelle parole faceva pensare a un individuo senza scrupoli, per il quale un omicidio non significava nulla. Stranamente lei aveva percepito un accento americano, sebbene la persona avesse parlato in russo perfetto. Forse anche le autorità americane erano compromesse e collaboravano coi russi?

Continuava a tenere stretta la cornetta, con lo sguardo fisso al marciapiede. Non si accorse di nessuno, finché una mano non le toccò la spalla destra. Voltandosi, vide una donna anziana che le parlava, ma riuscì a cogliere soltanto la parola «finito». Ormai le lacrime le solcavano il volto, e la donna, vedendole, si addolcì. Akilina si ricompose in fretta e, asciugandosi gli occhi, mormorò: «*Spasibo*», sperando che la donna capisse l'espressione russa per «grazie».

Si allontanò dal telefono, gettandosi tra la folla. Aveva già prenotato una stanza in un altro albergo coi soldi che le aveva dato Lord, ma, al contrario di come le era stato detto, non aveva lasciato l'uovo, i lingotti e il giornale nella cassaforte dell'hotel; li aveva portati con sé, in una delle borse in cui Lord aveva riposto i vestiti e gli articoli da bagno. Non voleva mettere la loro sicurezza in mano a niente o a nessuno. Vagava da due ore, entrando e uscendo dai caffè e dai negozi per assicurarsi che nessuno la seguisse. Era abbastanza certa di essere sola. Ma dov'era? Di sicuro a ovest della Commerce and Merchants Bank, fuori del quartiere finanziario; lì intorno vedeva antiquari, gallerie d'arte, gioiellerie, negozi di articoli da regalo, librerie e ristoranti in abbondanza. Nel suo vagabondare non aveva seguito una direzione precisa, l'importante era sapere come ritornare al nuovo albergo, ma aveva con sé una brochure da mostrare eventualmente a un taxista.

Era stata attirata in quel luogo dal campanile che aveva visto a qualche isolato di distanza: si distingueva per un'impronta architettonica di stampo russo, con croci dorate e la caratteristica cupola a cipolla. L'edificio le ricordava l'atmosfera di casa, anche se mostrava evidenti contaminazioni straniere nel timpano dell'ingresso centrale, nella semplicità delle facciate e in una balaustra che non aveva mai visto in una chiesa ortodossa. Lesse l'insegna sull'ingresso grazie alla traduzione in cirillico sotto la scritta in inglese: CATTEDRALE DELLA SANTA TRINITÀ. Sì, era di sicuro la chiesa ortodossa russa. L'edificio le ispirava sicurezza, perciò attraversò in fretta la strada ed entrò.

L'interno aveva la tradizionale pianta a croce, con l'altare rivolto a est. Il suo sguardo fu attratto dalla cupola e dall'imponente lampadario di ottone. Il tipico odore di cera delle candele, che emanavano un tenue bagliore nella penombra, mascherava il persistente aroma d'incenso. Tutt'intorno c'erano le icone: sulle pareti, sulle vetrate istoriate e sull'iconostasi che separava l'altare dall'assemblea dei fedeli. A differenza delle chiese che frequentava da bambina, dove la barriera era aperta e lasciava intravedere chiaramente i sacerdoti, lì c'era un muro tappezzato da immagini di Cristo e della Vergine Maria in cui dominavano i toni rossi e dorati; soltanto le porte aperte comunicavano con l'altare. L'assenza di panche faceva pensare che pure lì, come in Russia, i fedeli pregassero in piedi.

Si diresse verso un altare laterale, nella speranza che Dio

285

potesse aiutarla a dirimere il suo dilemma. Scoppiò in lacrime. Non era sua abitudine abbandonarsi a simili manifestazioni di debolezza, ma il pensiero di Miles torturato, forse a morte, era troppo doloroso da sopportare. Doveva andare alla polizia, ma qualcosa le diceva di non farlo. Il governo poteva non essere necessariamente una via di salvezza: sua nonna le aveva inculcato un ottimo insegnamento al riguardo.

Si fece il segno della croce e cominciò a pregare, mormorando i versi imparati da bambina.

«Tutto bene, mia cara?» le domandò una voce maschile, in russo.

Akilina si voltò e vide un sacerdote di mezz'età vestito con l'abito nero ortodosso. Non indossava il tipico copricapo del clero russo, ma al suo collo era appesa una croce d'argento che le ricordava l'infanzia.

Si asciugò gli occhi in fretta, cercando di riacquistare controllo. «Lei parla russo.»

«Sono nato laggiù. L'ho sentita pregare: è raro sentire qualcuno parlare russo così bene. È qui per una visita?»

L'Aquila fece di sì con la testa.

«Che cos'è che la rende così triste?» La voce calma dell'uomo era rassicurante.

«Un mio amico è in pericolo.»

«Lei può aiutarlo?»

«Non so come.»

«È venuta a cercare aiuto nel posto giusto.» Il sacerdote indicò il muro coperto di icone. «Non c'è consigliere migliore di nostro Signore.»

Akilina ripensò a sua nonna, devota ortodossa, che aveva cercato d'insegnarle a credere in Dio; ma fino a quel momento lei non ne aveva mai avuto *bisogno*. Non volendo aggiungere nulla di più, sicura che il sacerdote non avrebbe capito la situazione, chiese: «Sta seguendo ciò che accade in Russia, padre?»

«Con molto interesse. Avrei votato a favore della restaurazione, che considero senz'altro la via migliore per la Russia.»

«Per quale ragione?»

«La nostra terra è stata devastata a lungo da gravi distruzioni; persino la Chiesa è stata sul punto di essere distrutta. Forse ora i russi potranno tornare all'ovile. I comunisti erano terrorizzati da Dio.»

Un'osservazione bizzarra, ma vera. In passato qualsiasi forma di opposizione era stata vista come una minaccia: la madre Chiesa, una poesia, una donna anziana.

Il sacerdote proseguì. «Vivo qui da molti anni e ho capito che questo Paese non è così terribile come ci dicevano in patria. Ogni quattro anni gli americani eleggono il proprio presidente facendo un gran clamore, ma allo stesso tempo gli ricordano pure che è un essere umano e può sbagliare. Ho imparato che meno un governo assurge al rango divino, più è rispettato. Il nostro nuovo zar dovrà imparare questa lezione.»

Akilina annuì. Che fosse un messaggio?

«Tiene molto a questo amico in pericolo?» domandò il sacerdote.

«È un brav'uomo.»

«Lo ama?»

«Ci siamo conosciuti da poco...»

Il sacerdote indicò la borsa da viaggio sulle spalle della donna. «Sta andando da qualche parte? Sta scappando, forse?»

Akilina si rese conto che quell'uomo non avrebbe mai capito. Lord le aveva detto di non parlare con nessuno prima d'incontrarlo, alle sei, e lei era determinata a rispettare la sua volontà. «Non c'è luogo in cui fuggire, padre. I miei problemi sono qui.»

«Mi dispiace, ma non capisco la situazione in cui si trova e, come dice il Vangelo, se il cieco guida il cieco, entrambi cadono nel fosso.»

La donna sorrise. «In realtà nemmeno io ho capito a fondo la mia situazione. Ma al momento sono ossessionata da un patto, che devo rispettare.»

«Ha a che fare con quest'uomo, che lei forse ama o forse no?»

«Sì.»

«Le andrebbe di pregare insieme per lui?»

Che male c'era? «Potrebbe essergli d'aiuto, padre. Poi, dopo, mi spiegherebbe la strada per lo zoo?»

Lord riaprì gli occhi, aspettandosi di ricevere un'altra scarica elettrica o di essere soffocato con un pezzo di nastro adesivo sul naso: non sapeva quale delle due torture fosse la peggiore. Tuttavia si rese conto di non essere più legato alla sedia; era disteso sul pavimento di legno, e i lacci che lo avevano costretto fino a un istante prima pendevano dai braccioli e dalle gambe della poltrona. I suoi aguzzini erano spariti; l'ufficio, vuoto, era illuminato soltanto da tre lampade e dal pallido sole che filtrava tra le tende scure che coprivano le finestre, alte fino al soffitto.

Le scariche elettriche gli avevano attraversato il corpo provocando un dolore straziante. Orleg si era divertito a cambiare di volta in volta il punto di contatto: fronte, petto, genitali. Era come quando un dente malato viene a contatto con l'acqua gelida: l'intensità del dolore è tale da causare lo svenimento. Tuttavia aveva cercato con tutto se stesso di resistere, di tenere duro, di rimanere sveglio: non poteva cedere e lasciar cadere ogni responsabilità sulle spalle di Akilina.

Tentò disperatamente di rialzarsi, ma l'insensibilità del polpaccio destro gli rendeva difficile restare in piedi. Guardò l'orologio, e vide i numeri andare e venire. Infine riuscì a mettere a fuoco l'ora: diciassette e quindici. Gli restavano soltanto quarantacinque minuti di tempo per raggiungere Akilina.

Sperò che non fossero riusciti a trovarla; il fatto che non l'avessero ancora ucciso poteva essere un segno che la loro ricerca era fallita.

Si biasimò per essersi fidato di Filipp Vitenko e aver creduto che migliaia di chilometri potessero costituire un riparo da Mosca. Era evidente che chiunque fosse interessato alla sua impresa aveva legami tali da riuscire a scavalcare i confini internazionali; ciò implicava il coinvolgimento delle alte sfere governative. Si ripromise di non commettere più uno sbaglio

288

simile: non si sarebbe fidato più di nessuno, se non di Akilina e di Taylor Hayes. Il suo capo aveva molte conoscenze che forse lo avrebbero reso in grado di contrastare gli eventi in atto. Occorreva, però, ragionare per priorità; innanzitutto doveva trovare un modo per scappare dal consolato. Di certo Orleg e Droopy si trovavano nei paraggi, probabilmente proprio fuori della porta. Cercò di richiamare alla mente le ultime immagini viste prima di perdere conoscenza: ricordava soltanto di avere ricevuto abbastanza scariche elettriche da mandare il cuore in fibrillazione. Nel tetro sguardo di Orleg aveva letto un'espressione di gioia. L'ultima cosa che ricordava prima dello svenimento era Droopy che spingeva da parte Orleg e reclamava il proprio turno.

Lord cercò nuovamente di rialzarsi dal pavimento. Le vertigini gli fecero girare la testa.

La porta dell'ufficio si aprì, ed entrarono Droopy e Orleg.

«Bene, vedo che si è svegliato, Mr Lord», sogghignò Orleg.

I due lo tirarono su con uno strattone. All'improvviso la stanza prese a girare, fu colto da una fortissima nausea e credette di essere sul punto di perdere di nuovo conoscenza. Ma un'ondata d'acqua gelida gli travolse il viso; inizialmente ebbe la stessa sensazione di una scarica elettrica, soltanto che invece del bruciore avvertì una sensazione piacevole, e le vertigini sparirono.

Mise a fuoco i profili dei due uomini.

«Ha ancora sete?» domandò l'ispettore con sarcasmo.

«Vaffanculo», riuscì a ribattere Lord.

L'ispettore rispose schiaffeggiandogli la mandibola col dorso della mano. Il dolore risvegliò i sensi del prigioniero; sentì il sapore del sangue in un angolo della bocca e provò la smania di uccidere quel figlio di puttana.

«Purtroppo il console generale non vuole che un omicidio abbia luogo qui», spiegò Orleg. «Dunque abbiamo in programma un bel viaggetto per lei. Mi hanno detto che non lontano c'è un deserto: quale posto migliore per seppellire un cadavere? Oltretutto io vengo da un Paese freddo, perciò un po' di caldo mi farà molto piacere.» Sorrise soddisfatto. «Sul retro dell'edificio c'è una vettura: lei la raggiungerà in silenzio. Non c'è nessuno qui che possa sentire grida di aiuto, e se proverà a far rumore all'esterno, le taglierò la gola. Personalmente preferirei ucciderla subito, ma gli ordini vanno eseguiti, giusto?»

Orleg impugnava un lungo coltello dalla lama curva ed evidentemente affilata; lo porse a Droopy, il quale premette il lato piatto contro la gola dell'americano.

«Le suggerisco di camminare con calma», minacciò l'ispettore.

Raccomandazione superflua: Lord era ancora intontito dalla tortura e riusciva a malapena a reggersi in piedi. Tuttavia stava cercando di recuperare le forze, per poter cogliere un'eventuale occasione di fuga.

Droopy lo spinse fuori dell'ufficio, verso il segretariato deserto. Scesero la scala e, giunti al pianterreno, si diressero sul retro attraverso una serie di locali, tutti bui e vuoti. Gettando un'occhiata fuori della finestra, Lord vide che il giorno stava cedendo all'oscurità della sera.

Orleg passò in testa alla processione, si fermò di fronte a una porta di legno rifinita da un'elaborata modanatura e la aprì. Lord udì il rombo di un motore; i fumi di scarico formavano una densa nebbia che saliva fino al soffitto. L'ispettore fece cenno a Droopy di portare avanti il carico.

«Stoj!» esclamò una voce da dietro.

Filipp Vitenko si diresse verso Orleg. «Ispettore, le ho detto che quest'uomo non avrebbe più dovuto subire nessun atto di violenza.»

«E io le ho detto, console, di non impicciarsi.»

«Il vostro Zubarev se n'è andato, qui comando io. Ho parlato con Mosca, e sono stato autorizzato ad agire come meglio credo.»

Orleg afferrò il diplomatico per il bavero e lo sbatté contro il muro.

«Xaver!» urlò Vitenko. Lord udì il passo di qualcuno che correva per il corridoio, poi vide un individuo tozzo scagliarsi contro Orleg. Quell'attimo di confusione gli offrì l'occasione di dare una gomitata nello stomaco a Droopy; sebbene il malvivente avesse addominali forti e tesi, Lord lo colpì nella fessura tra le costole ed eseguì un rapido scatto verso l'alto.

Droopy espirò di colpo tutta l'aria che aveva nei polmoni e rimase senza fiato. Allora Lord gli colpì la mano, facendo volare via il coltello. L'individuo che aveva bloccato Orleg si accorse del suo attacco e si concentrò su Droopy, dirigendosi verso il russo con un balzo.

Lord si lanciò verso la porta che dava sull'esterno e passò sotto il portone del garage che ospitava la vettura col motore acceso. Vedendo l'automobile vuota, salì al volante, spostò la leva del cambio e premette sino in fondo l'acceleratore.

Di fronte a sé, un cancello di ferro. Aperto.

Lo oltrepassò.

Una volta in strada, svoltò a destra e accelerò.

«Basta così», ordinò Hayes.

Droopy, Orleg, Vitenko e Xaver posero fine alla finta baruffa.

«Bello spettacolo, signori», approvò Maxim Zubarev.

«Ora inseguiamo quel bastardo», disse Hayes. «E vediamo di scoprire che diavolo sta succedendo.»

39

Lord guardò nello specchietto retrovisore, vide che nessuna macchina lo seguiva, quindi decelerò; l'ultima cosa di cui aveva bisogno era attirare l'attenzione della polizia. L'orologio sul cruscotto segnava le cinque e mezzo: mancavano trenta minuti all'appuntamento. Cercò di richiamare alla mente la geografia della città: lo zoo si trovava a sud del centro, non lontano dalla San Francisco State University e nei pressi del lago Merced, dove in passato si era recato a pescare trote.

Gli sembrava che fosse trascorso un secolo da quand'era un semplice impiegato in un grande studio legale e nessuno, a parte la segretaria e il capo procuratore, s'interessava a lui. Pareva impossibile che tutto ciò avesse avuto inizio soltanto una settimana prima, dopo un pranzo in un ristorante di Mosca. Artemij Belij aveva insistito per pagare il conto; lui aveva acconsentito al gesto di cortesia, pur sapendo che il salario annuale dell'avvocato russo era inferiore alla sua paga di tre mesi. Belij gli era piaciuto: gli era parso intelligente e accomodante. Eppure, di lui non ricordava che l'immagine del cadavere sul marciapiede, perforato dalle pallottole; e Orleg aveva detto che c'erano troppi morti per prendersi il disturbo di coprirli tutti. *Bastardo.*

All'incrocio successivo girò a sud, lontano dal Golden Gate. Seguendo i cartelli che segnalavano lo zoo, si lasciò alle spalle la congestionata zona commerciale e si addentrò fra le tranquille colline alberate di St Francis Wood, dove le ville, lontane dalla strada, avevano quasi tutte un cancello e una fontana.

Si rese conto che la scarica di adrenalina aveva pompato energia nel suo corpo e ravvivato i sensi. Sebbene i muscoli gli dolessero ancora per l'elettricità che li aveva attraversati e avesse il fiato corto per i ripetuti soffocamenti, cominciava a sentirsi di nuovo vivo e in forze.

«Speriamo soltanto che Akilina sia lì ad aspettarmi», mormorò.

Entrò nel parcheggio illuminato del giardino zoologico, scese dall'auto lasciando le chiavi nel cruscotto, si diresse verso l'entrata. L'addetto alla biglietteria gli ricordò che la struttura avrebbe chiuso in meno di un'ora.

Il maglione di Lord era ancora umido e, nell'aria gelida della sera, la lana verde macchiata di sangue faceva l'effetto di un asciugamano fradicio sulla pelle. Il volto gli doleva per i colpi ricevuti, che di certo, pensò, gli avevano cambiato i connotati.

Si avviò per il vialetto di cemento illuminato da una luce ambrata e vide pochi visitatori, per lo più diretti verso l'uscita. Oltrepassò la zona dei primati e quella dell'elefante, seguendo le indicazioni per la Lion House.

Il suo orologio segnalava le sei in punto.

Il cielo cominciava a farsi scuro e soltanto i versi delle bestie, attutiti dalle spesse pareti, turbavano un silenzio altrimenti assoluto. L'aria odorava di pelo e cibo per animali. Entrò nella Lion House attraverso una serie di porte a vetri.

Vide Akilina in piedi, di fronte a una tigre, e si sentì solidale con l'animale in gabbia: sembrava anche a lui di essere stato rinchiuso per un intero pomeriggio.

La donna, col volto disteso da gioia e sollievo, gli corse incontro e lo abbracciò, stringendolo con forza. Lui sentì che stava tremando.

«Stavo per andarmene», disse lei accarezzando con una mano la mandibola gonfia e l'occhio livido. «Che cos'è successo?»

«Orleg e uno dei miei due inseguitori sono qui.»

«Ti ho sentito urlare di dolore al telefono.» Akilina gli raccontò della sua telefonata con l'uomo misterioso.

«Il russo a capo di tutto ha detto di chiamarsi Maxim Zubarev», la informò lui. «A parte Vitenko, al consolato dovevano esserci altri complici. Ma non credo che Vitenko stia dalla loro parte; se non fosse stato per lui, ora non sarei qui.» Le raccontò quello che era appena accaduto. «Ho controllato per tutto il tragitto, ma non ho visto nessuno inseguirmi.» Guardò la borsa che la donna aveva in spalla. «Che cos'è?»

«Non mi sono fidata a lasciare queste cose in albergo, ho preferito tenerle con me.»

Lord decise di non contraddire quel gesto avventato. «Dobbiamo andarcene di qui. Chiamerò Taylor Hayes perché ci aiuti. La situazione ci sta sfuggendo di mano.»

«Sono contenta che tu stia bene.»

Lui si rese improvvisamente conto che erano ancora abbracciati e si tirò indietro a guardarla.

«Va bene così», mormorò Akilina con dolcezza.

«Cosa?»

«Puoi baciarmi.»

«Come sapevi che avrei voluto farlo?»

«Lo so e basta.»

Le loro labbra si sfiorarono, poi lui si allontanò. «Che situazione strana...»

Un felino ruggì dall'altra parte del locale.

«Credi che approvi?» domandò Lord con un sorrisetto sulle labbra.

«Secondo te?» ribatté lei.

«Assolutamente sì. Ora, però, dobbiamo andare. Ho attraversato la città con una loro automobile e non credo sia saggio usarla di nuovo; potrebbero denunciare il furto e coinvolgere le autorità locali. Prenderemo uno dei taxi che ho visto parcheggiati qui davanti, ritorneremo all'albergo che hai prenotato e domattina noleggeremo una nuova vettura. Meglio non frequentare stazioni, terminal degli autobus o aeroporti.»

Sfilò la borsa dalle spalle di Akilina e la mise sulle sue, sentendo il peso dei due lingotti d'oro. La prese per il braccio e uscirono dalla Lion House, incrociando un gruppo di adolescenti che entravano a dare un ultimo sguardo ai felini.

A un centinaio di metri di distanza, sotto uno dei lampioni che illuminavano il sentiero, vide Orleg e Droopy.

Madre di Dio... Come hanno fatto?

Afferrò Akilina e si precipitò nella direzione opposta, oltre la Lion House, verso un edificio illuminato che recava all'ingresso la targa: CENTRO PER LA RICERCA SUI PRIMATI.

Le scimmie strillavano nei loro habitat all'aperto. Continuarono a correre sul sentiero lastricato e poi, giunti al cuore del complesso, svoltarono a sinistra. Si ritrovarono di fronte a un luminoso scenario naturalistico di alberi e rocce, dove un muro di cemento delimitava un ampio recinto e ne era separato da un profondo fossato. Alcuni gorilla – una coppia di adulti e tre cuccioli – si muovevano pesantemente nella foresta fittizia.

Lord, sempre correndo, si rese conto di trovarsi a un bivio: il sentiero girava intorno al recinto dei primati, formando un anello a forma di goccia. A sinistra partiva un'alta recinzione che cingeva l'area tutt'intorno, mentre dalla parte opposta, sulla destra, scorse una zona denominata RECINTO DEL BUE MUSCHIATO. Una decina di visitatori era intenta a osservare i gorilla che si nutrivano attingendo da un cumulo di frutta in mezzo all'habitat.

«Non c'è via d'uscita», disse con una nota di disperazione nella voce.

Nella parete rocciosa situata dall'altra parte del recinto dei gorilla, vide un cancello di ferro, aperto. Esaminò prima gli animali, poi la soglia: forse era di lì che gli animali si ritiravano per la notte. E se fossero riusciti a uscire e a richiudere il cancello, prima che i gorilla notassero la loro presenza?

Qualsiasi prospettiva era preferibile alla seconda, terribile opzione. Orleg e Droopy stavano correndo verso di loro; sapeva bene di che cosa fosse capace quell'accoppiata di sadici, e decise di rischiare con le scimmie. Attraverso la soglia aperta nella parete rocciosa scorse una porta, alcune luci e un po' di movimento: forse c'era un addetto del personale. E anche una via d'uscita.

Lanciò in aria la borsa, nel recinto dei gorilla. Il fardello cadde pesantemente accanto al mucchio di frutta. Le scimmie reagirono all'intrusione con un verso, poi si spostarono in direzione dell'oggetto per esaminarlo.

«Seguimi!» ordinò alla donna.

Si arrampicò sul muro di cinta, sotto lo sguardo attonito degli altri visitatori. Akilina fece lo stesso. Il fossato che separava il muro dal recinto interno era ampio circa tre metri, mentre il muro era spesso poche decine di centimetri. Prese la rincorsa e balzò in avanti, lanciandosi nel vuoto e augurandosi di atterrare sul terreno, dall'altra parte.

Così fu. Ma al contatto col suolo, le gambe e le cosce, già provate, furono avvolte da una morsa di un dolore lancinante. Rotolò una volta su se stesso e, quando si voltò, vide Akilina atterrare in piedi.

Droopy e Orleg si sporsero dal muro di cinta.

Lord contava sul fatto che i due criminali non li seguissero, né avessero intenzione di far fuoco in pubblico. Diversi spettatori urlarono, e uno di essi gridò di chiamare la polizia.

Droopy salì sul muro e fu sul punto di saltare, quando un gorilla si avvicinò al bordo del fossato e, drizzandosi sulle zampe posteriori, emise un verso feroce, costringendolo a ritirarsi.

Lord si rialzò barcollando e fece cenno ad Akilina di correre verso il cancello. Il secondo, imponente gorilla adulto si mosse pesantemente verso di lui, ciondolando sui quattro arti e rimbalzando sul duro terreno con le piante dei piedi e le nocche delle mani. Dalla mole e dai modi, Lord dedusse che si trattava del maschio: il pelo raso aveva una sfumatura bruno-grigiastra, in netto contrasto con la pelle nerissima di petto, palmi e viso; il dorso era ornato da una macchia argentea. L'animale si drizzò, allargando le narici, gonfiando il torace e agitando i possenti arti anteriori; dopodiché emise un ruggito che pietrificò Lord.

Lord vide la femmina – il gorilla più piccolo, dal manto più rossiccio – avanzare verso Akilina con aria di sfida. Sperò che i documentari visti su Discovery Channel fossero veri: da quello che vi si diceva, infatti, i gorilla tendevano più a far scena che ad attaccare; i gesti teatrali avevano lo scopo d'incutere timore nell'avversario, magari inducendolo a scappare, o almeno a distogliere la sua attenzione su qualcos'altro.

Con la coda dell'occhio, vide Droopy e Orleg: i due lo guardarono per un po', poi ritornarono da dov'erano venuti, ritenendo, forse, di aver attirato un po' troppa attenzione.

Lord non voleva incontrare di nuovo i suoi inseguitori russi, ma non desiderava neppure – non ancora, almeno – dover rendere conto delle sue azioni alle autorità locali, che di certo erano state allertate.

Doveva raggiungere il cancello, ma l'imponente gorilla aveva preso a percuotersi il petto.

Quando la femmina, incuriosita da Akilina, fece per arretrare, la donna avanzò piano verso Lord, inducendo l'animale a tornare di nuovo verso di lei. La scimmia corse incontro ad Akilina, che saltò verso il ramo disteso di uno dei pioppi sparsi nell'habitat, volteggiò intorno a esso e poi si lanciò verso un ramo più alto con evidente grazia acrobatica. Il gorilla femmina, stupito dalla mossa della donna, intraprese la sua stessa salita; Lord notò che l'animale aveva un'espressione addolcita, quasi stesse giocando. Gli alberi del recinto erano stati disposti molto vicini l'uno all'altro, di modo che i rami intrecciati contribuissero a ricreare un habitat il più possibile simile a quello naturale. Proprio quella disposizione offrì ad Akilina una via per sfuggire alla sua inseguitrice.

Il gorilla più grosso smise di picchiarsi il petto e scese a quattro zampe.

Lord udì una voce femminile che gli parlava da tergo. «Chiunque lei sia, mi ascolti. Sono il guardiano del recinto. Le raccomando caldamente di restare immobile.»

«Le assicuro che non mi muoverò di un centimetro», replicò lui a bassa voce.

Lo scimmione continuò a fissarlo, inclinando il capo in una posa curiosa.

«Sono dietro il cancello aperto nella parete rocciosa», proseguì la voce senza volto. «Gli animali entrano qui dentro per la notte, ma non prima di aver terminato tutto il cibo. Di fronte a lei c'è King Arthur, dall'indole non troppo amichevole. Cercherò di distrarlo, mentre lei entrerà.»

«Anche la mia amica ha qualche problema», disse Lord.

«Lo vedo. Ma preoccupiamoci di una cosa alla volta.»

King Arthur arretrò pian piano verso la borsa. Lord tentò di avvicinarvisi prima della bestia, la quale, però, gli corse incontro con un verso, come per ordinargli di non muoversi.

«Non lo provochi», suggerì la voce.

Il gorilla scoprì le zanne, e Lord si augurò di non dover mai verificare quanto fossero acuminate. Vide Akilina e la femmina di gorilla rincorrersi da un ramo all'altro. La donna non sembrava affatto in pericolo: salì, poi scese verso un ramo più spesso, infine saltò a terra. La scimmia tentò d'imitarla, ma la sua mole imponente la sbilanciò, facendola cadere giù come un sacco di patate. Akilina ne approfittò per uscire dal cancello. Ora toccava a lui.

King Arthur tirò su la borsa e vi armeggiò nel tentativo di scoprirne il contenuto. Lord fece per afferrarla, nella speranza di essere veloce abbastanza da rapire il fardello e precipitarsi fuori della soglia. Ma anche King Arthur era veloce: sollevò un arto e afferrò l'uomo per il maglione. Lord cercò di sbilanciarsi indietro, ma la presa dell'animale era salda e il maglione si lacerò sul petto. King Arthur rimase con la sacca in una mano e il pullover nell'altra.

Lord non si mosse.

Il gorilla lanciò la maglia di lato e riprese a manipolare la borsa.

«Deve sbrigarsi! Venga!» gli intimò la donna.

«Non senza quella sacca.»

Lo scimmione strattonò più volte il fardello, e provò anche a morderlo; ma il tessuto verde era resistente. In preda a una comprensibile frustrazione, il gorilla scagliò il fagotto contro il muro di pietra; poi, raggiungendolo di corsa, riprese a lanciarlo contro la parete.

Lord trasalì: l'uovo di Fabergé non poteva sopportare simili impatti. Senza pensarci oltre, si lanciò in avanti quando vide la borsa ricadere a terra dopo un terzo tiro. King Arthur lo seguì, ma Lord afferrò la sacca per primo. La femmina corse verso di loro, frapponendosi tra i due, e tentò anch'essa di raggiungere l'oggetto; ma King Arthur la afferrò per i peli del collo, facendola grugnire. Il maschio tirò via la compagna, e Lord ne approfittò per fuggire in direzione del cancello.

King Arthur tuttavia riuscì a tagliargli la strada a pochi passi dalla salvezza.

Lo scimmione si trovava a non più di un metro e mezzo di distanza: emanava un odore nauseante. Uno sguardo intenso accompagnò un lungo brontolio minaccioso. Il gorilla sollevò il labbro superiore – scoprendo incisivi lunghi quanto le dita di Lord – e allungò un braccio, accarezzando l'esterno della borsa.

Lord rimase immobile.

King Arthur toccò il torace dell'uomo con la punta del dito indice, non tanto da fargli male, ma abbastanza da tastare la pelle sotto la camicia. Fu un gesto quasi umano che dileguò ogni paura in Lord; osservando lo sguardo ardente dell'animale, lui sentì di non correre nessun pericolo.

King Arthur ritirò il dito e si allontanò.

Anche la femmina si era ritirata, dopo il rimprovero ricevuto dal maschio.

Il gorilla continuò a muoversi con lentezza, finché la strada per il cancello fu sgombra. Lord attraversò la soglia, e la grata si richiuse dietro di lui.

«Non ho mai visto King Arthur comportarsi in quel modo, prima d'ora», osservò la donna che aveva chiuso il cancello. «È una scimmia aggressiva.»

Lord scrutò tra le sbarre il gorilla il quale, a sua volta, continuava a guardarlo, tenendo in mano il maglione. Infine l'animale si distrasse, dirigendosi di nuovo verso il mucchio di cibo.

«Ora vi dispiacerebbe dirmi che cosa ci facevate là dentro?» chiese la donna.

«C'è un'uscita?»

«Calma, calma... Aspetteremo insieme la polizia.»

Lord intravide una porta a vetri chiusa, oltre la quale si scorgevano un corridoio e un'uscita. Prese per mano Akilina e si mosse in quella direzione.

La donna in uniforme gli si parò di fronte. «Ho detto che aspetteremo insieme l'arrivo della polizia.»

«Senta, ho avuto una giornata molto dura. Siamo inseguiti da uomini che ci vogliono uccidere, e ho appena retto la sfida di un enorme gorilla. Non ho voglia di discutere, mi capisce, vero?»

La guardiana esitò un istante, poi si scostò per lasciarli passare.

«Ottima scelta. Ora vorrebbe darmi la chiave per quella porta?»

La donna estrasse di tasca un anello con un'unica chiave e lo lanciò a Lord.

Il Corvo e l'Aquila uscirono dalla stanza, richiudendo la porta a chiave. Trovarono subito un'uscita che conduceva al di là dell'area aperta al pubblico, verso due grossi capannoni pieni di attrezzatura; un po' più lontano c'era un parcheggio vuoto, la cui insegna indicava che era riservato al personale. Sapendo di non poter tornare all'ingresso principale, Lord si diresse verso la strada che costeggiava l'oceano; non vedeva l'ora di andarsene al più presto, per cui fu sollevato nel vedere un taxi. Fece cenno alla vettura di fermarsi; nel giro di dieci minuti, l'autista li depositò al Golden Gate Park.

Lord e Akilina si addentrarono nel parco.

Si ritrovarono di fronte a un campo sportivo buio, con un laghetto sulla destra. Intorno a loro, prati e alberi si estendevano per chilometri in ogni direzione, apparendo in quel momento come ombre indistinte. Si sedettero su una panchina.

Lord aveva i nervi a pezzi e cominciò a chiedersi per quanto tempo ancora sarebbe riuscito a reggere, quando Akilina gli mise un braccio intorno al collo e posò la testa sulla sua spalla.

«Sei stata incredibile con quella scimmia», disse lui. «Sei un'ottima arrampicatrice.»

«Non credo che quella bestia intendesse farmi del male.»

«Ti capisco. Anche il maschio avrebbe potuto aggredirmi; invece non solo non lo ha fatto, ma ha anche frenato la carica della femmina.»

Pensò agli urti ricevuti dalla borsa e la sollevò dall'erba umida. Un lampione stradale emanava una luce arancione. Intorno a loro non c'era anima viva; l'aria era gelida, e lui avrebbe voluto avere con sé il suo maglione.

Aprì la borsa.

«Quando King Arthur la scagliava contro il muro, non facevo che pensare all'uovo.»

Estrasse il sacchetto di velluto e tirò fuori l'uovo: aveva tre gambe rotte, e molti diamanti erano usciti di sede. Akilina si affrettò a unire le mani sotto il gioiello per raccoglierne i preziosi frammenti. L'ovale era rotto nel centro e aperto a metà come un pompelmo.

«È rovinato», mormorò Lord. «Un gioiello dal valore incalcolabile... Potrebbe significare la fine della nostra impresa.» Esaminò l'ampio squarcio nell'opera d'arte e avvertì una morsa allo stomaco. Posò il sacchetto di velluto e sondò piano l'interno dell'uovo con un dito; percepì un materiale bianco e fibroso, come una specie di carta da imballaggio. Tastandolo, scoprì che era cotone, così spesso che risultava difficile strapparne un frammento. Continuò a frugare, aspettandosi d'incontrare il meccanismo che faceva sollevare i tre piccoli ritratti, ma toccò qualcosa di diverso.

Cercò di tastare meglio con la punta del dito.

Era qualcosa di duro. E liscio.

Si avvicinò maggiormente alla luce del lampione e proseguì l'esplorazione.

Scorse un bagliore dorato con un'incisione.

Era una scritta.

Afferrò i due lati dell'apertura nell'uovo e li separò, schiudendo il sottile e prezioso rivestimento come un melograno maturo.

PARTE TERZA

40

Hayes osservò Orleg e Droopy mentre uscivano dall'entrata principale dello zoo e si dirigevano in fretta verso l'automobile. Lui e Khruščëv li attendevano pazientemente nel parcheggio da dieci minuti. Il dispositivo di rilevamento a distanza che Hayes aveva posizionato addosso a Lord aveva funzionato: un microchip non più grande di un bottone. Il consolato possedeva una gran quantità di simili marchingegni; erano le ultime vestigia della guerra fredda, risalenti al periodo in cui San Francisco era un centro nevralgico dell'intelligence sovietica.

Avevano lasciato che Lord fuggisse per poter trovare Akilina Petrovna; Hayes, infatti, era convinto che la donna fosse in possesso di ciò che Lord aveva trovato nella tomba di Kolja Maks e nella cassetta di sicurezza. Il rilevatore aveva permesso loro di rimanere a distanza e di lasciare che la loro preda si muovesse con tranquillità nel traffico serale. Il luogo d'incontro era parso un po' bizzarro, ma Hayes aveva capito che Lord aveva scelto di proposito un posto pubblico.

«Non mi piace l'espressione che hanno in volto», osservò Khruščëv.

Hayes pensò la stessa cosa, ma non disse nulla. Era ancora rassicurato dal fatto che il monitor a cristalli liquidi che aveva di fronte agli occhi segnalasse la presenza di Lord. Lincoln premette un pulsante e abbassò il finestrino posteriore. Orleg e Droopy si affacciarono da fuori.

«È saltato nel recinto dei gorilla», riferì Orleg. «Abbiamo tentato di seguirlo, ma una di quelle maledette bestie ci ha fermato. Siamo usciti, perché credevo fosse meglio non dare spettacolo. Ora torniamo a prenderlo.»

«Avete fatto bene», replicò Hayes. «Il segnale è ancora forte.» Si voltò verso Zubarev. «Penso sia meglio se andiamo anche noi.» Scesero entrambi dalla vettura nella sera buia. Orleg impugnò il monitor portatile e si avviarono insieme verso l'ingresso. In lontananza si udirono sirene in avvicinamento. «Qualcuno ha chiamato la polizia, dobbiamo muoverci», disse l'americano. «Qui non siamo a Mosca; gli sbirri fanno un mucchio di domande.»

Entrarono in fretta attraverso l'ingresso incustodito e, giunti di fronte al recinto del gorilla, videro che si era radunata una folla. Il segnalatore di Orleg continuava a rilevare la presenza di Lord. «S'infili il dispositivo sotto la giacca», ordinò Hayes, che voleva evitare le domande dei curiosi.

Quindi domandò agli astanti che cosa fosse successo; una donna gli rispose che due persone erano saltate dentro il recinto, erano state inseguite dai gorilla, ma alla fine erano riuscite a scappare. Hayes tornò accanto a Orleg e vide che il segnale era ancora attivo; poi, esaminando l'habitat illuminato, vide che cosa teneva in pugno il grosso gorilla dal dorso argentato.

Un maglione verde scuro.

Lo stesso in cui era stato inserito il dispositivo di rilevamento. Scosse la testa e ripensò alla profezia che Rasputin aveva rivelato ad Alessandra. «L'innocenza delle bestie li proteggerà e indicherà loro la via, determinando il successo finale.»

«Lo scimmione ha in mano la maglia», riferì a Zubarev, che si sporse dal muro di cinta per verificare di persona.

Lo sguardo teso che apparve sul volto del russo gli confermò che pure lui aveva subito pensato alla premonizione dello starec.

«Di certo la bestia lo ha protetto», commentò Zubarev. «Chissà se ora lui seguirà la via giusta...»

Lord separò le due estremità del prezioso uovo, facendo saltar via i diamanti come gocce di succo da un'arancia aperta. Un piccolo oggetto d'oro cadde sull'erba umida. Akilina lo raccolse.

Era una campana.

La superficie brillò alla luce del lampione; di certo era la prima volta da decenni che quell'oro respirava l'aria aperta.

Akilina si avvicinò alla luce, e Lord intravide una piccola scritta incisa sul rivestimento esterno della campana.

«È cirillico», disse la donna.

«Puoi leggerlo?»

«Alla Genesi, dove cresce l'albero della principessa, attende una Spina. Usate le parole che vi hanno condotto fin qui. Otterrete il successo pronunciando i vostri nomi e completando la campana.»

Lord era stufo degli indovinelli. «Che cosa significa?»

Afferrò la campana e la esaminò da vicino. Misurava circa sette centimetri in altezza e non più di cinque in larghezza, era priva di battaglio e, a giudicare dal peso, era d'oro massiccio. A parte la scritta incisa intorno a essa, era priva di altre parole o simboli. Quello era l'ultimo messaggio di Jusupov.

I due tornarono a sedersi sulla panchina.

L'uomo fissò lo sguardo sull'uovo di Fabergé. Evidentemente Nicola II aveva avuto discendenti sopravvissuti per la maggior parte del XX secolo e nel XXI. Mentre i leader comunisti dominavano il popolo russo, gli eredi della dinastia Romanov vivevano nell'ombra «dove cresce l'albero della principessa»... di qualunque posto si trattasse. Voleva, anzi doveva, trovare quei discendenti; Stefan Baklanov non era un degno erede al trono, e forse soltanto la comparsa di un Romanov di sangue puro avrebbe potuto stimolare a nuova vita il popolo russo. Al momento, però, era troppo stanco per fare qualsiasi cosa; aveva pensato di lasciare la città quella sera stessa, ma cambiò idea. «Torniamo all'albergo che hai prenotato e riposiamoci un po'. Forse domattina tutto ci sarà più chiaro.»

«Potremmo mangiare qualcosa per strada? Sono digiuna da colazione.»

La guardò e le accarezzò delicatamente il viso con una mano. «Sei stata grande, oggi», mormorò.

«Mi sono chiesta se ti avrei mai più rivisto.»

«Non eri la sola ad avere questo dubbio.»

La mano di lei toccò la sua. «L'idea non mi piaceva affatto.»

Nemmeno a lui.

La baciò, poi la strinse in un forte abbraccio. Rimasero seduti per qualche minuto, assaporando quei preziosi istanti di solitudine. Infine Lord ripose i resti dell'uovo nel sacchetto di velluto insieme con la campana e, borsa in spalla, si diresse con Akilina verso il viale al di là del parco.

Dieci minuti dopo fermarono un taxi. Mentre sedevano sul retro della vettura che attraversava la città, Lord ripensò all'iscrizione della Campana dell'Inferno. «Alla Genesi, dove cresce l'albero della principessa, attende una Spina. Usate le parole che vi hanno condotto fin qui. Otterrete il successo pronunciando i vostri nomi e completando la campana.»

Un altro indizio criptico, sufficiente a guidare una persona che sappia cosa cercare, ma anche a depistare gli intrusi. Il problema è che lui non aveva idea di cosa cercare. Quelle parole erano state scritte poco dopo il 1918, anno di uccisione della famiglia imperiale, ma prima del 1924, anno della morte di Fabergé. Forse il significato di quella scritta era chiaro allora, ma il tempo poteva aver confuso il senso di un messaggio originariamente inequivocabile. Osservando – attraverso i finestrini sporchi del taxi – una sequenza di caffè e ristoranti, si ricordò della richiesta di Akilina e, sebbene preferisse rimanere nascosto, decise di soddisfare anche il proprio appetito.

Comunicò al taxista la sua richiesta e l'uomo annuì, depositandoli dopo pochi minuti davanti all'edificio prescelto.

Lord condusse Akilina dentro il Cyberhouse, uno dei tanti locali che abbinavano la ristorazione all'uso di Internet: proprio ciò di cui aveva bisogno in quel momento.

L'ambiente interno, mezzo pieno di clienti, era rivestito di luminose pareti in acciaio inossidabile e di vari pannelli in vetro fumé su cui erano incisi scenari del posto. In un angolo dominava un ampio schermo televisivo, intorno al quale era radunato un gruppo di persone. La specialità del posto era una forte birra alla spina, servita insieme con spessi sandwich al prosciutto.

Lord andò subito in bagno a sciacquarsi il volto con acqua fredda, così da rendere i lividi meno inquietanti.

Poi, lui e Akilina occuparono una postazione Internet e fecero le ordinazioni; la cameriera spiegò loro come usare la tastiera e come inserire la password. Nell'attesa di essere serviti,

Lord trovò un motore di ricerca e inserì le parole: albero della principessa. Apparvero circa tremila risultati; alcuni si riferivano a una linea di gioielli nota con quel nome, altri avevano a che fare con la flora della foresta pluviale, la silvicoltura, l'orticoltura e l'erboristeria. Una voce tuttavia lo colpì subito per le sue due righe di spiegazione:

Paulownia Tomentosa (Albero della principessa, Albero di Karri): profumatissimi fiori viola. Agosto/Settembre.

Cliccando sulla scritta evidenziata, entrò in un sito che si profondeva in racconti sulla storia dell'Albero della principessa, originario dell'estremo Oriente, ma importato in America dopo il 1830. La specie si era diffusa in tutti gli Stati Uniti orientali grazie ai baccelli contenenti la semenza, che erano stati usati come imballaggio nelle casse di merce proveniente via mare dalla Cina. Il legno, leggero e resistente all'acqua, era usato dai giapponesi per la fabbricazione di ciotole da riso, utensili e bare. La crescita aveva tempi rapidi – cinque-sette anni alla maturazione completa – e i fiori erano molto belli, allungati, color lavanda e con una dolce fragranza. Si faceva cenno all'utilizzo della pianta nell'industria del legno e della carta, grazie alla rapidità della crescita e ai bassi costi di lavorazione. Era presente in particolare nei monti occidentali del North Carolina, dove nel corso degli anni erano stati fatti diversi tentativi di coltivazione della specie. Tuttavia fu l'etimologia a catturare la sua attenzione: il nome, infatti, derivava dalla principessa Anna Pavlovna, figlia dello zar Paolo I, che aveva governato in Russia dal 1797 al 1801 ed era il trisavolo di Nicola II.

Riferì ad Akilina quanto appena letto sul sito.

La donna rimase sbalordita. «Apprendere una così grande quantità d'informazioni, così in fretta...»

Lord si rese conto che Internet era una realtà relativamente poco diffusa in Russia; i clienti di Pridgen & Woodworth, infatti, stavano lavorando freneticamente per migliorare le connessioni a Internet. Il problema era che un singolo computer costava lo stipendio medio di due anni.

Esplorò altri risultati della ricerca e controllò un altro paio di siti, ma nessuno si rivelò di particolare utilità. Durante la cena, Lord quasi si dimenticò della situazione tremenda in cui si trovavano. Mentre stava finendo l'ultima patata al forno, gli venne un'altra illuminazione. Digitò sul motore di ricerca: North Carolina; e trovò un sito che presentava una mappa dettagliata dello Stato. Esaminando nei particolari la regione montuosa occidentale, ne ingrandì una zona.

«Che cos'è?» domandò Akilina.

«Ho avuto un'intuizione e la sto verificando», rispose lui senza staccare gli occhi dal monitor.

Al centro della mappa c'era Asheville, da cui si dipanava nelle quattro direzioni un incrocio di strade rosso scure, che dovevano essere le interstatali 40 e 26. A nord c'erano città come Boone, Green Mountain e Bald Creek, mentre a sud si trovavano Hendersonville, il South Carolina e il confine con la Georgia. A ovest Maggie Valley e il Tennessee, a est Charlotte. Esaminò la Blue Ridge Parkway, che da Asheville si dipanava a nord-est verso la Virginia; lungo la strada c'erano città dai nomi interessanti: Sioux, Bay Book, Chimney Rock, Cedar Mountain. Poi, finalmente, la vide: proprio a nord di Asheville e a sud di Boone, vicino a Grandfather Mountain.

Genesis. Lungo la statale 81.

«Alla Genesi, dove cresce l'albero della principessa, attende una Spina.»

Si voltò e sorrise ad Akilina.

41

In quell'ultima settimana, dopo anni, Lord aveva dormito con una donna. Non avevano fatto sesso – erano entrambi esausti e spaventati –, ma lui l'aveva tenuta tra le sue braccia, svegliandosi di soprassalto di tanto in tanto nel terrore di veder spuntare Droopy e Orleg. I due fuggiaschi si alzarono alle prime luci dell'alba e lasciarono subito l'albergo. Si recarono nella city, in cerca di un autonoleggio. Quindi si diressero centocinquanta chilometri a nord-est, verso Sacramento, ritenendo l'aeroporto di quella città più al riparo da occhi indiscreti. Scesero dalla vettura e salirono su un volo dell'American Airlines diretto a Dallas, durante il quale Lord ebbe il tempo di sfogliare qualche rivista. Un articolo in prima pagina riferiva di come la Commissione per lo zar avesse quasi terminato il proprio lavoro; a dispetto di qualsiasi discriminazione, erano stati eseguiti colloqui con tutti i candidati, la rosa dei quali si era ormai ridotta a tre nomi. Il voto finale era stato spostato a venerdì a causa della morte del familiare di un commissario; non era stato possibile fare altrimenti, poiché era d'obbligo l'unanimità. Gli esperti davano già per vincitore Baklanov, presentandolo come la persona più adatta a guidare la Russia. Fu citato il parere di uno storico, che aveva affermato: «È il candidato più prossimo a Nicola II: il più Romanov dei Romanov».

Lord osservò il telefono inserito nel poggiatesta del sedile di fronte: doveva chiamare il dipartimento di Stato o Taylor Hayes e raccontare tutto ciò che sapeva? L'informazione di cui lui e Akilina erano in possesso avrebbe di sicuro ribaltato l'esito del voto della commissione, o quantomeno rinviato qualsiasi decisione fino alla verifica delle informazioni. Stando alla profezia, però, il Corvo e l'Aquila avrebbero dovuto portare a termine l'impresa da soli. Fino a tre giorni prima avrebbe bollato l'intera storia come la farneticazione di un contadino alcolizzato e assetato di potere, che era riuscito a ingraziarsi la famiglia imperiale russa. Ma il gorilla – *la bestia* – aveva rotto l'uovo e aveva impedito a Droopy di saltare nel recinto.

« L'innocenza delle bestie li proteggerà e indicherà loro la via, determinando il successo finale. »

Come faceva Rasputin a sapere ciò che sarebbe accaduto? Era una coincidenza? In tal caso, i confini della probabilità si sarebbero estesi ai limiti del verosimile. Davvero l'erede al trono russo viveva tranquillo negli Stati Uniti? Genesis, la cittadina del North Carolina, contava 6356 anime secondo l'atlante che aveva acquistato in aeroporto; era il capoluogo della Dillsboro County, una microcittà in una microcontea situata nel cuore dei monti Appalachi. La mera esistenza di quella persona in quel microcosmo sarebbe stata capace d'influenzare il corso della storia.

Si chiese che cosa avrebbero pensato i russi venendo a sapere che due Romanov erano scampati all'eccidio di Ekaterinburg e avevano trovato rifugio in America, un luogo che l'intera nazione aveva imparato a disprezzare. Si domandò anche come fosse questo erede, il nipote o pronipote di Alessio o di Anastasia. Quale rapporto poteva avere quest'uomo – o questa donna – con una madrepatria che lo rivoleva nei suoi confini per affidargli il compito di governare una nazione sull'orlo dello sfacelo?

Era una situazione incredibile, e lui c'era dentro fino al collo. Era il Corvo, e Akilina l'Aquila. La loro missione era chiara: portare a termine la ricerca e trovare la Spina. Ma anche altri individui erano impegnati nella stessa ricerca, uomini che cercavano d'influenzare la decisione della commissione, che sfruttavano soldi e potere per corrompere un processo in origine imparziale. Che fosse tutto un complotto ordito dalle persone che controllavano Vitenko per attirarlo al consolato russo? No, impossibile. Maxim Zubarev aveva palesato le sue vere intenzioni con tenacia. Stefan Baklanov era corrotto, una « marionetta accondiscendente » e loro « abili manovratori ».

Che altro aveva detto Zubarev? «L'unico intralcio potrebbe essere la scoperta dell'esistenza di eredi diretti di Nicola II.» Ma chi era quella gente? Erano riusciti davvero a corrompere l'intera commissione? Ma poi, in fondo... anche se fosse stato così? Lui si era recato a Mosca apposta per sponsorizzare Baklanov, come volevano i suoi clienti e Taylor Hayes. Sarebbe stato un bene per tutti.

Oppure no?

Le fazioni politiche e criminali che avevano ridotto la Russia in ginocchio stavano pilotando l'elezione del futuro monarca assoluto che, a differenza del XVIII secolo, non disponeva di fucili e cannoni: avrebbe controllato le armi nucleari, alcune delle quali erano tanto piccole da entrare in una valigetta. Nessun individuo dovrebbe mai avere un potere simile, ma i russi non erano disposti a scendere a compromessi: lo zar era sacro, rappresentava il legame con Dio e con quel passato glorioso che era stato loro negato per lungo tempo. Volevano un ritorno a quel periodo cui Lord e Akilina stavano per avere accesso. Ma avrebbero risolto sul serio il dilemma? Oppure non avrebbero fatto altro che spostare il problema da una persona a un'altra? Rasputin si era espresso anche su tale punto: «Dovranno morire in dodici prima che la risurrezione possa dirsi completa».

Lord calcolò mentalmente i morti: quattro il primo giorno, tra cui Artemij Belij; la guardia della Piazza Rossa; il socio di Paščenko; Iosif e Vasilij Maks. Fino a quel momento tutto ciò che lo *starec* aveva predetto si era avverato.

Sarebbero dunque morte altre quattro persone?

Hayes osservò Khruščëv mentre si contorceva sulla sedia; vide palesarsi tutto il nervosismo di quell'ex comunista impiegato a lungo come ministro del governo, con uno status sociale elevato e importanti conoscenze. Aveva capito che i russi tendono a manifestare in maniera esagerata i propri stati d'animo; l'allegria spesso sfociava in un'inquietante esuberanza, la tristezza in disperazione. Erano persone che gravitavano tra estremi opposti, di rado trovando un equilibrio. Dopo vent'anni di frequentazione assidua in ambito lavorativo, Hayes aveva imparato a riconoscere anche altre due doti fondamentali di quel popolo: fiducia e lealtà. L'unico problema era che ci volevano anni prima che un russo conquistasse la fiducia di un altro russo, decenni se era uno straniero a tentare l'impresa.

In quel momento particolare, Khruščëv aveva assunto un atteggiamento distintamente russo: fino a ventiquattr'ore prima era sicuro al cento per cento, poiché era convinto che Lord sarebbe presto finito nelle sue mani; da un po' invece era silenzioso e distante. Non aveva quasi più aperto bocca dalla sera precedente, quando, allo zoo, si erano resi conto di non poter rintracciare la preda; avrebbe dovuto spiegare di fronte agli altri Cancellieri Segreti di aver acconsentito a lasciar deliberatamente scappare Lord.

I due si trovavano al primo piano del consolato, chiusi da soli nell'ufficio di Vitenko; dall'altra parte del ricevitore c'erano i Cancellieri Segreti, riuniti nello studio della casa di Mosca. Nonostante la palese insoddisfazione generale per l'ammissione appena fatta, non vi furono critiche aperte nei confronti dell'accaduto.

«Non è un problema», disse Lenin al telefono. «Chi avrebbe mai potuto prevedere l'intervento di un gorilla?»

«Rasputin», rispose Hayes.

«Ah, Mr Lincoln, vedo che sta cominciando a comprendere la nostra preoccupazione», replicò Brežnev.

«Sto cominciando a credere che Lord sia davvero sulle tracce di un erede di Alessio o di Anastasia: l'*unico* erede al trono Romanov.»

«A quanto pare», intervenne Stalin, «la peggiore delle nostre paure si è trasformata in realtà.»

«Ha qualche idea di dove potrebbe essere andato?» chiese Lenin.

Hayes non aveva fatto altro che riflettere su questo punto, nelle ultime ore. «Un pool d'investigatori privati sta tenendo sotto controllo il suo alloggio di Atlanta: se dovesse farvi ritorno, lo cattureremmo subito e stavolta non ce lo lasceremmo scappare.»

«Molto bene», commentò Brežnev. «Ma che cosa succederebbe se decidesse di recarsi immediatamente nel luogo in cui crede di trovare l'erede?»

Hayes aveva considerato anche quell'opzione. Aveva conoscenze nelle forze dell'ordine; avrebbe potuto coinvolgere l'FBI, la polizia doganale e la DEA per seguire di nascosto le tracce di Lord, soprattutto nell'eventualità in cui usasse carte di credito per finanziarsi il viaggio. Se, da un lato, tali autorità avrebbero potuto fornirgli informazioni al di fuori della sua portata, il loro coinvolgimento lo avrebbe costretto a stabilire contatti con persone che avrebbe preferito tenere lontano dai suoi interessi. Aveva milioni di dollari nascosti in Svizzera che intendeva godersi negli anni a venire, insieme coi numerosi altri che aveva in progetto di guadagnare e con la cifra a sei zeri che avrebbe riscosso dalla vendita della sua quota di società in occasione del pensionamento. Gli altri senior partner, poi, avrebbero di certo insistito affinché conservasse una certa posizione all'interno dello studio, così da poter mantenere il suo nome nella carta intestata e continuare a lavorare per i clienti. Naturalmente avrebbe accettato, in cambio di un ragionevole compenso annuo in grado di coprire le modeste spese di un uomo che risieda in un castello in Europa.

No, non avrebbe permesso a nessuno di mandare all'aria i suoi piani perfetti. Perciò rispose con una bugia alla domanda di Brežnev. «Potrei percorrere alcune strade di emergenza; qui dispongo dell'appoggio di uomini che potrebbero offrirmi l'aiuto che mi hanno offerto i vostri in Russia.» Non aveva mai avuto bisogno di quel tipo di aiuto prima e non avrebbe saputo nemmeno come procurarselo; ma i suoi amici russi non dovevano certo venirlo a sapere. «Non credo che ci saranno problemi.»

Khruščëv lo guardò negli occhi. Il vivavoce non emise nessun suono; sembrava che gli ascoltatori da Mosca attendessero un seguito.

«Credo che Lord si metterà in contatto con me», affermò infine Hayes.

«Che cosa glielo fa pensare?» domandò Khruščëv.

«Non ha motivo di dubitare di me: sono il suo capo e collaboro col governo russo. Mi chiamerà, soprattutto se troverà davvero qualcuno. Sarò il primo al quale vorrà fare una simile rivelazione; sa quanto abbiano puntato i nostri clienti su questo evento e quanto sia alto il rischio, per loro e per lui. Mi contatterà, ne sono sicuro.»

«Finora non lo ha fatto», obiettò Lenin.

«Perché era in pericolo di vita, in continuo spostamento e non aveva in mano grossi risultati. Sta ancora cercando, lasciatelo fare. Dopodiché mi chiamerà, sono ottimista al riguardo.»

«Ci restano soltanto due giorni per contenere questo fiume in piena», disse Stalin. «Per fortuna, una volta avvenuta l'elezione, sarà difficile invertire l'ascesa al trono di Baklanov; l'importante sarà curare al meglio la campagna di pubbliche relazioni. Se trapelasse parte di questo segreto, potremmo limitarci a dipingerlo come l'ennesima menzogna cospiratoria. Nessuno vi crederebbe.»

«Non ci conterei troppo», ribatté Hayes. «Dal momento che il codice genetico dei Romanov è ormai catalogato, un semplice test del DNA è in grado di dimostrare con certezza la parentela diretta con Nicola e Alessandra. Concordo con voi sul fatto che la situazione può ancora essere risolta, ma abbiamo bisogno dell'erede sotto forma di cadavere, da occultare alla perfezione. Le sue ceneri dovranno dissolversi nel vento dell'oblio.»

«Possiamo farlo?» domandò Khruščëv, preoccupato.

Hayes non aveva la minima idea di come fare, ma sapeva che la posta in palio era troppo alta, per tutti. Perciò fornì la risposta che gli parve più adatta. «Certo.»

42

Genesis, North Carolina,
ore 16.15

Lord ammirò con rinnovato interesse, attraverso il parabrezza, i fitti boschi di alberi ad alto fusto che si ergevano su entrambi i lati dell'autostrada; il tronco era grigio scuro maculato, le foglie lunghe e di un verde intenso. Si era recato spesso da quelle parti per il fine settimana, ma era riuscito a riconoscere soltanto i più comuni platani americani, i faggi e le querce, scambiando quegli alberi singolari per una delle tante specie di pioppo. In quel momento invece sapeva bene di che cosa si trattava.

«Quelli sono gli alberi della principessa», disse, accompagnando l'affermazione col cenno di una mano. «Ieri sera ho letto che in questo periodo dell'anno i più grandi liberano i semi: più di venti milioni ciascuno. Ecco perché sono così diffusi.»

«Sei già stato qui, prima d'ora?» domandò Akilina.

«Sono stato ad Asheville, la città che abbiamo appena lasciato, e a Boone, un po' più a nord. D'inverno questa è un'importante zona sciistica, ma è molto bella anche in estate.»

«Mi ricorda la Siberia, vicino a dove viveva mia nonna; c'erano montagne basse e foreste, proprio come qui. L'aria era altrettanto fresca e pura. L'adoravo.»

L'autunno aveva preso possesso delle vette e delle valli circostanti, infiammandole dei toni del rosso, dell'oro e dell'arancione, e facendo salire la nebbia dalle zone più basse. Soltanto i pini e gli alberi della principessa conservavano un vivace aspetto estivo.

Il Corvo e l'Aquila avevano fatto scalo a Dallas e preso poi un volo per Nashville; di lì, una navetta gremita di pendolari li aveva depositati ad Asheville. Lord aveva finito i contanti ed era stato costretto a usare la carta di credito, a Nashville:

sperò di non dover rimpiangere quell'azione. Sapeva bene quanto fosse facile rintracciare gli spostamenti di una persona tramite le ricevute di pagamento; anche l'acquisto dei biglietti aerei era un ottimo indizio, facilmente controllabile. Si augurò che il vanto di Maxim Zubarev circa la collaborazione dell'FBI e della dogana fosse soltanto una minaccia. Non sapeva perché, ma aveva la sensazione che i russi stessero lavorando indipendentemente dal governo statunitense. A parte, forse, qualche piccola collaborazione periferica segreta, non credeva fossero state coinvolte forze in grado di affrontare la ricerca su larga scala di un avvocato americano e di un'acrobata russa. I russi avrebbero dovuto fornire spiegazioni troppo dettagliate e correre il rischio che lui riferisse tutto agli americani prima della cattura. No, lavoravano da soli... almeno per il momento.

Il viaggio da Asheville verso nord era stato piacevole; avevano percorso la Blue Ridge Parkway, per poi passare, per il tratto finale, alla statale 81, che si addentrava tra colline ondulate e basse montagne. La stessa Genesis si rivelò una cittadina incantevole, fatta di edifici in mattoni, legno e pietra che ospitavano curiose gallerie d'arte, antiquari e negozietti di articoli da regalo. La via principale era fiancheggiata da file di folti platani che ombreggiavano numerose panchine. All'incrocio centrale c'erano una gelateria, due banche e una drogheria, mentre nell'area periferica si trovavano i condomini, le case di villeggiatura e le catene di negozi al dettaglio. Giunsero in città all'imbrunire, quando il sole tingeva di un tenue color salmone il cielo e di viola scuro le vette e gli alberi.

«Eccoci arrivati», disse ad Akilina. «Ora dobbiamo soltanto scoprire che cosa – o chi – è la Spina.»

Stava per entrare in un negozio di alimentari per consultare l'elenco telefonico, quando un'insegna catturò la sua attenzione; era una lastra in ferro battuto che pendeva dal lato di un palazzo in mattoni a due piani. Le parole, scritte in nero, segnalavano: UFFICIO DI MICHAEL THORN, AVVOCATO. Lord indicò l'insegna, traducendola ad Akilina e precisando che, in inglese, la parola *thorn* significava «spina».

«Il nome nell'insegna... proprio come a Starodub», commentò la donna.

Anche lui aveva pensato lo stesso.

Parcheggiò accanto al marciapiede, a un isolato di distanza. Si diressero in fretta all'ufficio dell'avvocato, dove la segretaria li informò che Mr Thorn si trovava in tribunale per terminare una scrittura, ma che sarebbe tornato presto. Lord espresse il desiderio di parlare con Thorn immediatamente e la donna disse loro dove poterlo trovare.

Si recarono, dunque, al tribunale della Dillsboro County, un edificio in stile neoclassico di pietra e mattoni col colonnato sormontato da un timpano e un'alta cupola, secondo l'usanza del sud. Una placca di bronzo accanto all'ingresso principale indicava la data di completamento dell'edificio: 1898.

Lord si ritrovò a pensare che, nonostante la professione, non aveva mai frequentato molto i tribunali, poiché esercitava le sue mansioni nelle sale dei consigli di amministrazione e nelle istituzioni finanziarie delle più grandi città americane o delle capitali dell'Europa dell'est. In pratica non aveva mai preso parte a un processo, compito che Pridgen & Woodworth affidava a centinaia di avvocati appositamente addestrati. Lui stipulava accordi, lavorava dietro le quinte; almeno fino a una settimana prima, quand'era stato improvvisamente catapultato in prima linea.

Trovarono Thorn chino su un enorme volume, nella sala sotterranea dell'edificio. In quella sgradevole luce fluorescente, Lord vide che si trattava di un uomo di mezz'età: tozzo ma non sovrappeso, quasi calvo, dal naso sottile e pronunciato, gli zigomi alti e il volto giovanile.

«Michael Thorn?» chiese Lord.

L'uomo alzò lo sguardo. «Sì, sono io.»

Lord presentò se stesso e Akilina. Erano soli, nella stanza priva di finestre.

«Arriviamo ora da Atlanta.» Lord mostrò la tessera dell'avvocatura della Georgia, ricorrendo alla stessa strategia di presentazione che aveva funzionato alla banca di San Francisco. «Sono qui per lavorare sull'eredità patrimoniale di una parente della signorina Petrovna.»

«Mi sembra che il suo impegno vada ben al di là della pratica legale», osservò Thorn, indicando i molti lividi sul volto di Lord.

Lord ribatté con prontezza. «Mi diletto con la boxe, il fine settimana; ma stavolta credo di averne prese molte più di quante non ne abbia date.»

Thorn sorrise. «Come posso aiutarla, Mr Lord?»

«È da molto tempo che lavora qui?»

«Da sempre», rispose Thorn con una punta di orgoglio.

«Una città incantevole; è la prima volta che la vedo. È cresciuto qui, dunque?»

Sul volto di Thorn comparve uno sguardo incuriosito. «Perché tutte queste domande, Mr Lord? Credevo fosse qui per lavorare su un'eredità. Chi è il defunto? Se è di Genesis, sono certo di conoscerlo.»

Lord estrasse dalla tasca la Campana dell'Inferno, la porse a Thorn e attese una reazione.

L'avvocato ispezionò con aria casuale la campana, dentro e fuori. «Oggetto notevole. È d'oro massiccio?»

«Credo di sì. Riesce a leggere l'iscrizione?»

Thorn indossò un paio di occhiali, prima posati sul tavolo, ed esaminò l'esterno. «Che lettere piccole, eh?»

Lord guardò Akilina, e la vide intenta a scrutare l'avvocato.

«Mi dispiace, ma si tratta di una lingua straniera che non conosco», si scusò Thorn. «Non so quale, ma non riesco a leggerla. Temo che l'inglese sia il mio unico codice linguistico e, secondo alcuni, non sono bravo a usare neanche quello.»

«Chi persevererà sino alla fine sarà salvato», disse Akilina in russo.

Thorn fissò la donna per un istante, con uno sguardo che Lord non capì se esprimesse stupore o incomprensione. Poi l'avvocato guardò anche lui.

«Che cos'ha detto la signorina?» domandò.

«Chi persevererà sino alla fine sarà salvato», ripeté Lord in inglese.

«Dal Vangelo di San Matteo», osservò l'altro. «Ma che cosa significa questa citazione?»

«Queste parole non significano nulla per lei?»

Thorn gli restituì la campana. «Che cosa vuole, Mr Lord?»

«So che le sembrerà strano, ma avrei bisogno di porle ancora qualche domanda. Permette?»

L'avvocato si tolse gli occhiali. «Prego.»

«Ci sono molti Thorn qui a Genesis?»

«Ho due sorelle, ma non vivono qui. C'è qualche altra famiglia con quel nome, una delle quali molto numerosa, ma non siamo imparentati.»

«Potremmo rintracciarli facilmente?» s'informò Lord.

«Basta consultare l'elenco telefonico. La vostra proprietà è legata a un Thorn?»

«In un certo senso...»

Lord cercò di non fissarlo troppo, ma al contempo d'individuare qualche somiglianza fisica con Nicola II. Che follia. Aveva visto i Romanov soltanto in qualche filmato o fotografia sgrananti e in bianco e nero, che cosa ne sapeva di somiglianze? L'unica certezza era che Thorn era basso, come Nicola. A parte ciò, si rese conto di correre troppo con l'immaginazione. Che cosa si aspettava? Che, leggendo le parole, l'avvocato si trasformasse all'improvviso nello zar di tutte le Russie? Non erano mica in una storia di fate: quella era la vita reale. Se pure fosse esistito un eventuale erede, poi, avrebbe continuato a tenere la bocca chiusa e si sarebbe nascosto nell'ombra che lo aveva protetto in tutti quegli anni.

Lord ritirò la campana. «Mi scusi se l'ho importunata, Mr Thorn. Deve ritenermi un po' matto, e non le do affatto torto.»

L'avvocato assunse un'espressione più distesa. «Niente affatto, Mr Lord. È evidente che è alle prese con una sorta di missione che implica la segretezza professionale. Lo capisco benissimo. Se è tutto, gradirei terminare la ricerca del mio rogito prima che l'addetto mi cacci via.»

Si strinsero la mano.

«È stato un piacere incontrarla», disse Lord.

«Se ha bisogno della mia assistenza per cercare quegli altri Thorn, mi cerchi al mio ufficio in fondo alla strada. Domani sarò lì tutto il giorno.»

«Grazie, lo ricorderò. Potrebbe per caso raccomandarci un posto in cui passare la notte?»

«È dura, siamo in alta stagione turistica e molti alberghi sono prenotati. Tuttavia, essendo mercoledì, potreste trovare una stanza per una o due notti; il vero problema è il fine settimana. Provo a fare una telefonata veloce.» Thorn estrasse dalla giacca un telefono cellulare e digitò un numero. Parlò con qualcuno per qualche secondo, poi interruppe la conversazione. «Conosco il proprietario di un bed and breakfast che proprio stamattina mi diceva di avere pochi clienti, in questo periodo. La locanda si chiama Azalea Inn e non è lontana, vi faccio una mappa.»

L'Azalea Inn era un grazioso edificio in stile Regina Anna, situato in periferia. La proprietà, delimitata da una recinzione in legno bianco, era immersa tra i faggi. La veranda sulla facciata ospitava una fila di sedie a dondolo verdi; l'interno era arredato all'antica, con trapunte, soffitti dalle grezze travi a vista e camini a legna.

Lord chiese una camera unica, ricevendo in cambio uno sguardo strano da parte dell'anziana signora alla reception; gli tornò in mente l'albergatore di Starodub, che voleva negare una stanza a uno straniero, ma poi pensò che si trattasse di un atteggiamento diverso. Un uomo nero e una donna bianca: difficile immaginare che esistesse ancora una diffidenza legata al colore della pelle, eppure non era tanto ingenuo da credere il contrario.

«Qual era il problema, di sotto?» domandò Akilina, una volta in camera.

L'ambiente, situato al primo piano, era ampio e luminoso: c'erano fiori freschi e una soffice trapunta sul letto di legno con testiere alte, a mo' di slitta. La toilette ospitava una vasca da bagno con sostegni a forma di zampe, e aveva tende di pizzo bianche alle finestre.

«Qui qualcuno pensa ancora che le razze non dovrebbero mischiarsi», rispose Lord, posando sul letto le due borse da viaggio donate da Semjon Paščenko; sembrava passata un'eternità da quell'incontro. Aveva nascosto i due lingotti in un armadietto di sicurezza dell'aeroporto di Sacramento.

«Le leggi possono favorire il cambiamento», aggiunse,

«ma c'è ancora bisogno di modificare gli atteggiamenti di questo tipo. Non prendertela.»

Akilina alzò le spalle. «In Russia ci sono molti pregiudizi: nei confronti degli stranieri, dei neri, dei mongoli... Vengono tutti trattati malissimo.»

«Dovranno accettare uno zar nato e cresciuto in America. Credo che nessuno si aspetti una simile eventualità.» Si sedette sul bordo del letto.

«L'avvocato sembrava sincero; non sapeva di che cosa stessimo parlando», osservò lei.

«Già... l'ho osservato con attenzione mentre esaminava la campana e mentre ascoltava le tue parole.»

«Ha detto che c'erano altri Thorn?»

Lord si avvicinò al telefono e aprì l'elenco alla lettera T: trovò diversi Thorn e due Thornes. «Domani andremo in cerca di queste persone e, se necessario, le contatteremo una per una. Magari potremmo approfittare dell'offerta di Thorn e farci dare una mano; un personaggio del posto potrebbe esserci di aiuto.» Guardò Akilina. «Nel frattempo andiamo a cena, e poi riposiamoci.»

Cenarono in un tranquillo ristorante, a due isolati dall'Azalea Inn, che aveva l'unica caratteristica di essere adiacente a un campo di zucche. Lord fece assaggiare ad Akilina pollo fritto, puré di patate, pannocchie arrostite e tè freddo. In un primo momento si stupì del fatto che la donna avesse poca familiarità con quel menu, ma poi pensò che pure lui, prima di recarsi in Russia, non aveva mai assaggiato le focacce lievitate di grano saraceno, la minestra di barbabietole o i fagottini di carne siberiani.

Era una serata magnifica: il cielo era terso e la Via Lattea nel pieno del suo splendore.

Genesis era una città diurna; dopo il tramonto soltanto pochi ristoranti rimanevano aperti. I due fecero una breve passeggiata, poi tornarono alla locanda.

Entrando al pianterreno, trovarono Michael Thorn seduto su un sofà accanto alle scale.

L'avvocato indossava un maglione marrone chiaro e pantaloni classici, in stile casual. Quando vide Lord avvicinarsi all'ingresso, andò loro incontro e chiese: «Avete ancora quella campana?»

Lord estrasse l'oggetto di tasca e glielo porse. Guardò Thorn mentre inseriva all'interno della campana un battaglio dorato e, con un leggero movimento del polso, cercava di farla suonare. Al posto dell'atteso rintocco, però, giunse un sordo *tap*.

«L'oro è troppo morbido», ipotizzò Thorn. «Immagino che abbiate bisogno di un'altra conferma della mia identità.»

Lord rimase in silenzio.

«Alla Genesi, dove cresce l'albero della principessa, attende una Spina», disse Thorn. «Usate le parole che vi hanno condotto fin qui. Otterrete il successo pronunciando i vostri nomi e completando la campana.» Si fermò un istante. «Voi siete il Corvo e l'Aquila, e io sono colui che cercate.»

Le parole di Thorn furono pronunciate in un russo impeccabile.

43

Lord lo guardò attonito.

« Potremmo andare in camera vostra? » propose Thorn.

Salirono le scale in silenzio. Una volta entrati, con la porta chiusa a chiave, Thorn proseguì, sempre in russo. « Non credevo che avrei mai visto quella campana, né udito quelle parole. Ho conservato il battaglio per decenni, perfettamente consapevole di cosa fare nell'eventualità. Mio padre mi disse che il giorno sarebbe arrivato; lui attese sessant'anni invano e, prima di morire, mi rivelò che sarebbe toccato a me. Non gli ho mai creduto. »

Lord, ancora sbigottito, indicò la campana e domandò: « Perché si chiama Campana dell'Inferno? »

Thorn si avvicinò alla finestra e guardò fuori. « È la citazione di una poesia di Radiščev. »

Lord si ricordò di quel nome. « Altri suoi versi erano stati scritti su un foglio d'oro che abbiamo trovato nella banca di San Francisco. »

« Jusupov ne era un grande ammiratore, amava molto la poesia russa. Una poesia di Radiščev dice: 'Gli angeli di Dio proclameranno il trionfo celeste con tre rintocchi della Campana dell'Inferno. Uno per il Padre, uno per il Figlio e l'ultimo per la Santa Vergine'. Si adatta alla perfezione, direi. »

Lord stava tornando in sé e, dopo un attimo di silenzio, chiese: « Sta seguendo ciò che accade in Russia? Perché non è uscito allo scoperto? »

« Mio padre e io abbiamo discusso molto al riguardo. Lui era un imperialista convinto, della vecchia scuola; conosceva Feliks Jusupov di persona e ha parlato spesso con lui. Io invece ho sempre creduto che l'epoca della monarchia fosse tramontata da tempo e che nella società moderna non ci fosse spazio per concetti così antiquati. Ma lui era convinto che il sangue Romanov sarebbe risorto, e ora ciò sta per accadere. Tuttavia mi era stato ordinato di non rivelare la mia identità finché il Corvo e l'Aquila non fossero venuti a pronunciare quelle parole. Tutto il resto andava considerato una trappola tesa dai nostri nemici.»

«Il popolo russo vuole il suo ritorno», asserì Akilina.

«Stefan Baklanov ne resterà deluso», ribatté Thorn.

Lord percepì del sarcasmo nell'osservazione. Raccontò a Thorn del suo coinvolgimento nella Commissione per lo zar e di tutto ciò che era accaduto nella settimana passata.

«Ecco perché Jusupov ha voluto tenerci nascosti; Lenin voleva cancellare ogni singola goccia del sangue Romanov per escludere qualsiasi possibilità di restaurazione. Soltanto dopo, nel constatare che Stalin avrebbe fatto danni maggiori di qualsiasi altro zar, si rese conto di aver commesso un errore nello sterminare la famiglia imperiale.»

«Mr Thorn...» intervenne Lord.

«Chiamami Michael, per favore.»

«Forse sarebbe più adatto Sua Maestà Imperiale», sorrise il Corvo.

Thorn si accigliò. «Farò molta fatica ad abituarmi a quel titolo.»

«La tua vita è in pericolo. Hai famiglia, vero?»

«Ho una moglie e due figli, entrambi al college. Devo ancora rivelare loro il mio segreto; l'anonimato assoluto era una condizione su cui Jusupov insisteva molto.»

«Devi dirlo anche alle due sorelle di cui parlavi prima.»

«Lo farò. Ignoro come reagirà mia moglie all'idea di diventare zarina. Mio figlio maggiore dovrà fare qualche cambiamento per adattarsi al titolo di *zarevič*; suo fratello diventerà granduca.»

Tra le molte domande che avrebbe voluto porre al futuro zar, Lord scelse la più pressante. «Puoi raccontarci come Alessio e Anastasia sono giunti in North Carolina?»

Nei minuti che seguirono, Thorn raccontò una storia che fece venire loro la pelle d'oca.

Tutto ebbe inizio la sera del 16 dicembre 1916, quando Feliks Jusupov
servì a Grigorij Rasputin torta e vino al cianuro; quando vide che il ve-

leno non era bastato a uccidere la vittima, Jusupov finì lo starec con un colpo di pistola alla schiena. Ma poiché nemmeno il colpo bastò a ucciderlo, altri uomini portarono il religioso in un cortile innevato e gli spararono più volte, per poi gettare il cadavere nella Neva ghiacciata.

Dopo l'omicidio, Jusupov si vantò della sua gloria e intravide persino nel futuro politico un possibile cambio di dinastia regnante, dai Romanov agli Jusupov. In tutta la nazione soffiava il vento rivoluzionario e la destituzione di Nicola II era soltanto questione di tempo. Jusupov era già l'uomo più ricco della Russia, aveva ampie proprietà ed esercitava una considerevole influenza politica. Tuttavia un uomo di nome Lenin si era posto a capo dell'ondata d'insoddisfazione che stava per travolgere il potere assoluto e alla quale nessun nobile, indipendentemente dal nome, sarebbe sopravvissuto.

L'omicidio di Rasputin ebbe un impatto profondo sulla famiglia imperiale. Nicola e Alessandra si chiusero ancor più in se stessi, e la zarina cominciò a esercitare un'influenza sempre maggiore sul marito. Lo zar presiedeva un ampio gruppo di nobili che si professava del tutto indifferente alla propria reputazione pubblica: parlava francese al posto del russo, trascorreva all'estero la maggior parte del tempo e si mostrava geloso di nome e rango, ma noncurante dei doveri pubblici. Il divorzio e i matrimoni sbagliati trasmettevano un messaggio negativo al popolo.

Tutti i parenti dei Romanov odiavano Rasputin; nessuno di loro pianse la morte del religioso, e alcuni ebbero persino l'ardire di rivelare allo zar la propria gioia al riguardo. L'omicidio creò una frattura nel casato imperiale; alcuni granduchi e granduchesse cominciarono a parlare apertamente di cambiamento. Infine i bolscevichi approfittarono di tale divisione per deporre il governo provvisorio succeduto a Nicola II e per prendere il potere con la forza, uccidendo, nel frattempo, il maggior numero di Romanov possibile.

Da parte sua, Jusupov continuò di fronte a tutti a giudicare l'assassinio di Rasputin un atto positivo. Come punizione per quel crimine, lo zar lo mandò in esilio in una delle sue proprietà della Russia centrale; ebbe così la fortuna di trovarsi lontano dalle Rivoluzioni di Febbraio e di Ottobre. In un primo momento, Jusupov si era mostrato favorevole al cambiamento, offrendo addirittura la propria collaborazione, ma quando i comunisti requisirono tutti i beni della sua famiglia e minacciarono di arrestarlo, si rese conto di aver commesso un grave errore.

La morte di Rasputin era sopraggiunta troppo tardi per modificare il corso degli eventi; con quell'incauto tentativo di salvare il regno, Jusupov aveva in realtà inflitto un colpo fatale alla monarchia russa.

Poco dopo la Rivoluzìone d'Ottobre del 1917 e la salita al potere di Lenin, dunque, Jusupov si risolse ad agire; essendo uno dei pochi nobili rimasti in possesso delle proprie risorse monetarie, riuscì a riunire un gruppo di ex guardie imperiali alle quali affidò il compito di liberare la famiglia dello zar dalla prigionia. Sperò che il suo ravvedimento, per quanto tardivo, fosse riconosciuto da Nicola e che l'omicidio di Rasputin gli venisse perdonato. Jusupov vide in questa impresa un modo per cancellare la propria colpa, la quale consisteva non nell'aver liberato il mondo da Rasputin, ma nell'aver gettato le premesse per la cattura dello zar.

Quando, agli inizi del 1918, la famiglia imperiale fu trasferita da Carskoe Selo in Siberia, Jusupov decise di entrare in azione. Organizzò tre tentativi di liberazione, tutti falliti a causa della stretta sorveglianza sui prigionieri esercitata dai bolscevichi. Fu chiesto al sovrano inglese Giorgio V, cugino di Nicola II, di offrire un asilo sicuro ai Romanov; nonostante la disponibilità iniziale, però, il re finì per cedere alle pressioni e negare il permesso d'immigrazione.

A quel punto, Jusupov capì di non poter contrastare il fatale destino dei Romanov. Ripensò alla profezia di Rasputin, secondo cui Nicola II e la sua famiglia non avrebbero vissuto per più di due anni, se l'assassino del religioso fosse stato un nobile. Lui era il nobile di rango più alto al di fuori della dinastia e sua moglie era la nipote dello zar: lo starec aveva dunque ragione.

Jusupov tuttavia era determinato a contrastare il fato. Inviò Kolja Maks e altri a Ekaterinburg, con l'ordine perentorio di portare a termine la liberazione. Fu entusiasta del fatto che Maks fosse riuscito a farsi strada fino a diventare una guardia addetta alla sorveglianza della famiglia imperiale. Il vero miracolo tuttavia fu la sua presenza nel plotone d'esecuzione, che gli consentì di salvare Alessio e Anastasia. Sorprendentemente, Alessio non fu ferito dalle pallottole né dalle baionette; Anastasia, a parte la botta in testa ricevuta dallo stesso Maks, riportò lesioni minime, giacché il corsetto pieno di diamanti era riuscito a ripararla dai proiettili. Un unico colpo di pistola la raggiunse a una gamba; la ragazza guarì, ma ebbe come conseguenza una lieve zoppia, che si portò dietro per il resto dell'esistenza.

Maks condusse i due ragazzi in una capanna a ovest di Ekaterinburg, dove li attendevano altri tre uomini di Jusupov. Il nobile aveva
impartito un ordine ben chiaro: «Portate la famiglia a est». Ma non
c'era nessuna famiglia; soltanto due adolescenti spaventati a morte.

Nei giorni seguenti, Alessio non aprì bocca; rimase seduto in un angolo della capanna, mangiò e bevve qualcosa, ma per il resto era del tutto chiuso in se stesso. In seguito rivelò che la vista dei suoi genitori uccisi, della sua cara mamma che soffocava nel suo stesso sangue, dei corpi delle sorelle trafitti dalle baionette lo aveva annichilito. L'unico pensiero che gli aveva permesso di resistere era stata una frase detta un
giorno da Rasputin: «Tu sei il futuro della Russia; devi sopravvivere».

Il giovane aveva subito riconosciuto Maks, ex guardia di corte; il
russo corpulento aveva avuto, insieme con molti altri, il compito di
portare in braccio lo zarevič quando l'emofilia gli impediva di camminare. Non dimentico della sua gentilezza, dunque, l'erede aveva
obbedito subito all'ordine di rimanere fermo e in silenzio.

I sopravvissuti impiegarono quasi due mesi per raggiungere Vladivostok. Il germe della rivoluzione si era sparso prima del loro arrivo, ma laggiù nessuno aveva davvero idea di quale fosse l'aspetto fisico dei figli dei Romanov. Per sua fortuna, lo zarevič trascorse un
lungo periodo senza avere attacchi di emofilia, tranne uno molto lieve
che lo colse non appena giunto in città.

Jusupov aveva già inviato alcuni uomini ad accoglierli sulla costa
pacifica. In origine pensò di far restare i due eredi a Vladivostok fino
al momento adatto, ma poi la rapida degenerazione della guerra civile
favorì i Rossi fino a far presagire una prossima salita al potere dei comunisti. Sapeva che cosa avrebbe dovuto fare.

I russi emigravano in nave verso la California, sbarcando soprattutto a San Francisco. Alessio e Anastasia, in compagnia di una coppia appositamente reclutata, s'imbarcarono nel dicembre del 1918.

Lo stesso Jusupov abbandonò la Russia nell'aprile 1919 insieme
con la moglie e la figlia di quattro anni, e trascorse i successivi qua-
rantotto anni in giro per l'Europa e gli Stati Uniti. Scrisse un libro e,
ogni volta che un film o un documento non lo ritraeva nel modo che
lui riteneva più appropriato, proteggeva la propria reputazione inten-
tando cause per calunnia o diffamazione. In pubblico mantenne un
atteggiamento di orgogliosa e provocatoria ribellione, dipingendo l'o-
micidio di Rasputin come inevitabile, date le circostanze. Non si di-

mostrò in colpa per le conseguenze e non si assunse nessuna respon-
sabilità per quanto accadde dopo in Russia. Si oppose strenuamente a
Lenin e poi a Stalin; con l'uccisione di Rasputin avrebbe voluto libe-
rare Nicola dal giogo tedesco di Alessandra, ma avrebbe anche voluto
che la Russia imperiale continuasse a vivere. Invece, proprio come
aveva predetto Rasputin, la Neva si era tinta del sangue dei nobili.
I Romanov erano morti tutti.
   La Russia era finita.
   Era nata l'Unione delle Repubbliche Socialiste Sovietiche.

«Che cosa accadde dopo l'arrivo di Alessio e Anastasia negli Stati Uniti?» domandò Lord.

Thorn era seduto sul divano di fronte alla finestra, mentre Akilina, accovacciata sul letto, ascoltava con evidente stupore il racconto che colmava le lacune della storia da loro appresa.

«Jusupov aveva inviato altri due uomini in avanscoperta, per trovare un nascondiglio sicuro nel territorio statunitense; uno dei due aveva esplorato la parte orientale, intorno agli Appalachi. Conoscendo l'albero della principessa, aveva ritenuto il legame significativo; i due ragazzi, dunque, furono condotti in un primo momento ad Asheville, poi più a nord, a Genesis. Si stabilirono qui con la coppia che li aveva portati via dalla Russia in nave, e il cognome *Thorn* fu scelto in ragione della sua larga diffusione locale. Diventarono Paul e Anna Thorn, figli unici di Karel e Ilka Thorn, una coppia proveniente dalla Lituania. In un'epoca caratterizzata dall'immigrazione di migliaia di persone, nessuno prestò attenzione a quei quattro. A Boone c'è un'ampia comunità di origine slava e, a parte ciò, in questo Paese nessuno sapeva nulla sul conto della famiglia imperiale russa.»

«Furono felici lì?» chiese Akilina.

«Oh, sì. Jusupov fornì il ricavato dei suoi numerosi investimenti americani per finanziare il trasferimento cercando, al contempo, di celare ogni ricchezza. I Thorn, dunque, condussero una vita semplice, mantenendosi in contatto con Jusupov sempre tramite intermediari. Trascorsero decenni prima che mio padre potesse parlare di persona con lui.»

«Quanto a lungo vissero i due ragazzi?»

«Anastasia morì di polmonite nel 1922, poche settimane prima di sposarsi. Jusupov era riuscito a trovare un uomo che reputava degno di lei, che soddisfacesse i criteri reali pur appartenendo a un ramo cadetto del suo lignaggio. Alessio si era sposato l'anno prima, a diciotto anni; si temeva che la sua malattia potesse degenerare fino a esiti fatali e, a quel tempo, non c'erano cure per l'emofilia. Jusupov combinò il matrimonio con la figlia di uno dei suoi uomini, una ragazza – mia nonna – di sedici anni appena, ma che corrispondeva alle caratteristiche richieste per la zarina. Fu fatta emigrare, e i due furono sposati da un sacerdote ortodosso in una baita non lontano da qui, che posseggo ancora oggi.»

«È vissuto a lungo?» domandò Lord.

«Soltanto altri tre anni, un tempo sufficiente tuttavia per concepire mio padre. Il bambino risultò sano, poiché l'emofilia si poteva trasmettere soltanto dalla madre al figlio maschio. Più tardi, Jusupov asserì che pure in quel caso era intervenuto il destino; infatti, se Anastasia fosse sopravvissuta, partorendo un figlio, avrebbe rischiato di portare avanti la maledizione. Lei morì, e fu mia nonna a generare un erede maschio.»

Lord fu assalito da una strana ondata di tristezza, che gli ricordò la sensazione percepita alla morte di suo padre: un curioso misto di rimpianto e sollievo, abbinato a un po' di nostalgia. Rimosse il pensiero e chiese: «Dove sono sepolti?»

«In un luogo ameno, circondato dagli alberi della principessa. Ve lo mostrerò domani.»

«Perché prima ci hai mentito?» volle sapere Akilina.

Thorn rimase un istante in silenzio, poi rispose: «Sono spaventato a morte. Il martedì frequento il Rotary Club e il sabato vado a pescare; la gente si affida alla mia consulenza per le adozioni, l'acquisto di case, il divorzio, e io li assisto. Ma ora mi si chiede di governare una nazione...»

Lord ebbe compassione per l'uomo seduto dall'altra parte della stanza e non lo invidiò affatto. «Tu, però, potresti essere il catalizzatore in grado di salvare quella nazione dallo sfacelo. Ora le persone ricordano lo zar con affetto.»

«La cosa m'inquieta, in realtà. Il mio bisnonno era un uomo

difficile; ho analizzato a fondo la sua personalità, e gli storici non sono stati clementi nei suoi confronti, tantomeno con la mia bisnonna. Temo che il loro fallimento debba essere considerato un monito. Davvero la Russia è pronta per accogliere di nuovo un'autocrazia?»

«Credo che non si sia mai accorta della sua cessazione», puntualizzò Akilina.

Lo sguardo di Thorn era distante. «Hai ragione.»

Lord ascoltò il tono solenne delle parole dell'avvocato, che sembravano ponderate a una a una, sillaba per sillaba, nelle loro varie sfumature.

«Stavo pensando agli uomini che sono sulle vostre tracce», proseguì Thorn. «Devo assicurarmi che mia moglie non sia in pericolo; non ha certo chiesto di essere coinvolta in tutto ciò.»

«Il vostro matrimonio è stato combinato?» chiese Lord.

Thorn annuì. «L'hanno trovata mio padre e Jusupov; proviene da una famiglia di origini nobili, con tracce di sangue reale, e profondamente ortodossa. Ha le caratteristiche per sostenere eventuali obiezioni. La sua famiglia immigrò dalla Germania negli anni '50, avendo abbandonato la Russia dopo la rivoluzione. La amo teneramente, siamo stati bene insieme.»

Lord voleva approfondire un'altra questione. «Jusupov ha mai rivelato che cosa ne fu dei cadaveri? Vasilij Maks ci ha raccontato quanto accadde fino al momento in cui suo padre ritrovò Alessio e Anastasia nella foresta, il mattino dopo l'eccidio. Ma Kolja partì quel giorno stesso...»

«Non è vero.»

«Suo figlio ci ha detto così.»

«Partì, ma non prima di aver ritrovato Alessio e Anastasia. Dopodiché ritornò alla 'casa a destinazione speciale', e soltanto tre giorni dopo partì coi due bambini.»

«Fu coinvolto nella sistemazione definitiva dei cadaveri?»

«Sì.»

«Ho letto le ipotesi più disparate e diverse false testimonianze. Jusupov ha rivelato che cosa accadde davvero?»

«Oh, sì. Ha raccontato tutto.»

44

Kolja Maks fece ritorno a Ekaterinburg intorno a mezzogiorno. Aveva condotto Alessio e Anastasia al sicuro, nella casa fuori città, ed era riuscito a tornare indietro senza che nessuno scoprisse dov'era andato. Venne a sapere che pure Jurovskij era rientrato e aveva fatto diligentemente rapporto al Soviet regionale degli Urali, dichiarando che l'esecuzione era stata portata a termine. Il comitato fu soddisfatto e inviò a sua volta una relazione a Mosca per narrare il successo nei dettagli.

Tuttavia gli uomini che Jurovskij aveva cacciato dalla miniera dei Quattro Fratelli la notte prima – gli uomini guidati da Peter Ermakov – andavano in giro a raccontare a tutti dove si trovavano lo zar e la sua famiglia. Alcuni vollero avventurarsi nel bosco in cerca dei gioielli nascosti nei corpi. Non c'era da stupirsi, dato il gran numero di persone che era stato coinvolto nell'operazione; non si poteva certo pretendere di mantenere il segreto.

Verso metà pomeriggio, Maks incontrò Jurovskij, che lo aveva convocato insieme con altri tre per assisterlo.

«Stanno tornando sul posto», riferì Jurovskij. «Ermakov è determinato a vincere la sua battaglia.»

In lontananza si udivano gli spari dell'artiglieria.

«I Bianchi sono a pochi giorni da qui, forse a poche ore. Dobbiamo portare via i cadaveri da quella miniera, anche perché i conti non tornano.»

Maks e gli altri sapevano a che cosa si riferisse il comandante: disponevano soltanto di nove corpi invece che di undici.

Jurovskij inviò due uomini a requisire cherosene e acido solforico, mentre lui e Maks si allontanarono dalla città in automobile, lungo la strada principale per Mosca. Il pomeriggio era diventato freddo e tetro, il sole del mattino era sparito dietro una spessa coltre di nubi.

«Ho sentito dire che a ovest ci sono miniere profonde e piene d'acqua», disse Jurovskij durante il tragitto. «Li getteremo lì dentro, ognuno legato a un masso. Ma prima li bruceremo, sfigurandoli con l'acido; così, anche se li trovassero, nessuno li riconoscerebbe. Qui intorno c'è un cadavere in ogni fossa.»

L'idea di recuperare nove cadaveri insanguinati dalla miniera dei Quattro Fratelli non allettava Maks, che aveva ancora in mente Jurovskij mentre gettava granate nel pozzo; rabbrividì al pensiero di ciò che poteva esserci là in fondo.

A circa venticinque chilometri da Ekaterinburg, l'automobile andò in panne. Proseguirono a piedi e, dopo una decina di chilometri, scoprirono tre profonde miniere piene d'acqua. Tornarono in città verso le otto di sera, in parte a piedi, in parte in sella a un cavallo requisito a un contadino. Soltanto poco dopo la mezzanotte di quel 18 luglio, ossia ventiquattr'ore dopo l'eccidio, si recarono nuovamente alla miniera dei Quattro Fratelli.

Ci vollero diverse ore per illuminare il pozzo profondo e preparare il recupero. Al termine della fase preliminare, Jurovskij ordinò: «Kolja, scendi a prenderli».

Maks fu sul punto di protestare, ma l'ultima cosa che voleva era mostrarsi debole di fronte a quegli individui; era riuscito a conquistare la loro fiducia – soprattutto quella di Jurovskij – e nei giorni a venire ne avrebbe avuto molto bisogno. Senza dire una parola, dunque, si legò una corda in vita, e fu calato nel pozzo. Le scure pareti argillose erano oleose al tatto, e la gelida atmosfera era pervasa dal puzzo di bitume misto a muffa e licheni. C'era anche un altro odore, più acre e nauseante; lo riconobbe: era quello della carne in decomposizione.

A quindici metri di profondità, la sua torcia illuminò una pozza, in cui intravide un braccio, una gamba e una nuca. Gridò agli uomini di smettere di calarlo. Restò un istante in bilico sulla superficie.

«Giù. Piano», gridò.

Lo stivale destro s'immerse nell'acqua ghiacciata, diffondendo un brivido in tutto il corpo. Per sua fortuna, l'acqua era profonda soltanto fino alla vita. Si resse sulle proprie gambe, in preda ai tremiti per il freddo e urlò di smettere di calarlo.

Vide scendere una seconda corda: sapeva bene a che cosa fosse destinata; allungò un braccio e ne afferrò l'estremità. Era evidente come il danno inferto ai corpi dalle granate di Jurovskij fosse limitato. Afferrò la prima parte del corpo che trovò di fianco a sé, tirò la carne nuda e vide che si trattava di Nicola. Guardando le sembianze mutilate dello zar, il volto riconoscibile a stento, Maks ricordò l'uomo che *era: il fisico snello, il viso squadrato, la barba folta, gli occhi espressivi.*

Legò la corda intorno al cadavere e fece segno di tirare. La terra, però, sembrò non voler mollare la propria preda: la corazza senza vita lasciò andare una quantità d'acqua che, facendo cedere i muscoli degli arti e la carne, scaraventò di nuovo Nicola II nella pozza.

Schizzi d'acqua gelida infradiciarono il volto e i capelli di Maks. Afferrò il cadavere e strinse più forte il nodo, legando insieme il torace e le membra lacere.

Ci vollero quattro tentativi prima di riuscire a tirare su lo zar.

Lottando contro la nausea, Maks ripeté l'azione altre otto volte. Fu un lavoro che richiese molte ore e fu ostacolato dal freddo, dal buio e dal processo di decomposizione in atto. Dovette risalire tre volte per scaldarsi di fronte al fuoco, poiché l'acqua lo ghiacciava fino al midollo. Quando lo tirarono su per l'ultima volta, il sole era alto nel cielo e nove cadaveri mutilati erano distesi sull'erba umida.

Uno degli uomini di Jurovskij offrì a Maks una coperta; fu un dono gradito, sebbene puzzasse di bue.

«Seppelliamoli qui», propose uno di loro.

Jurovskij scosse il capo. «No, è troppo fangoso, sarebbe facile da scoprire. Dobbiamo trasportarli da un'altra parte; quei diavoli devono essere inabissati per sempre, sono stufo di vedere le loro facce indemoniate. Prendete le carrette, li porteremo via di qui.»

Furono prelevate tre fragili carrette di legno dal luogo in cui erano parcheggiate le vetture. Le ruote procedevano a stento sul terreno fangoso.

Jurovskij s'irrigidì nel vedere i corpi dilaniati. «Dove saranno gli altri due?»

«Non qui», rispose Maks.

Lo sguardo truce dell'ebreo tarchiato lo trafisse con la rapidità e la precisione di una pallottola. «Mi chiedo se un giorno il fatto creerà problemi.»

A Maks venne il dubbio che quell'uomo sapesse più del dovuto. No: i due cadaveri mancanti avrebbero potuto costare la vita a Jurovskij, era inverosimile che prendesse la questione sotto gamba.

«Come potrebbe? Sono morti», osservò Maks. «Questo è l'importante. Un corpo non è che la conferma.»

Il comandante si avvicinò al cadavere di una donna. « Temo che non sia ancora stata detta l'ultima parola su quei Romanov. »

Maks non replicò; il commento non richiedeva risposta.

I nove corpi furono gettati sui carretti e coperti con un drappo ben assicurato. La squadra quindi si riposò per qualche ora, rifocillandosi con pane nero e prosciutto all'aglio. Infine, verso metà pomeriggio, si diressero verso il nuovo sito lungo una strada dissestata e marcia di fango. Il giorno prima era circolata la voce secondo cui l'Armata Bianca era in agguato nei boschi, cosicché le squadre di ricerca dei Rossi erano entrate in azione nella zona delimitata, pronte a sparare a chiunque gli si parasse dinanzi. Maks sperò che quel monito potesse garantire loro un po' di segretezza per portare a termine il compito.

Dopo meno di tre chilometri si ruppe l'asse di un carretto. Jurovskij, che seguiva la processione in automobile, ordinò di fermarsi.

Anche gli altri due carretti erano sul punto di cedere.

« Restate qui di guardia », *ordinò il comandante.* « Io vado in città in cerca di un furgone. »

Quando ritornò, era già scesa l'oscurità. I corpi furono trasferiti sul furgone, e la squadra si rimise in marcia. Un faro del veicolo non funzionava e l'altro illuminava a malapena la notte nera; le ruote, poi, incappavano in ogni buco della strada fangosa. L'incedere fu ulteriormente rallentato dalla necessità di disporre periodicamente alcune tavole di legna sulla strada per contrastare l'eccessiva scivolosità del suolo. Le ruote s'impantanarono quattro volte, richiedendo sforzi massacranti per essere liberate.

Si fermarono un'altra ora per riposarsi.

Ormai si era passati dal 17 al 18 luglio.

Verso le cinque del mattino le ruote rimasero definitivamente intrappolate nel fango e non ci fu più verso di liberarle dalla morsa del terreno. Al tutto si aggiungeva la fatica estrema accumulata negli ultimi due giorni.

« Questo furgone non si muoverà di qui », *commentò uno degli uomini.*

Jurovskij alzò gli occhi al cielo: l'alba era vicina. « Ora basta: sono tre giorni che vivo coi cadaveri di quei reali puzzolenti. Li seppelliremo qui. »

« Lungo la strada? » *chiese qualcuno.*

«Sì, è un luogo perfetto. In tutto questo ammasso fangoso, nessuno noterà il nostro scavo.»

Fu scavata una fossa di circa mezzo metro quadrato, profonda quasi due metri. Vi furono gettati i cadaveri, i cui volti erano stati precedentemente sfigurati con l'acido solforico. La buca fu poi riempita e coperta con rami secchi, calce e tavole di legno, sopra cui passò diverse volte il furgone, che era stato liberato. Alla fine non rimase traccia dello scavo.

«Siamo venti chilometri a nord-ovest di Ekaterinburg», osservò Jurovskij. «A circa duecento metri da dove la ferrovia incrocia la strada, in direzione della fabbrica di Isetsk. Ricordate queste coordinate: indicano il luogo in cui il nostro glorioso zar riposerà... per sempre.»

Lord lesse l'emozione sul viso di Thorn.

«Li hanno lasciati lì. Nel fango, dove rimasero fino al 1979. All'epoca, quando durante lo scavo scoprirono alcune tavole di legno, pare che uno dei ricercatori abbia detto: 'Spero di non trovare nulla là sotto'. Invece così non fu: nove scheletri. La mia famiglia.» Thorn guardò in basso, verso il pavimento rivestito di moquette. Lungo la strada si sentì passare un'automobile. Infine l'avvocato riprese a parlare. «Ho visto le fotografie delle ossa disposte sui tavoli del laboratorio. Mi fa male vederli come curiosi oggetti da museo.»

«Non riuscirono nemmeno a mettersi d'accordo sul luogo in cui seppellirli», soggiunse Akilina.

Lord si ricordò della battaglia, protrattasi per anni, tra Ekaterinburg, città che avrebbe voluto accogliere i corpi dei reali in quanto luogo della loro morte, e San Pietroburgo, che reclamava il diritto di seppellirli nella cattedrale dei Santi Pietro e Paolo, insieme con tutti gli altri zar. Tale disputa, in realtà, aveva poco a che vedere col protocollo o con un tributo alla memoria; i funzionari di Ekaterinburg avevano intravisto un ritorno economico nel fatto di avere l'ultimo zar sepolto nei dintorni, e così San Pietroburgo. Come aveva detto Thorn, durante gli otto anni in cui si era protratto il dibattito, i resti della famiglia imperiale erano rimasti sullo scaffale di metallo di un

laboratorio siberiano. Infine aveva avuto la meglio San Pietroburgo, quando una commissione governativa aveva deciso
che i nove scheletri avrebbero dovuto essere sepolti insieme
con gli altri Romanov. La questione aveva rappresentato
uno dei tanti fiaschi politici di Eltsin, il quale, cercando di
non provocare nessuno, finiva sempre per offendere tutti.
Thorn si fece scuro in volto. «Stalin vendette moltissimi beni di mio nonno per intascarne il ricavato. Anni fa, io e mio
padre abbiamo visitato il museo di belle arti della Virginia
per vedere un'icona di San Pantaleone che i monaci avevano
donato ad Alessio quand'era molto malato e che si trovava
nella sua stanza di Palazzo Aleksandrovskij. Di recente ho letto che a New York è stato venduto all'asta un suo paio di sci.»
Scosse la testa. «Quei dannati comunisti... Odiavano tutto ciò
che era imperiale, ma non si facevano scrupoli a usare la loro
eredità per finanziare le proprie malefatte.»

«Fu per il suo coraggioso comportamento che Jusupov affidò a Kolja Maks il primo pezzo del puzzle?» domandò Lord.

«È stata un'ottima scelta: a quanto pare ha conservato il segreto persino nella tomba. Anche suo figlio e suo nipote si sono comportati bene. Riposino in pace con Dio.»

«Il mondo deve sapere», disse Lord.

Thorn trasse un sospiro profondo. «Credete che la Russia
accetterà uno zar nato in America?»

«Non vedo il problema», intervenne Akilina. «Sei un Romanov di sangue puro.»

«La Russia è un Paese complicato.»

«Il popolo vuole soltanto te», ribatté la donna.

Thorn abbozzò un lieve sorriso. «Speriamo che la tua convinzione sia contagiosa.»

«Vedrai», sorrise lei. «La gente ti accetterà. Il mondo ti accetterà.»

Lord si diresse verso il telefono accanto al letto. «Chiamerò
l'uomo per cui lavoro, deve venire a conoscenza della situazione per fermare il voto della commissione.»

Nessuno disse una parola mentre Lord digitava il numero
di telefono di Pridgen & Woodworth ad Atlanta. Erano quasi
le sette di sera, ma l'ufficio era sempre aperto. I segretari, gli

assistenti e gli avvocati lavoravano tutta la notte per venire incontro alle esigenze delle filiali e dei clienti in giro per il mondo.

Il centralino dirottò la sua chiamata alla segretaria notturna di Hayes.

«Melinda, devo parlare con Taylor. Quando chiama dalla Russia...»

«È sull'altra linea, Miles.»

«Mettimi in comunicazione con lui.»

«Sto premendo il pulsante.»

Qualche istante dopo, Hayes parlò dall'altra linea. «Miles, dove sei?»

Lord spiegò tutto nel giro di qualche minuto. Hayes ascoltò in silenzio, poi disse: «Mi stai dicendo che seduto accanto a te c'è l'erede al trono dei Romanov?»

«Esattamente.»

«Ne sei sicuro?»

«Al cento per cento. Ma il test del DNA fugherà ogni dubbio.»

«Miles, ascoltami e con molta attenzione: voglio che resti dove sei. Non lasciare la città e dimmi il nome della locanda in cui risiedi.»

Lord glielo disse.

«Non andartene di lì. Domani pomeriggio sono da te; prenderò il primo volo da Mosca per New York. Dovremo muoverci con cautela. Non appena sarò lì, contatterò il dipartimento di Stato e chiunque sarà necessario. Durante il viaggio chiamerò chi di dovere e, d'ora in poi, mi occuperò io di tutto. Chiaro?»

«Ho capito.»

«Lo spero. Sono incazzato nero, dovevi chiamarmi prima. Hai aspettato troppo.»

«Il telefono non è un mezzo di comunicazione sicuro. Anche ora non sono tranquillo.»

«Questa linea è pulita, te lo garantisco.»

«Mi dispiace di non averti coinvolto, Taylor, ma non avevo scelta. Ti spiegherò tutto quando sarai qui.»

«Non vedo l'ora. Adesso riposati, ci vediamo domani.»

45

Giovedì 21 ottobre,
ore 9.40

Lord seguì le indicazioni fornite da Thorn; l'avvocato era seduto sul retro della Jeep Cherokee noleggiata all'aeroporto di Asheville.

Lord e Akilina non avevano chiuso occhio all'Azalea Inn, erano troppo turbati dall'eccezionale scoperta. Lord non aveva dubbi: l'uomo un po' calvo e di mezz'età, dai teneri occhi grigi, che gli sedeva alle spalle era l'erede al trono dei Romanov. Chi altri avrebbe potuto sapere esattamente come comportarsi? Senza contare, poi, che era in possesso del battaglio d'oro che completava la campana. Aveva soddisfatto tutti i criteri posti da Jusupov per l'identificazione; a quel punto la scienza avrebbe fornito la prova definitiva tramite il test del DNA, che di certo la Commissione per lo zar avrebbe voluto eseguire.

«Svolta qui, Miles», disse Thorn.

A colazione Thorn aveva chiesto loro se avrebbero gradito vedere le tombe. A Lord era parso che una piccola gita non sarebbe stata una grave contravvenzione all'ordine di Hayes di non muoversi dalla locanda. Così si diressero qualche chilometro a sud di Genesis, in un graziosa valle alberata, dove dominavano le tonalità del rame e dell'oro. Era una giornata limpida e soleggiata; tutta quella luce sembrò a Lord un presagio positivo inviato dal cielo.

Era davvero così?

In quell'angolino d'America noto per il buonsenso rustico e i nebbiosi monti Appalachi viveva, con moglie e due figli, lo zar di tutte le Russie: un avvocato di campagna formatosi prima all'University of North Carolina e poi alla scuola legale della vicina Duke, grazie a una borsa di studio e a lavori part-time.

Thorn aveva raccontato tutto sul suo conto, poiché era giusto che loro sapessero. Dopo la laurea era tornato a Genesis, dove aveva esercitato l'avvocatura per ventiquattro anni e aperto uno studio legale con un'insegna ben visibile, secondo le istruzioni di Jusupov. Era un modo per segnare il percorso, studiato da un piccolo, bizzarro russo che non avrebbe mai immaginato i computer, la comunicazione satellitare, Internet o la possibilità di rintracciare una persona semplicemente premendo un pulsante. Il mondo, ormai, era diventato piccolo e non c'era più modo di nascondersi; ma Kolja Maks, il padre di Thorn e Thorn stesso avevano rispettato gli ordini di Jusupov, e quell'unanime determinazione aveva finito per dare i suoi frutti.

«Parcheggia pure laggiù», indicò Thorn.

Lord accostò il paraurti anteriore al tronco gigantesco di una quercia. Una brezza leggera faceva frusciare i rami circostanti e trascinava le foglie in allegre piroette.

A differenza della radura ghiacciata di Starodub, il cimitero situato nel boschetto adiacente era immacolato; l'erbetta intorno a ogni lapide era ben curata, molte tombe erano ornate da fiori freschi e ghirlande e, sebbene alcune risentissero del passare del tempo, nessuna era intaccata dal muschio o da macchie di ruggine.

«Il mantenimento del cimitero è a cura dell'associazione storica locale, che fa un ottimo lavoro. Questo posto è usato per la sepoltura dall'epoca della guerra civile.»

Thorn li guidò verso il perimetro esterno del manto erboso; a meno di quindici metri di distanza si ergeva una fila di alberi della principessa, dai rami trapunti di baccelli colorati.

Lord esaminò le lapidi, ciascuna aveva una croce incisa in cima:

ANNA THORN

18 GIUGNO 1901 – 7 OTTOBRE 1922

PAUL THORN

12 AGOSTO 1904 – 26 MAGGIO 1925

«Curioso che abbiano usato le vere date di nascita», osservò. «Non è stata un'imprudenza?»

«Non direi, nessuno conosceva la loro vera identità.»

Sotto i nomi, su entrambe le pietre tombali, compariva lo stesso epitaffio: CHI PERSEVERERÀ SINO ALLA FINE SARÀ SALVATO.

Lord indicò l'epitaffio. «Un ultimo messaggio di Jusupov?»

«L'ho sempre ritenuto molto appropriato. Da quanto mi hanno raccontato, entrambi avevano una personalità molto particolare; forse se avessero continuato a vivere come *zarevič* e granduchessa, avrebbero finito per corrompere la loro vera indole. Qui invece erano soltanto Paul e Anna Thorn.»

«Com'era Anastasia?» domandò Akilina.

Le labbra di Thorn s'incresparono in un sorriso. «La maturità la rese splendida. Da ragazzina era paffuta e arrogante ma, crescendo, diventò snella e – a quanto mi hanno detto – bellissima, come sua madre a quell'età. Era zoppa e aveva il corpo segnato da cicatrici, ma il viso era intatto. Mio padre ritenne doveroso riferirmi tutto ciò che Jusupov gli aveva raccontato su di lei.»

Thorn si sedette su una panca di pietra. Si udì il roco gracchiare dei corvi in lontananza.

«Lei era la vera speranza, anche se si temeva che potesse trasmettere l'emofilia a un figlio maschio. Nessuno, infatti, credeva che Alessio avrebbe potuto sopravvivere abbastanza a lungo da trovare moglie e generare un figlio. Fu un miracolo che fosse riuscito a scappare da Ekaterinburg senza avere attacchi; qui invece ne ebbe molti. Un medico del posto tuttavia riuscì a curarlo con discreto successo e a conquistarsi la sua fiducia, come aveva fatto a sua volta Rasputin. In definitiva, Alessio morì a causa di una banale influenza, non di emorragia. Rasputin indovinò anche in quel caso, quando predisse che l'emofilia non sarebbe stata la causa della morte dello *zarevič*.» Thorn guardò le montagne. «Mio padre aveva soltanto un anno quando Alessio morì, mentre mia nonna visse fino agli anni '70. Era una donna straordinaria.»

«Sapeva di aver sposato Alessio?» chiese Lord.

«Sì. Era russa di sangue nobile, originaria di una famiglia emigrata all'epoca dell'ascesa di Lenin al potere. Sapeva ogni dettaglio, del resto la malattia di Alessio era impossibile da nascondere. Sentendola parlare non avreste mai detto che avesse trascorso soltanto tre anni con lui: amava Alessio Nicolaevic.»

Akilina si avvicinò alle lapidi, s'inginocchiò e fece il segno della croce. Lord la guardò mentre recitava una preghiera. Lei gli aveva raccontato dell'esperienza avuta nella chiesa di San Francisco e, in quel momento, lui si rese conto che la fede della donna era più radicata di quanto lei stessa volesse ammettere. Anche lui, a suo modo, era commosso dalla serenità dell'ambiente, il cui silenzio era infranto soltanto dal fruscio prodotto dagli scoiattoli tra gli alberi della principessa.

«Vengo spesso qui», rivelò Thorn indicando altre tre lapidi di cui si scorgeva il retro. «I miei genitori e mia nonna sono sepolti laggiù.»

«Perché tua nonna non riposa qui, accanto al marito?» domandò Akilina.

«Non volle. Disse che fratello e sorella dovevano essere sepolti l'uno accanto all'altra: la divina stirpe imperiale andava separata dagli altri. Insistette molto al riguardo.»

Il viaggio di ritorno verso Genesis si svolse in assoluto silenzio, e Lord, con Akilina, si diresse subito verso l'ufficio di Thorn. Una volta entrati, notò le fotografie di una donna e due ragazzi in mostra su una credenza polverosa. La moglie era bruna, affascinante e con un sorriso solare; i figli erano entrambi belli, con la carnagione scura, i lineamenti marcati e gli zigomi pronunciati, caratteristica somatica tipicamente slava: avevano un quarto di sangue Romanov ciascuno, erano eredi diretti di Nicola II. Lord si chiese come avrebbero reagito i due fratelli nello scoprire all'improvviso di essere nobili.

Appoggiò su un tavolo di legno la borsa da viaggio che aveva portato da San Francisco. La sera prima, nella foga del momento, si era scordato di mostrare l'uovo di Fabergé;

quindi estrasse gentilmente il tesoro spezzato e recuperò i ritratti in miniatura di Alessio e Anastasia.

Thorn li esaminò da vicino. «Non ho mai saputo che aspetto avessero una volta arrivati qui; non sono mai state scattate altre fotografie. Mia nonna mi aveva raccontato di questi ritratti: furono eseguiti nella baita, non lontano da qui.»

Lord guardò di nuovo le fotografie della famiglia Thorn sulla credenza. «Come ha reagito tua moglie?»

«Non le ho detto nulla, ieri sera; le parlerò all'arrivo del tuo capo, dopo che avremo deciso cosa fare. Oggi è fuori città, è andata a trovare sua sorella ad Asheville; così avrò un po' di tempo per riflettere.»

«Quali sono le sue origini?»

«Vuoi sapere se ha le carte in regola per diventare zarina?»

«Be', sono dettagli di cui occorre tenere conto. L'atto di successione è ancora valido e la commissione intende rispettarlo il più possibile.»

«Margaret proviene da una famiglia ortodossa e ha sangue russo nelle vene, per quanto se ne sapeva venticinque anni fa, qui negli Stati Uniti. Mio padre esaminò personalmente le candidate.»

«Lo fai sembrare un atto molto freddo», osservò Akilina.

«Non era mia intenzione. Mio padre, però, si rese conto di avere una grossa responsabilità e fece il possibile per mantenere un legame di continuità col passato.»

«È americana?» domandò Lord.

«Della Virginia; il che significa che i russi dovranno accettare due americani.»

«Le persone che ci hanno mandato qui hanno parlato di un tesoro dello zar che sarebbe ancora distribuito nelle banche», disse Lord. «Tu ne sai qualcosa?»

Thorn posò le fotografie accanto al mucchio di frammenti che un tempo costituiva l'uovo di Fabergé. «Mi è stata data la chiave di una cassetta di sicurezza da aprire al momento opportuno. Credo sia giunta l'ora e penso che quella cassetta fornisca la risposta alla tua domanda. Mi era stato detto di non tentare di accedervi prima del vostro arrivo. Si trova a New York, la nostra prossima destinazione.»

«Sei sicuro che esista ancora?»

«Pago l'affitto ogni anno.»

«Mantieni anche quella di San Francisco?»

«Entrambe vengono pagate tramite addebito automatico su conti aperti decenni fa sotto falso nome. Non vi nascondo che abbiamo avuto qualche problema quando la legge è cambiata e ha prescritto che a ogni conto bancario fosse affiancato il numero della previdenza sociale. Tuttavia ho fatto in modo di fornire i nomi e i numeri di un paio di clienti deceduti. Ero un po' in pensiero per eventuali complicazioni legali, ma non mi sono mai ritenuto in pericolo. Almeno fino a ieri sera...»

«Posso assicurarti, Michael, che il pericolo c'è e come. Taylor Hayes però ci proteggerà. Soltanto lui sa che siamo qui, te lo posso assicurare.»

Hayes scese dall'automobile e ringraziò l'impiegato di Pridgen & Woodworth che lo aveva aspettato all'aeroporto di Atlanta. Aveva detto alla segretaria di mandare qualcuno a prenderlo e, con tre dozzine di avvocati soltanto nel suo settore e una miriade di assistenti tra cui scegliere, non era stato un ordine difficile da eseguire.

Droopy e Orleg erano arrivati con lui dalla California ed erano scesi anch'essi nella nebbia del mattino.

La casa di Hayes era in pietra e mattoni in stile Tudor, situata in mezzo a tre acri boscosi a nord di Atlanta. Non era sposato, aveva divorziato dieci anni prima, e non aveva figli. Non era intenzionato a risposarsi: il desiderio di condividere i suoi possedimenti non lo allettava affatto, tantomeno con una donna avida, pronta a esigere una rendita rispettabile come compenso per avergli offerto il privilegio di vivere con lei.

Aveva chiamato per dire alla governante di preparare il pranzo, poiché intendeva lavarsi e mangiare, prima di rimettersi in viaggio; aveva sulle spalle la responsabilità di un affare destinato a ripercuotersi sul futuro di molte persone. Sarebbe voluto partire anche Khruščëv, ma lui si era opposto all'idea; gli erano già stati affibbiati due enormi russi dal carattere indomabile.

Fece strada a Orleg e Droopy attraverso il cancello in ferro battuto; le foglie danzarono al ritmo della brezza mattutina lungo il vialetto di mattoni.

La governante aveva preparato un pranzo leggero a base di pane, affettati e formaggio, secondo le sue istruzioni. Lasciò che i due russi s'ingozzassero in cucina, si diresse nella stanza dei trofei e aprì una delle tante vetrine portafucili allineate lungo le pareti di legno. Scelse due armi ad alta potenza e tre pistole. I due fucili erano dotati di silenziatore, normalmente usato per non provocare valanghe durante la caccia nella neve. Tolse la sicura e, guardando attraverso la canna, controllò ogni dettaglio. Tutto sembrò in ordine. Le pistole erano caricate con dieci colpi ciascuna; si trattava di tre Glock 17L da competizione acquistate qualche anno prima, durante un soggiorno di caccia in Austria. Di certo Droopy e Orleg non avevano mai avuto il privilegio di tenere in mano armi simili.

Prese alcune munizioni di scorta nel ripostiglio chiuso a chiave situato dall'altra parte della stanza, poi tornò in cucina. I due russi stavano ancora mangiando. Hayes notò le lattine di birra aperte. «Partiremo tra un'ora. Andateci piano con l'alcol, qui sono in vigore limiti ben precisi.»

«Quant'è lontano, quel posto?» chiese Orleg con la bocca piena.

«Circa quattro ore di macchina; saremo là verso metà pomeriggio. Chiariamoci subito: qui non siamo a Mosca, perciò si fa come dico io. Capito?»

Nessuno dei due replicò.

«Devo chiamare Mosca e farvi dare ulteriori istruzioni per telefono?»

Orleg mandò giù il boccone. «Abbiamo capito, avvocato. Ci porti laggiù e ci dica soltanto che cosa vuole che facciamo.»

46

Genesis, North Carolina,
ore 16.25

Lord rimase favorevolmente impressionato dall'abitazione di Michael Thorn, situata in un grazioso quartiere di case antiche con giardini alberati e ampi prati all'inglese. Si ricordò che quello stile architettonico era definito *Ranch style*: la maggior parte delle case, infatti, appariva come una struttura di mattoni disposta su un unico piano, dotata di tetto a due falde e camino.

Vi si erano recati affinché Thorn potesse dar da mangiare ai cani. Lord riconobbe subito la razza, non appena vide i recinti sparsi nel giardino boscoso sul retro. I maschi erano considerevolmente più grossi, e tutti gli esemplari, circa una dozzina, avevano il manto scuro. La testa era allungata e stretta, il muso leggermente arcuato, le spalle inclinate e il torace stretto. Erano alti circa novanta centimetri e ciascuno pesava una quarantina di chili; il fisico era muscoloso, e il pelo lungo e setoso.

Appartenevano alla famiglia dei sighthound e il loro nome, *borzoi*, significava «veloce». Lord sorrise nel vedere la razza canina scelta da Thorn: si trattava di levrieri russi, allevati dai nobili per la caccia su terreni vasti. Gli zar avevano cominciato a possederli a partire dal 1650.

«La mia passione per questi cani ha avuto origine molti anni fa», confessò Thorn spostandosi di recinto in recinto per riempire le ciotole d'acqua con un tubo di gomma. «Ho letto molto sul loro conto e, alla fine, ne ho comprato uno. Purtroppo, però, sono come i biscotti con le gemme di cioccolato: l'uno tira l'altro, e così ho finito per allevarli.»

«Sono bellissimi», commentò Akilina avvicinandosi ai recinti. I *borzoi* la scrutarono attraverso gli occhi scuri, allungati e orlati da ciglia nere. «Mia nonna si prese cura di uno di loro, che aveva trovato nel bosco. Era un bravo animale.»

Thorn aprì un recinto e versò alcune cucchiaiate di cibo in una ciotola; i cani non si mossero di un centimetro e non accennarono ad abbaiare, limitandosi a seguire con lo sguardo i movimenti del padrone, senza avvicinarsi al pasto. Infine l'avvocato indicò le ciotole piene.

I cani spolverarono il pasto.

«Ben addestrati», osservò Lord.

«Non ha senso avere animali simili che non ti obbediscono. È una razza che si presta a un buon addestramento.»

Lord guardò la scena ripetersi in ogni recinto e non vide nemmeno un animale sfidare Thorn o disobbedire a un suo ordine. S'inginocchiò di fronte a un recinto. «Li vendi?»

«Entro la prossima primavera cederò questa figliata, perché ce ne sarà un'altra in arrivo. Ogni volta allevo gli esemplari migliori della cucciolata; soltanto quei due laggiù restano sempre con me.»

Lord esaminò i due cani nel recinto più vicino al portico, più grande degli altri e dotato di una recinzione di legno: erano un maschio e una femmina dal manto fulvo e liscio come la seta.

«Gli esemplari migliori di una cucciolata di sei anni fa», dichiarò Thorn con orgoglio. «Alessio e Anastasia.»

Lord sorrise. «Interessante, la scelta dei nomi.»

«Sono i miei purosangue da esibizione. E i miei grandi amici.»

Thorn si accostò al recinto, aprì la porta e, a un suo cenno, la coppia si profuse subito in grandi manifestazioni di affetto.

Lord osservò il suo ospite: sembrava equilibrato e sinceramente timoroso nei confronti delle responsabilità ereditate. L'esatto contrario di Stefan Baklanov, del quale conosceva l'arroganza per bocca di Hayes; il suo atteggiamento faceva temere che fosse assai più interessato all'acquisizione del titolo che al governo del Paese. Michael Thorn invece era diverso.

Quando rientrarono in casa, Lord esaminò la biblioteca, piena di trattati sulla storia russa e di biografie sui componenti della famiglia Romanov, molte delle quali risalenti al XIX secolo. Aveva letto lui stesso la maggior parte di quei titoli.

«Complimenti per la collezione», disse.

«È incredibile che cosa si riesce a trovare nelle librerie di seconda mano o in quelle che svuotano il magazzino.»

«Nessuno ha mai indagato sul tuo interesse?»

Thorn scosse il capo. «Sono membro dell'associazione storica locale ormai da lungo tempo, tutti conoscono la mia passione per la storia della Russia.»

Su uno scaffale Lord intravide un libro che conosceva bene: *Rasputin: la sua influenza malvagia e il suo assassinio* di Feliks Jusupov. L'autore aveva pubblicato quel volume nel 1927, attaccando ferocemente la figura dello *starec* e tentando ripetutamente di giustificare il proprio gesto omicida. Accanto a esso scorse, poi, le due memorie edite dall'autore negli anni '50, *Splendore perduto* e *In esilio*, nient'altro che vani tentativi di far soldi, nell'ottica dei biografi. Indicò lo scaffale. «Gli scritti di Jusupov non erano affatto lusinghieri nei confronti di Rasputin e della famiglia imperiale; ce l'aveva soprattutto con Alessandra, se non ricordo male.»

«Faceva parte del piano: sapeva che Stalin lo teneva d'occhio, e non voleva attirare nessun sospetto. Così conservò questo atteggiamento fino alla morte.»

Lord notò anche alcuni libri su Anna Anderson, la donna che aveva sostenuto per tutta la vita di essere la vera Anastasia. «Scommetto che sono divertenti», commentò indicandoli.

Thorn sorrise. «Nacque in Prussia, e il suo vero nome era Franziska Schanzkowska. Entrò e uscì dai manicomi, finché Jusupov non venne a sapere della sua effettiva somiglianza con la granduchessa. A quel punto le insegnò tutto ciò che doveva sapere, e la donna si dimostrò un'ottima allieva. Credo che in punto di morte fosse davvero convinta di essere Anastasia.»

«Ho letto alcuni scritti su di lei», disse Lord. «Era sempre dipinta in termini positivi, come una donna eccezionale.»

«Un buon rimpiazzo, ma confesso di non essermi mai granché interessato alla faccenda», concluse Thorn.

Dalle finestre di fronte giunse un rumore sordo: erano le

portiere di un'automobile che si chiudevano. Thorn si alzò e andò a sbirciare attraverso le imposte di legno. «È un agente dello sceriffo, lo conosco», disse, passando dal russo all'inglese.

Lord s'irrigidì, e Thorn sembrò accorgersene. «State qui, vedrò di che si tratta.»

«Che succede?» domandò Akilina.

«Problemi.»

«Quando dovrebbe arrivare il tuo capo?» gli chiese Thorn sulla soglia.

Lord controllò l'orologio. «Da un momento all'altro, dobbiamo tornare subito alla locanda.»

Thorn chiuse i due battenti della porta, ma Lord attraversò la stanza e li aprì leggermente proprio nel momento in cui suonò il campanello.

«Buonasera, Mr Thorn», salutò l'agente. «Lo sceriffo mi ha mandato a parlare con lei. Ho provato in ufficio, ma la segretaria mi ha detto che era a casa.»

«Ci sono problemi, Roscoe?»

«Un uomo di nome Miles Lord e una donna russa sono venuti a farle visita, ieri o oggi?»

«Chi è questo Miles Lord?»

«Perché non risponde prima alla mia domanda?»

«No, non ho avuto visite. Tantomeno di russi.»

«Strano. La sua segretaria mi ha detto che un avvocato di colore chiamato Lord e una donna russa si sono recati al suo ufficio ieri, e oggi sono stati con lei tutto il giorno.»

«Perché mi hai fatto una domanda di cui sapevi già la risposta, Roscoe?»

«Faccio il mio lavoro. Lei potrebbe dirmi invece perché ha mentito?»

«Che cos'hanno quei due che non va?»

«Un mandato di cattura per omicidio da Mosca. Sono entrambi ricercati per aver ammazzato un poliziotto sulla Piazza Rossa.»

«Come lo sai?»

«Me l'hanno detto quei due seduti nella mia macchina. Hanno portato il mandato di cattura.»

Lord corse dalla porta d'ingresso verso la finestra dello studio e, affacciandosi, vide Droopy e Feliks Orleg scendere dalla vettura della polizia.

«Oh, merda!» sussurrò.

Akilina gli corse subito accanto e vide ciò che aveva visto lui.

I due russi si misero in marcia, estraendo entrambi una pistola da sotto il cappotto. Si udì il rumore degli spari in lontananza. Lord si precipitò verso la porta d'ingresso e spalancò i battenti proprio nel momento in cui l'agente crollava a terra.

Si sporse in avanti, afferrò Thorn tirandolo indietro e richiuse con foga la porta di legno. Girò la chiave mentre le pallottole colpivano il lato esterno.

«Giù!» gridò.

Si gettarono sul pavimento piastrellato e rotolarono verso il corridoio.

«Andiamo», esortò Lord alzandosi di scatto. «Quella porta non li terrà fuori a lungo.»

Corse in fondo al corridoio, verso la luce del sole che proveniva dall'estremità, seguito da Thorn e Akilina. La porta d'ingresso fu percossa, poi si udirono altri spari. Lord entrò in cucina, aprì la porta sul retro e fece cenno agli altri due di uscire in giardino.

Thorn si diresse verso il recinto più vicino, quello con Alessio e Anastasia, e disse ad Akilina di aprire anche gli altri; quindi indicò la porta della cucina e gridò: «Attacca!»

Akilina era riuscita ad aprire soltanto due recinti, ma i quattro cani che ne uscirono risposero al comando insieme con Alessio e Anastasia, precipitandosi verso la soglia sul retro. Nell'istante in cui Orleg comparve sull'uscio, un *borzoi* gli saltò addosso, facendolo gridare.

Altri tre levrieri ringhiosi seguirono il primo all'interno.

Giunse una raffica di spari.

«Non possiamo restare a vedere chi vince», disse Lord.

Si precipitarono verso il cancello che dava sulla strada e salirono in fretta sulla jeep a noleggio.

Lord prese la chiave.

Dal giardino giunsero altri spari.

«I miei poveri cani», gemette Thorn.

Lord mise in moto e ingranò la retromarcia; uscì dal vialetto e fece inversione sino a fiancheggiare l'auto della polizia. Vide uno dei cani correre verso di loro.

«Aspetta», gridò Thorn.

Lord si trattenne dal premere l'acceleratore a tavoletta. Thorn aprì la portiera posteriore e fece salire il cane ansimante.

«Vai!» urlò infine l'avvocato.

La jeep partì di corsa, sgommando sull'asfalto.

47

«Perché avete ucciso quell'agente?» Hayes si sforzò di mantenere un tono di voce il più possibile calmo. «Siete completamente idioti?»

Aveva aspettato i russi nell'ufficio dello sceriffo, dopo aver convinto gli agenti dell'affidabilità delle credenziali di Orleg e aver usato un mandato di cattura fasullo inviato da Mosca via fax. Khruščëv aveva redatto il documento a San Francisco, prendendo spunto dalla modulistica con cui si richiedeva l'assistenza dell'FBI o della dogana; era bastato affermare che Pridgen & Woodworth rappresentava spesso il governo russo nelle questioni americane per evitare ulteriori domande.

Rimasero in attesa fuori, al freddo, mentre gli assistenti dello sceriffo entravano e uscivano freneticamente: erano tutti sconvolti da quanto era successo un'ora prima. Hayes cercò, con grande difficoltà, di mantenere la calma e di non attirare l'attenzione.

«Dove sono le pistole?» chiese sotto voce.

«Le abbiamo sotto la giacca», rispose Orleg.

«Che cosa avete raccontato?»

«Che dopo l'ingresso dell'agente abbiamo sentito alcuni spari e, una volta entrati, lo abbiamo visto steso a terra. Ci siamo precipitati in cerca di Lord e della donna, ma siamo stati aggrediti dai cani. L'ultima cosa che abbiamo visto era Lord che fuggiva in automobile, minacciando Thorn con un'arma.»

«Vi hanno creduto?»

Droopy sorrise. «Al cento per cento.»

Hayes si chiese per quanto avrebbero potuto continuare a ingannarli. «Avete detto dei cani?»

«Che li abbiamo uccisi? Non avevamo scelta.»

«Chi di voi due ha sparato al poliziotto?»

«Io», dichiarò Orleg con uno stupido tono di orgoglio.

«E chi ha ucciso i cani?»

Droopy ammise di essere stato lui. «Erano aggressivi.»

Hayes si rese conto di dover sostituire la pistola di Orleg prima che qualcuno la requisisse come prova; non si poteva lasciarla in giro, poiché i proiettili nel cadavere avrebbero stabilito il nesso definitivo. Estrasse dalla giacca la Glock.

«Mi dia la sua.»

Si scambiò l'arma con Orleg. «Speriamo che nessuno si accorga che è completamente carica. Se dovesse accadere, dica che, quando ha sostituito il caricatore, ha perso quello vecchio nel trambusto.»

Lo sceriffo uscì dall'edificio e si diresse verso di loro. «Abbiamo avuto una segnalazione da una pattuglia per una jeep Cherokee; la descrizione che ci avete fornito è stata utile. Ma perché non ci avevate avvertito che Lord era un soggetto pericoloso?»

«Vi avevamo detto che era ricercato per omicidio», replicò Hayes.

«Quell'agente aveva moglie e quattro figli. Se avessi pensato, anche solo per un istante, che quell'avvocato fosse capace di uccidere un uomo a sangue freddo, avrei inviato l'intero commissariato.»

«Mi rendo conto che c'è una forte tensione emotiva...»

«È la prima volta che muore un poliziotto in questa contea.»

Hayes fece finta di niente. «È stata coinvolta anche la polizia di Stato?»

«Può scommetterci.»

Si rese conto che, sfruttando la situazione nel modo giusto, avrebbe potuto risolvere il suo vero problema. «Sceriffo, non credo che all'ispettore Orleg importi molto se Lord se ne va via di qui in una cassa da morto.»

Un altro agente corse verso il comandante. «Sceriffo, è arrivata Mrs Thorn.»

Hayes e i suoi due soci seguirono lo sceriffo dentro l'edificio. Una donna di mezz'età era seduta in un ufficio e piangeva, consolata da una seconda donna, più giovane, anch'essa sconvolta. Dalla conversazione, Hayes capì che la più anziana era la moglie di Thorn; l'altra era la segretaria. La signora Thorn aveva trascorso tutto il giorno ad Asheville, e, rientrando a casa, aveva trovato una fila di pattuglie della polizia e un cadavere che veniva portato via dal coroner. Alcuni dei preziosi *borzoi* del marito erano distesi senza vita sul pavimento della cucina, uno mancava all'appello e soltanto quattro erano scampati alla carneficina, perché le loro gabbie non erano state aperte. Proprio i cani morti crearono molti dubbi ai poliziotti. *Perché erano stati liberati e mandati in prima linea?* continuavano a chiedersi.

«Naturalmente per fermare l'ispettore Orleg», rispose Hayes. «Lord è furbo e sa come muoversi. In fondo lo stanno braccando in giro per il mondo senza gran successo.»

La spiegazione sembrò calzante e nessuno approfondì oltre. Lo sceriffo si rivolse alla signora Thorn, assicurandole che sarebbe stato fatto il possibile per trovare il marito.

«Devo chiamare i nostri figli», disse lei.

A Hayes l'idea non piacque affatto; se quella donna era davvero la zarina di Russia, il coinvolgimento dello *zarevič* e del granduca avrebbe rappresentato un ulteriore aggravamento del problema. Non poteva permettere che Lord rivelasse le informazioni che possedeva sul conto di Michael Thorn, per cui si fece avanti e si presentò. «Mrs Thorn, credo sia meglio aspettare di vedere se il problema si risolve da sé nell'arco di poche ore. In tal caso, non ci sarebbe motivo di allarmare i suoi figli.»

«Lei chi è?» domandò la donna con tono brusco.

«Sono qui per assistere il governo russo nella ricerca di un fuggiasco.»

«Come ha fatto un fuggiasco russo a entrare in casa mia?»

«Non ne ho idea. Siamo riusciti a rintracciarlo per pura fortuna.»

«In effetti», lo interruppe lo sceriffo, «non ci ha ancora spiegato come ha fatto ha rintracciare Lord da queste parti.»

La voce dell'uomo si era fatta sospettosa ma, prima che Hayes potesse rispondere, un'agente irruppe nella stanza.

«Sceriffo, abbiamo individuato la jeep. Quella dannata macchina è appena passata accanto a Larry sulla strada 46, una cinquantina di chilometri a nord della città.»

Lord oltrepassò un chiosco di mele lungo la strada e vide la volante della polizia: una berlina bianca e marrone parcheggiata accanto al marciapiede. L'agente era sceso a parlare con un uomo in tuta da lavoro che armeggiava accanto a un camioncino. Guardando nello specchietto retrovisore, Lord vide l'agente salire in fretta in macchina e inseguirlo a tutto gas.

«Abbiamo compagnia», annunciò.

Quindi spinse sull'acceleratore, ma il motore aveva soltanto sei cilindri e il terreno ondulato non faceva che contrastare ulteriormente la potenza dei cavalli. Ciononostante corse a quasi centoventi chilometri all'ora lungo una strada stretta, con banchine alberate su entrambi i lati. Di fronte a loro comparve il retro di un'altra vettura, in rapido avvicinamento; Lord sterzò di colpo a sinistra ed eseguì un rapido sorpasso, proprio mentre una terza automobile, proveniente nella direzione opposta, faceva la sua comparsa in piena curva. Sperò che il tornante impedisse al poliziotto di emulare la sua manovra, ma, guardando nel retrovisore, vide una luce blu spostarsi nella corsia opposta e poi rientrare in fretta per proseguire l'inseguimento.

«La volante è molto più veloce di noi», disse. «Ci raggiungerà, è questione di pochi istanti. Per non parlare del collegamento via radio...»

«Perché stiamo scappando?» domandò Akilina.

Giusto: non c'era motivo di evitare quel poliziotto; Orleg e Droopy si trovavano a più di sessanta chilometri a sud, ancora a Genesis. La ricerca era terminata, non c'era più bisogno di segretezza; avrebbero dovuto fermarsi e spiegare la situazione. Lo sceriffo avrebbe potuto aiutarli.

Lord rallentò e accostò la jeep al bordo della strada, subito imitato dalla volante. Mentre usciva dal veicolo vide l'agente con la pistola in pugno, barricato dietro la portiera aperta dell'auto, usata come scudo.

«A terra, subito!» gridò il poliziotto.

Le automobili sfrecciavano avanti e indietro in un frenetico turbinio.

«Ho detto a terra!»

«Senta, dobbiamo parlarle.»

«Se il tuo culo non guarda il cielo nel giro di tre secondi, ti sparo!»

Anche Akilina scese dalla jeep.

«Stia giù, signora», urlò l'agente.

«Non la capisce», ribatté Lord. «Abbiamo bisogno del suo aiuto, agente.»

«Dov'è Thorn?»

Una portiera posteriore si aprì, e l'avvocato scese dalla jeep.

«Venga, Mr Thorn», gridò il poliziotto tra il rumore del traffico, sempre con la pistola sollevata.

«Che cosa succede?» mormorò Thorn.

«Non lo so. Lo conosci?» gli chiese Lord.

«Non mi sembra proprio.»

«La prego, Mr Thorn, si avvicini», ripeté l'agente.

Lord fece un passo avanti e il poliziotto gli puntò contro l'arma. Thorn si frappose tra i due.

«Stia giù, Mr Thorn. Giù! Quel bastardo ha ucciso un poliziotto. Stia giù.»

Aveva capito bene? *Ucciso un poliziotto?*

Thorn non si mosse. La pistola continuò a oscillare in cerca di un bersaglio libero.

«Giù!» ripeté l'agente.

«Alessio, qui», disse Thorn a bassa voce.

Il *borzoi* si drizzò sull'attenti e saltò giù dalla jeep. Il poliziotto si era mosso da dietro la portiera e si stava avvicinando con la pistola in pugno.

«Vai!» comandò Thorn al cane. «Salta!»

L'animale raccolse i posteriori muscolosi, preparò il salto e si scagliò addosso al poliziotto con tutta l'energia che aveva in corpo; entrambi caddero sul ciglio ghiaioso della strada, e l'agente urlò. La pistola sparò due colpi e infine fu lanciata via da un calcio di Lord.

Il cane ringhiò, dimenandosi.

In lontananza si udì il suono di altre sirene in avvicinamento.

«Meglio andarcene in fretta», suggerì Thorn. «Qualcosa non va. Ha detto che hai ucciso un agente.»

Lord accolse il consiglio all'istante. «D'accordo, andiamo.»

Thorn richiamò il cane; poi tutti e quattro entrarono nella jeep, mentre il poliziotto tentava di rialzarsi.

«Sta bene», precisò Thorn. «Non lo ha morso, perché non gli ho detto di farlo.»

Lord mise in moto la vettura.

Hayes era rimasto nel commissariato dello sceriffo insieme con Orleg e Droopy, anche se era stato sul punto di seguire la polizia nella sua corsa verso nord. Venti minuti prima, una chiamata aveva riferito che una jeep Cherokee grigia era stata avvistata sulla strada 46, diretta a nord verso la contea confinante e il Tennessee. L'ultimo rapporto della volante in inseguimento aveva comunicato che la jeep stava rallentando per fermarsi; l'agente aveva chiesto i rinforzi, pur dichiarandosi pronto a gestire la situazione da solo.

Hayes sperò che l'agitazione generale favorisse la pressione del grilletto da parte di qualche poliziotto. Aveva detto chiaramente che i russi rivolevano indietro il ricercato, non importava se vivo o morto; chissà se un colpo ben indirizzato avrebbe potuto finalmente porre fine a quell'incubo... Eppure, anche qualora Lord e la donna fossero stati uccisi, restava il problema di Michael Thorn. La polizia avrebbe fatto il possibile per salvarlo, per non parlare di Lord, che aveva assunto quello scopo come missione. In ogni caso, il test del DNA avrebbe fugato ogni dubbio, rivelando se quell'uomo era davvero il discendente diretto di Nicola II.

In tal caso sarebbe stato un bel problema.

In quel momento Hayes si trovava nella stanza del centralino; i contatti erano gestiti da un'agente donna. Si udì una scarica dall'altoparlante.

«Centrale, qui Dillsboro uno. Siamo sul posto.»

Era la voce dello sceriffo. Hayes si avvicinò a Orleg, che era in piedi nell'angolo accanto alla porta d'ingresso. Droopy era fuori a fumare. Si rivolse all'ispettore a bassa voce, parlando in russo. «Chiamerò Mosca. I nostri amici non saranno affatto contenti.»

Orleg non batté ciglio. «Abbiamo già ricevuto le nostre istruzioni.»

«Come sarebbe a dire?»

«Mi è stato detto di assicurarmi che Lord, la donna e chiunque altro sia coinvolto non facciano ritorno in Russia.»

Doveva ritenersi coinvolto? «Le piacerebbe uccidermi, eh, Orleg?»

«Sì, di tutto cuore.»

«Allora perché non l'ha fatto?»

L'ispettore non rispose.

«Perché *loro* hanno ancora bisogno di me», soggiunse Hayes.

Silenzio.

«Lei non mi spaventa affatto», disse Hayes a un centimetro dal muso di Orleg. «Si ricordi che io so tutto e lo faccia sapere anche a loro. Ci sono due figli con sangue Romanov, bisognerà sistemare anche quelli. Chiunque abbia inviato in missione Lord e la donna, invierà qualcun altro. Garantisca pure ai nostri amici che, se morirò, il mondo verrà a sapere la verità ben prima che il problema possa essere risolto. Spiacente di doverle negare il piacere, Orleg.»

«Non sopravvaluti l'importanza del suo ruolo, avvocato.»

«Non sottovaluti la mia tenacia.»

Si allontanò senza attendere una risposta e udì l'altoparlante prendere nuovamente vita.

«Centrale, qui Dillsboro uno. Il ricercato è fuggito con l'ostaggio; l'agente è stato messo al tappeto da un cane, ma sta bene. Alcune volanti stanno inseguendo il ricercato; probabilmente è diretto sempre a nord, lungo la 46. Allertate qualcuno laggiù.»

La centralinista ricevette il rapporto, e Hayes trasse un sospiro di sollievo. Mentre fino a pochi minuti prima aveva sperato che arrestassero Lord, ormai si era reso conto che la sua cattura avrebbe creato ulteriori problemi. Doveva trovarlo lui, poiché probabilmente Lord non si fidava più delle autorità locali. Quegli stupidi pensavano che Lord stesse fuggendo con un uomo in ostaggio, quando invece Thorn faceva parte, insieme con la donna, della stessa squadra.

Ben presto si sarebbero allontanati dalla strada principale. Immaginando che Orleg e Droopy fossero conniventi con lo sceriffo, Lord non avrebbe più contattato le autorità locali, ma avrebbe cercato un posto in cui nascondersi coi suoi soci e riflettere su come risolvere la situazione.

Dove sarebbe potuto andare?

A suo avviso Lord, non conoscendo il posto, si sarebbe lasciato guidare da Thorn, che invece conosceva il luogo a menadito. Forse aveva un'idea su come scoprire il nascondiglio.

Uscì dalla stanza del centralino e si diresse verso l'ufficio in cui si trovavano la moglie di Thorn e la segretaria. Mentre la signora era intenta a parlare con un'agente donna fuori della porta, Hayes si avvicinò alla segretaria. «Mi scusi.»

La donna alzò lo sguardo.

«Ho sentito mentre riferiva allo sceriffo che Lord e la sua complice si sono recati all'ufficio di Mr Thorn, oggi.»

«Sì, è così. Sono venuti ieri e anche oggi. Hanno trascorso con Mr Thorn l'intera giornata.»

«Sa per caso di che cosa possono aver discusso?»

La donna scosse la testa. «Si sono chiusi nell'ufficio dell'avvocato.»

«Che situazione terribile. L'ispettore Orleg è molto preoccupato; prima un suo poliziotto ucciso a Mosca e ora un agente qui...»

«Lord aveva detto di essere un avvocato, non aveva l'aria dell'assassino.»

«Nessuno ce l'ha. Lord si trovava a Mosca per lavoro, non si sa perché abbia ucciso quel poliziotto. Deve essere successo qualcosa che poi si è ripetuto qui.» Sospirò, si passò una mano tra i capelli e assunse una posa contrita. «È un posto così bello, soprattutto in questo periodo dell'anno. Che peccato che un evento simile debba stravolgere questa realtà.»

Hayes si alzò, prese una caraffa di caffè fumante, ne versò una tazza e la offrì alla segretaria, che rifiutò con un cenno.

«Ogni tanto vengo qui da Atlanta per cacciare. Prendo una casa in affitto nei boschi; vorrei tanto acquistarne una, ma non posso permettermi un lusso simile. Mr Thorn ne possiede per caso una? A quanto pare tutti hanno una baita, da queste parti.» Tornò a sedersi.

«Ha una baita bellissima», rispose la donna. «Appartiene alla sua famiglia da generazioni.»

«Si trova qui vicino?» domandò Hayes con simulata indifferenza.

«Circa un'ora a nord. La sua proprietà include ottanta ettari di terreni, tra cui una montagna. Lo prendevo sempre in giro. 'Che cosa se ne fa di una montagna?' gli chiedevo.»

«Lui che cosa le rispondeva?»

«Che si sedeva e guardava gli alberi crescere.»

Quella donna doveva essere molto affezionata al suo capo; aveva gli occhi lucidi. Hayes bevve un sorso di caffè. «Quella montagna ha un nome?»

«Windsong Ridge. Mi è sempre piaciuto: 'Il canto del vento'.»

Hayes si alzò con calma. «Ora la lascio tranquilla.»

Lei lo ringraziò, e lui uscì. Orleg e Droopy fumavano una sigaretta.

«Andiamo», disse.

«Dove?»

«A risolvere il problema, una volta per tutte.»

48

Dopo aver atterrato il poliziotto grazie al cane, Lord e gli altri si allontanarono in fretta dalla strada principale e imboccarono a est un sentiero della contea. Dopo pochi chilometri, girarono verso nord e seguirono le indicazioni per la proprietà che la famiglia di Thorn possedeva da quasi un secolo.

La strada fangosa si addentrava per più di un chilometro ai piedi delle alture e attraversava due fiumi che scorrevano tra le rocce. La baita si presentava come un edificio a pianta rettangolare disposto su un unico piano e costruito in stile coloniale, con tronchi di pino tenuti insieme da uno spesso strato di malta. Il portico ospitava tre sedie a dondolo e un'amaca di corda, legata in un angolo. Il tetto a due falde era appena stato ristrutturato con assi di cedro nuove.

Thorn spiegò che Alessio e Anastasia avevano vissuto lì, non appena arrivati in North Carolina, negli ultimi mesi del 1919. Jusupov aveva fatto costruire la baita in mezzo a ottanta ettari di foresta secolare, accanto a una montagna battezzata cent'anni prima Windsong Ridge; voleva che gli eredi risiedessero in un luogo solitario, dove nessuno potesse associarli alla famiglia imperiale russa. Gli Appalachi avevano offerto un rifugio ideale, immerso in un paesaggio e in un clima non troppo dissimili da quelli della madrepatria.

A Lord, seduto nella baita, parve quasi di percepire la presenza degli eredi. Il sole era tramontato, e faceva freddo. All'interno, tutto era di legno verniciato, e nell'aria aleggiava un forte profumo di pino e noce. Thorn aveva acceso il fuoco nel caminetto; in cucina, una scorta di cibo in scatola offrì loro l'opportunità di cenare con chili e fagioli.

L'idea di recarsi alla baita era stata di Thorn: se la polizia lo riteneva in ostaggio, non avrebbe mai pensato di cercarlo in casa sua; avrebbe pattugliato le strade verso il Tennessee, spargendo comunicati per la ricerca di una jeep Cherokee.

«Qui intorno non vive nessuno nel raggio di chilometri», disse Thorn. «Ottimo posto in cui nascondersi, negli anni '20.»

Lord notò che l'arredamento della baita non lasciava trasparire nessuna traccia degli ospiti eccezionali di un tempo; era evidente, piuttosto, l'amore del padrone di casa nei confronti della natura, rivelato dalle stampe appese alle pareti, che incorniciavano le immagini di uccelli in volo o di un cervo al pascolo. Non c'erano trofei di caccia.

«Non pratico la caccia», confessò Thorn. «Se non con la mia macchina fotografica.»

Lord indicò il dipinto a olio di un orso bruno che dominava su una parete.

«Lo ha dipinto mia nonna», rivelò il padrone di casa. «Come gli altri. Adorava la pittura e trascorse qui quasi tutta la sua esistenza. Alessio morì in quella camera, nello stesso letto in cui nacque mio padre.»

Si riunirono dinanzi al fuoco, nel salone illuminato da due lampade. Akilina si sedette sul pavimento di legno, avvolta in una coperta di lana, mentre Lord e Thorn occuparono due sedie rivestite di pelle. Il cane si raggomitolò in un angolo.

«Ho un buon amico che lavora nell'ufficio del procuratore capo del North Carolina», disse Thorn. «Lo chiameremo domani, e lui ci aiuterà.» Dopo un attimo di silenzio, proseguì. «Mia moglie deve essere disperata, vorrei sentirla.»

«Non è il caso», replicò Lord.

«Anche se volessi, non potrei chiamarla. Non ho mai fatto installare il telefono; quando passo la notte qui, porto con me il cellulare. L'energia elettrica è arrivata da queste parti soltanto dieci anni fa. Mi è costato una fortuna far portare gli allacci fin quassù, così ho deciso che il telefono poteva aspettare.»

«Tu e tua moglie venite spesso qui?» domandò Akilina.

«Abbastanza, sì. Questo posto mi lega molto al mio passato. Margaret non ha mai potuto capirlo sino in fondo, ma ha sempre saputo che qui mi riconcilio col mondo; dice che è il mio eremo. Se avesse saputo...»

«Lo saprà presto», lo rassicurò Lord.

Il *borzoi* si allarmò all'improvviso ed emise un leggero ringhio.

Lord fissò il cane.

Qualcuno bussò alla porta d'ingresso. L'animale si drizzò sulle zampe. Nessuno fiatò.

Bussarono ancora.

«Miles, sono Taylor. Aprimi.»

Lord attraversò in fretta la stanza, guardò fuori della finestra e, al buio, vide soltanto la sagoma di un uomo. Si avvicinò all'ingresso.

«Taylor?»

«Sì, non sono la fatina dei denti. Apri questa dannata porta.»

«Sei solo?»

«E con chi, se no?»

Lord fece scattare la serratura e aprì la porta. Sulla soglia c'era Taylor Hayes, vestito con un paio di pantaloni color kaki e una giacca imbottita.

«Come sono contento di vederti!» esclamò Lord.

«Non hai idea di quanto lo sia io», ribatté Hayes entrando nella baita e stringendogli la mano.

«Come hai fatto a trovarmi?» domandò Lord.

«Al mio arrivo in città ho sentito parlare della sparatoria. Sembra che ci siano due russi...»

«Sono due dei miei inseguitori.»

«Lo avevo capito.»

Lord si accorse dello sguardo interrogativo di Akilina. «La donna non capisce bene l'inglese, Taylor. Parla russo, per favore.»

Hayes si rivolse ad Akilina. «Chi è lei?» le chiese in russo. Akilina si presentò.

«Piacere di conoscerla. Vedo che il mio dipendente l'ha trascinata in giro per il mondo.»

«Abbiamo fatto un bel viaggetto», ammise lei.

Hayes guardò Thorn. «Lei dev'essere l'oggetto della ricerca.»

«A quanto pare...»

Lord presentò i due uomini, poi disse: «Forse ora possiamo

mettere in quadro un po' di cose. Taylor, la polizia locale crede che io abbia ucciso un agente».

«Ne sono più che convinti.»

«Hai visto lo sceriffo?»

«Ho deciso di cercarti, prima.»

Parlarono per i tre quarti d'ora successivi. Lord raccontò nei dettagli tutta la storia, mostrando a Hayes l'uovo in frantumi e i messaggi sui fogli d'oro. Raccontò anche dei lingotti d'oro e rivelò ogni particolare sul conto di Semjon Paščenko e della Sacra Compagnia, che avevano conservato il segreto di Jusupov.

«Quindi lei è un Romanov?» chiese Hayes a Thorn.

«Non ha ancora detto come ha fatto a trovarci», osservò il padrone di casa.

Lord si accorse del sospetto insito nel tono della risposta, che tuttavia lasciò indifferente Hayes.

«Me l'ha suggerito la sua segretaria, che ha accompagnato sua moglie dallo sceriffo. Sapevo che Miles non l'aveva rapita, quindi ho creduto di dover rintracciare un nascondiglio. Chi verrebbe mai a controllare quassù? Nessun rapitore porterebbe l'ostaggio a casa sua. Così ho deciso di tentare, ed eccomi qui.»

«Come sta mia moglie?»

«È preoccupata.»

«Perché non ha raccontato allo sceriffo la verità?» domandò Thorn.

«È una questione delicata, che coinvolge le relazioni internazionali e il futuro della Russia. Se lei è davvero il discendente diretto di Nicola II, il trono russo le spetta di diritto. Non c'è bisogno di dire che la sua comparsa creerà un grande scompiglio; non mi sembrava il caso di spiegare tutto ciò allo sceriffo della Dillsboro County, in North Carolina... Senza offesa per il posto, naturalmente.»

«Naturalmente», ripeté Thorn, con persistente diffidenza. «Che cosa propone di fare?»

Hayes si alzò, si avvicinò a una finestra e scostò la tenda. «Bella domanda.»

Il *borzoi* si agitò di nuovo.

Hayes aprì la porta.

Droopy e Feliks Orleg entrarono nella baita; entrambi imbracciavano un fucile. Il cane si alzò e cominciò a ringhiare.

Akilina rimase a bocca aperta dallo stupore.

«Il suo è un bellissimo animale, Mr Thorn», disse Hayes. «Ho sempre amato i *borzoi* e non vorrei essere costretto a ordinare a uno di questi signori di sparargli. Potrebbe cortesemente ordinargli di uscire, per favore?»

«Sentivo che in lei c'era qualcosa di strano», ribatté Thorn.

«L'avevo capito.» Hayes indicò il cane ringhioso. «Sparo?»

«Alessio, vai.» Thorn indicò la porta e il cane corse fuori, nella notte.

Hayes richiuse la porta. «Alessio... nome interessante.»

«C'eri tu, dietro tutto questo?» chiese Lord, sconvolto.

Hayes fece un cenno ai due colleghi: Orleg si posizionò di fronte alla porta della cucina, Droopy davanti a quella della camera da letto.

«Miles, alcuni dei miei soci moscoviti sono molto arrabbiati con te. Diamine, ti ho mandato negli archivi a controllare l'eventuale presenza di problemi per la candidatura di Baklanov, e tu tiri fuori dal cilindro l'erede al trono russo. Che cosa ti aspettavi?»

«Figlio di puttana. Mi fidavo di te», disse Lord scagliandosi addosso al suo capo. Orleg fermò l'assalto sollevando il fucile.

«La *fiducia* è un concetto molto relativo, Miles, soprattutto in Russia. Ma devo riconoscerlo: sei un tipo duro da uccidere e hai una fortuna sfacciata.» Hayes estrasse una pistola da sotto la giacca. «Siediti.»

«Vaffanculo, Taylor.»

Hayes fece fuoco, colpendo di striscio la spalla destra di Lord. Akilina gridò e gli corse incontro mentre cadeva sulla sedia.

«Ti ho detto siediti», ripeté Hayes. «Non amo ripetermi.»

«Stai bene?» domandò Akilina.

Lord le lesse in volto la preoccupazione. «Tutto a posto», la rassicurò, anche se la spalla sanguinava e gli faceva molto male.

«Signorina Petrovna, si sieda», ordinò Hayes.

«Fa' come ti dice», incalzò Lord.

La donna tornò a sedersi.

Hayes si avvicinò al camino. «Se ti avessi voluto uccidere lo avrei fatto, Miles. Per tua fortuna, sono un ottimo tiratore.» Lord premette la ferita con una mano e usò la camicia per arrestare l'emorragia. Poi si girò a guardare Michael Thorn. L'erede dei Romanov sedeva immobile; non aveva aperto bocca né reagito allo sparo.

«Credo proprio che lei sia russo», disse Hayes a Thorn. «Quello sguardo gelido... L'ho visto spesso laggiù. Dannato popolo.»

«Non sono Stefan Baklanov», ribatté sotto voce il padrone di casa.

Hayes rise. «Certo che no. Credo che lei sarebbe davvero in grado di governare quegli idioti. Bisogna avere i nervi saldi, come gli zar migliori. Quindi sono sicuro che capirà perché non posso lasciarla uscire vivo di qui.»

«Mio padre mi aveva avvertito che avrei incontrato persone come lei. E dire che credevo fosse una sua paranoia.»

«Chi avrebbe mai detto che l'impero sovietico fosse tanto fragile?» osservò Hayes. «E che un giorno i russi avrebbero rivoluto indietro il loro zar?»

«Feliks Jusupov», rispose Thorn.

«Risposta esatta, ma ormai priva di valore.» Hayes fece un cenno all'ispettore e poi indicò la porta. «Orleg, porta fuori il nostro caro erede e la donna, e fa' del tuo meglio.»

Orleg sorrise e afferrò Akilina. Lord fece per alzarsi, ma Hayes gli puntò la pistola alla gola.

Droopy fece alzare Thorn con uno strattone e gli puntò il fucile alla tempia. Quando Akilina tentò di opporre resistenza, Orleg le cinse il collo col braccio destro e tirò all'indietro, trascinandola sul pavimento. La donna si dibatté un istante, poi gli occhi si alzarono al cielo per la mancanza d'aria.

«Basta!» urlò Lord. Hayes spinse ancora di più la pistola contro il collo. «Digli di fermarsi, Taylor.»

«Dille di fare la brava», ribatté Hayes.

Doveva dirle di uscire con calma e farsi uccidere in silenzio? «Sta' ferma», le disse Lord.

Lei smise di dimenarsi.

«Non qui, Orleg», ingiunse Hayes.

Il russo lasciò la presa e la donna crollò a terra, ansimando per la mancanza di ossigeno. Lord avrebbe voluto correrle incontro, ma non poteva. Orleg la prese per i capelli e la fece alzare; il dolore sembrò rianimarla.

«Alzati!» ordinò l'ispettore.

La donna si alzò barcollando, e Orleg la spintonò verso la porta d'ingresso. Thorn, già sulla soglia, uscì per primo, seguito da Droopy.

La porta si chiuse alle loro spalle.

«Scommetto che quella donna ti piace», disse Hayes.

Lord aveva ancora la pistola premuta contro il collo. «Che t'importa?»

Hayes rimosse la pistola e si allontanò. Lord si abbandonò su una sedia. Sebbene il dolore alla spalla si facesse sempre più acuto, la rabbia accecante acuiva i suoi sensi. «Sei tu che hai fatto uccidere i Maks a Starodub?»

«Non ci hai lasciato scelta. Abbiamo dovuto riprendere in mano le redini della situazione.»

«Baklanov è davvero una pedina?»

«La Russia è come una vergine, Miles: ti riserva tanti piccoli piaceri mai gustati da nessuno. Per sopravvivere, però, devi stare alle loro regole; sono tra i più severi del mondo, sai? Io mi sono adeguato. Per loro l'omicidio non è che un mezzo consolidato per raggiungere un dato scopo. In effetti, si rivela spesso la soluzione migliore.»

«Che cosa ti è successo, Taylor?»

Hayes si sedette, sempre puntando la pistola. «Niente paternali. Ho fatto quello che andava fatto; nessuno in studio si è mai lamentato dei guadagni che ho procurato. A volte bisogna correre qualche rischio, pur di raggiungere un obiettivo importante. Mi sembrava che il controllo dello zar di Russia rientrasse nella categoria. Era tutto perfetto; chi avrebbe mai pensato che esistesse un erede diretto?»

Lord avrebbe voluto saltargli addosso. Hayes sembrò accorgersi del suo odio. «Non ci provare, Miles, o ti sparo prima che tu riesca ad alzarti dalla sedia.»

«Spero che ne valga la pena.»

«Qui non siamo in uno studio legale.»

«Come farai a evitare la fuga di notizie?» domandò Lord, cercando di prendere tempo. «Thorn ha una famiglia, altri eredi che sanno tutto.»

Hayes sogghignò. «Moglie e figli non sanno un bel niente. Il mio problema di segretezza è tutto qui.» Indicò il luogo con la pistola. «Guarda che è colpa tua. Se ti fossi limitato a fare ciò che ti avevo detto, non ci sarebbero stati problemi. Invece hai gironzolato in giro per la Russia e la California, immischiandoti in un sacco di affari che non ti riguardano.»

Lord pose la domanda fatidica. «Mi ucciderai, Taylor?» Notò, con suo stesso stupore, che la sua voce non aveva la minima traccia di paura.

«No, lo faranno quei due tizi là fuori. Mi hanno fatto promettere di non torcerti un capello: ti odiano e vogliono godersi il privilegio. Di certo non intendo deludere i miei aiutanti.»

«Non sei l'uomo che conoscevo.»

«Quando diavolo mi avresti mai conosciuto, sentiamo? Sei un avvocato associato, punto. Non siamo fratelli e nemmeno grandi amici. I miei clienti si fidano di me, e io devo fare il mio dovere. Senza contare che intendo mettere da parte un fondo pensione per me.»

Lord guardò fuori della finestra.

«Sei preoccupato per la tua amichetta russa?» domandò Hayes. «Sono sicuro che Orleg se la sta spassando con lei... proprio in questo momento.»

49

Akilina seguì all'interno della foresta l'uomo che Lord chiamava Droopy. I loro passi erano attutiti da un letto di foglie; la luce della luna, tremula fra i rami, avvolgeva il bosco in un bagliore latteo. Il freddo le fece venire la pelle d'oca: i jeans e la maglia che indossava non tenevano molto caldo. Thorn guidava la processione con un fucile puntato contro la schiena, Orleg la chiudeva.

Camminarono per dieci minuti, fermandosi in una radura. Due pale piantate nel terreno indicavano che era stato predisposto un piano prima dell'ingresso di Hayes nella baita.

«Scava», ordinò Orleg a Thorn. «Come i tuoi predecessori, morirai e poi verrai sepolto nella terra fredda di un bosco. Magari tra cent'anni qualcuno troverà le tue ossa.»

«Se rifiutassi?» domandò Thorn con freddezza.

«Ti sparerò, per poi spassarmela con lei.»

Thorn guardò Akilina, la quale percepì la regolarità nel respiro dell'avvocato e non lesse inquietudine nel suo sguardo.

«Guardami», ingiunse Orleg. «Ancora pochi, preziosi minuti di vita. Ogni secondo ha un grande valore. Hai avuto molto più tempo a disposizione del tuo bisnonno. Per tua fortuna, non sono un bolscevico.»

Thorn restò immobile e non accennò a prendere la pala. Orleg gettò via il fucile, afferrò la maglia di Akilina e trasse la donna a sé. Akilina urlò, ma l'ispettore le tappò la bocca con l'altra mano.

«Basta!» gridò Thorn.

Orleg frenò il suo impeto, ma strinse il collo della donna con la mano destra; non tanto da strangolarla, ma abbastanza da farle capire chi comandava. Thorn afferrò la pala e cominciò a scavare.

Orleg palpò il seno di Akilina con la mano sinistra e, con fiato pesante, commentò: «Bello e sodo».

La donna ficcò un dito nell'occhio sinistro dell'uomo; l'altro si scostò, indietreggiò e la colpì in faccia, scaraventandola sul terreno umido.

L'ispettore recuperò il fucile e caricò un colpo. Piantò il piede destro sul collo di Akilina, inchiodandole la testa al suolo, e premette l'estremità della canna contro l'angolo della sua bocca.

La donna sentì sulle labbra il gusto di ruggine della terra e, quando Orleg spinse ancora più a fondo il fucile, lottò per non soffocare. Fu pervasa dal terrore.

«Ti piace, puttana?»

All'improvviso una sagoma nera emerse dalla vegetazione e si scagliò addosso a Orleg, il quale cadde all'indietro lasciando andare l'arma. Nel momento in cui scostò via la canna, Akilina si rese conto di che cosa fosse successo.

Il *borzoi* era tornato.

«Attacca! Uccidi!» gridò Thorn.

Il cane tuffò la testa contro la vittima, affondando le zanne nella carne.

Orleg lanciò un urlo, in preda all'agonia.

Thorn sollevò la pala e colpì Droopy con la lama, approfittando della momentanea distrazione dell'avversario. L'avvocato colpì di nuovo il russo nello stomaco con la punta della pala; un gemito precedette un terzo colpo fatale sul cranio. Droopy si accasciò a terra, il suo corpo si contorse per alcuni istanti e poi cessò per sempre di muoversi.

Orleg continuava a urlare, vittima dell'indomabile furore della bestia.

Akilina afferrò il fucile.

Thorn corse incontro al cane. «Fermo!»

Il *borzoi* arretrò e si accostò al padrone, ansimando. Orleg si voltò, portandosi le mani alla gola; quando fece per rialzarsi, Akilina gli sparò in faccia.

«Ti senti meglio?» le domandò Thorn.

La donna sputò per liberarsi del gusto di metallo che aveva in bocca. «Molto meglio.»

Thorn si avvicinò a Droopy e gli sentì il polso. «Anche questo è morto.»

Akilina guardò il cane che le aveva salvato la vita e ripensò alle parole pronunciate da Lord e Semjon Paščenko, profetizzate un secolo prima da un religioso: «L'innocenza delle bestie li proteggerà e indicherà loro la via, determinando il successo finale».

Thorn accarezzò il pelo setoso dell'animale. «Bravo, Alessio. Bravo, ragazzo mio.»

Il *borzoi* accolse la manifestazione di affetto del padrone, ricambiando con delicate zampate. Aveva la bocca sporca di sangue.

«Dobbiamo aiutare Miles», disse Akilina.

Si udì uno sparo in lontananza e Lord approfittò dell'istante in cui Hayes distolse lo sguardo per afferrare una lampada col braccio non ferito e lanciare via la pesante base di legno. Quando Hayes si voltò di nuovo e sparò un colpo, Lord rotolò via dalla sedia.

A quel punto la stanza era illuminata da un'unica lampada e dal fioco bagliore del camino, ormai quasi spento. Lord strisciò in fretta sul pavimento, scagliò anche l'altra lampada contro Hayes e scavalcò il divano di fronte al focolare. Il dolore alla spalla destra si riacutizzò per lo sforzo. Dopo che altre due pallottole cercarono di raggiungerlo attraverso il sofà, si precipitò in cucina e riuscì a tuffarvisi dentro un istante prima che un proiettile colpisse lo stipite della porta. La ferita alla spalla si riaprì e riprese a sanguinare; Lord cercò di arrestare l'emorragia, sperando che la vista di Hayes risentisse del brusco passaggio luce-buio, pur sapendo che era questione di un attimo, prima che si abituasse e prendesse di nuovo la mira.

Si alzò. Il dolore gli fece perdere momentaneamente l'equilibrio e girare la testa. Si sforzò di restare lucido e, prima di precipitarsi fuori casa, afferrò uno strofinaccio sul tavolo della cucina e lo avvolse intorno alla ferita. Uscendo, richiuse in fretta la porta con la mano sinistra insanguinata e rovesciò il bidone dell'immondizia.

Poi corse via nel bosco.

Hayes non riuscì a capire se avesse colpito Lord. Aveva cercato di contare gli spari: gli sembrava di ricordarne quattro, o forse cinque; ciò significava che gli rimanevano ancora cinque o sei pallottole. La vista si stava rapidamente adattando al buio, poiché il bagliore residuo del camino offriva un'illuminazione assai scarsa. Aveva sentito sbattere una porta: Lord doveva essere uscito. Sollevò la Glock e avanzò, entrando in cucina con gran cautela. Il piede destro scivolò su un liquido; l'odore acre confermò che si trattava di sangue. Il bidone dell'immondizia ostacolava il percorso; lo allontanò con un calcio e uscì nella notte fredda.

«D'accordo, Miles», gridò. «È ora della caccia al negro. Mi auguro che tu non abbia ereditato la fortuna sfacciata di tuo nonno.»

Estrasse il caricatore dalla Glock e lo sostituì con uno nuovo. Dieci proiettili erano pronti a portare a termine il compito iniziato.

Quando udirono gli spari, Akilina e Thorn tornarono di corsa alla baita. La donna imbracciava il fucile di Orleg. Thorn si fermò fuori della porta.

«Dobbiamo stare attenti», disse.

Akilina era impressionata dalla compostezza dell'avvocato, il quale stava gestendo la situazione con una calma ai suoi occhi assai confortante.

Thorn salì sul portico e si avvicinò alla porta d'ingresso. Sentì che sul retro un uomo gridava: «D'accordo, Miles. È ora della caccia al negro. Mi auguro che tu non abbia ereditato la fortuna sfacciata di tuo nonno».

Akilina si avvicinò piano a Thorn, seguita dal cane.

L'avvocato girò la maniglia e aprì la porta. L'interno era avvolto nell'oscurità, rotta soltanto dal debole luccichio del camino quasi spento. Thorn si avvicinò direttamente a una credenza; aprì un cassetto e riapparve con una pistola in mano.

La donna lo seguì in cucina, dove i due trovarono la porta spalancata. Akilina notò che Alessio stava annusando il pavimento di legno; chinandosi intravide alcune chiazze liquide che segnavano il percorso dal salone.

Il cane era intento a esaminarle.

Thorn gli s'inginocchiò accanto. «Qualcuno è stato ferito», disse sotto voce. «Alessio, annusa.»

Il *borzoi* annusò un'altra macchia, poi drizzò la testa come per comunicare che era pronto.

«Trovalo», gli ordinò Thorn.

Il cane si precipitò fuori della porta.

50

Lord udì le parole di Hayes e ripensò alla conversazione che avevano avuto al Volkhov nove giorni prima. Sembrava trascorsa un'eternità. Suo nonno gli aveva raccontato nei dettagli l'epoca in cui i razzisti del sud riversavano la propria rabbia sui neri. Il prozio di un suo amico, sospettato di furto, era stato addirittura prelevato da casa e impiccato, senza arresto né detenzione né processo. Lord si era spesso interrogato su che cosa avesse potuto scatenare un odio simile. Suo padre si era impegnato molto nel far sì che tutti conservassero la memoria di quel passato; alcuni lo avevano tacciato di populismo, altri di adescamento. Grover Lord diceva che era soltanto «un amichevole consiglio da parte del rappresentante dell'Uomo del piano di sopra».

In quel momento toccava a Miles Lord correre tra le montagne della Carolina, braccato da un uomo determinato a ucciderlo.

Lo strofinaccio avvolto intorno al braccio aveva funzionato, ma lo sfregamento costante degli arti contro i cespugli stava aggravando la situazione. Non aveva idea di dove stesse andando; ricordava soltanto che Thorn aveva detto di non avere nessun vicino nel raggio di molti chilometri. Non aveva grandi prospettive di salvezza, dunque, considerando che aveva alle calcagna Hayes, Orleg e Droopy. Aveva ancora in mente lo sparo udito prima di giocare la sua carta contro Hayes; avrebbe tanto voluto tornare indietro da Akilina e Thorn, ma si rese conto che sarebbe stato inutile: molto probabilmente erano morti entrambi. No, doveva continuare a correre senza meta nella notte; doveva riuscire a rivelare al mondo intero il suo segreto, per Semjon Paščenko, la Sacra Compagnia e tutti coloro che erano morti nel tentativo di portare a termine l'impresa.

Si fermò. Aveva la gola riarsa, e ogni respiro era un rapido ansimo che si dissolveva in una nuvoletta dinanzi ai suoi occhi. Il volto e il torace erano madidi di sudore; avrebbe voluto togliersi la maglia, ma la spalla non era in grado di eseguire il movimento. Gli girava la testa per la perdita di sangue e l'altitudine.

Udì passi affrettati giungere da dietro.

Afferrò di nuovo il braccio penzolante e si addentrò tra i folti cespugli. Cominciò a intravedere affioramenti rocciosi mentre il terreno si faceva sempre più duro; anche l'inclinazione aumentò, e si ritrovò a intraprendere una breve salita. Il rumore dei passi sui detriti era amplificato dal silenzio assoluto dell'ambiente.

All'improvviso si spalancò un ampio panorama di fronte a lui.

Si fermò ai piedi di un'altura e guardò giù da una gola buia: in fondo scorreva rapido un torrente. Non era in trappola; poteva andare a destra, a sinistra, oppure tornare indietro nel bosco. Decise tuttavia di sfruttare quel luogo a suo vantaggio, giocando sul fattore sorpresa nel caso in cui l'avessero raggiunto. Non poteva sfuggire a lungo a tre uomini armati; d'altra parte, non voleva nemmeno essere ucciso come un animale. No, avrebbe resistito e lottato. Si arrampicò sul crinale, fino a raggiungere una terrazza rocciosa sul precipizio. Il cielo si apriva all'infinito. Era una posizione vantaggiosa, da cui poteva osservare chiunque si avvicinasse.

Brancolando nel buio, trovò tre sassi grandi quanto arance. Distese i muscoli del braccio destro e si rese conto di essere in grado di effettuare un lancio, anche se non molto potente. Soppesò ciascun sasso, preparandosi ad accogliere gli ospiti indesiderati.

Hayes aveva abbastanza esperienza nell'inseguimento di animali da saper riconoscere le tracce di un passaggio; Lord, infatti, aveva sferzato gli arbusti senza preoccuparsi di lasciarsi dietro rami spezzati. Nei luoghi in cui le foglie lasciavano scoperto il terreno fangoso, poi, erano ben visibili le sue impronte. La chiara luce della luna aiutava a leggere il percorso, per non parlare delle macchie di sangue che si presentavano con regolarità.

A un certo punto, le tracce sparirono.

Hayes si fermò.

Guardò a destra, a sinistra. Niente più rami a segnare il tragitto, niente più sangue nel fogliame circostante. Strano. Caricò un colpo, nel caso Lord avesse scelto quel luogo come teatro di aggressione. Era sicuro che, a un certo punto, lo stupido si sarebbe fatto avanti per combattere.

Forse proprio lì.

Avanzò con cautela; il suo istinto gli diceva che non era osservato. Era sul punto di cambiare direzione, quando vide una macchia scura in corrispondenza di una felce. Proseguì, sebbene l'ambiente e la situazione non gli piacessero affatto. Il terreno s'indurì e sporgenze rocciose scalzarono la foresta, spuntando di fianco a lui come una miriade di ombre informi.

Il suo sguardo perlustrò la zona in cerca d'indizi, ma era difficile distinguere le macchie nell'ombra. Rallentò, cercando di attutire il più possibile il rumore del cammino sul selciato.

Infine si fermò sull'orlo di un precipizio; sotto scorreva l'acqua di un fiume, a destra e a sinistra c'erano soltanto alberi e, oltre la gola, si dipanava l'ampia volta vellutata, trapunta di stelle. Non era il momento di apprezzare la bellezza del paesaggio. Si voltò e, quando fu sul punto di addentrarsi di nuovo nella selva, udì un improvviso spostamento d'aria.

Akilina seguì Thorn fuori della cucina. Il *borzoi* era sparito, ma i fischi del padrone lo avevano fatto ricomparire più volte.

«Non si allontanerà troppo; giusto il necessario per seguire le tracce», spiegò Thorn sotto voce.

Il cane corse ai suoi piedi, e Thorn gli accarezzò la fronte.

«Trovalo, Alessio. Vai.»

L'animale si dileguò di nuovo nella boscaglia.

Il padrone lo seguì.

Akilina era in pensiero per Lord: temeva che fosse già stato ucciso. Probabilmente anche Lord li riteneva morti; in effetti, non avrebbero avuto molte probabilità di scampare all'assalto di due killer professionisti, se non fosse stato per il *borzoi*, che aveva dimostrato una lealtà ammirevole. Anche Michael Thorn sapeva il fatto suo; forse era proprio il sangue reale che gli scorreva nelle vene a infondergli un simile carisma. A quanto diceva sua nonna quando le raccontava della gloriosa epoca imperiale, il popolo ammirava molto la forza e la determinazione dello zar, considerava il sovrano come l'incarnazione di Dio in terra e cercava la sua protezione nei momenti di bisogno.

Lo zar *era* la Russia.

Forse Michael Thorn capiva una simile responsabilità e sentiva il legame col passato abbastanza forte da non fargli temere il futuro.

Lei invece aveva paura. Non solo per se stessa, ma anche per Miles Lord.

Thorn si fermò e fece un leggero fischio. Dopo un istante comparve Alessio, ansimante. L'uomo s'inginocchiò e guardò il cane negli occhi.

«L'hai trovato, vero?»

Akilina si aspettò quasi una risposta dall'animale, il quale si limitò a sedersi e a recuperare il fiato.

«Trovalo! Vai!»

Il cane corse via di nuovo.

I due lo seguirono.

Si udì uno sparo in lontananza.

Lord lanciò il sasso proprio mentre Hayes si voltava. Sentì uno squarcio nella spalla, fu pervaso da un dolore accecante e capì che la carne si era lacerata di nuovo.

Vide il frammento di roccia colpire Hayes al petto e udì lo sparo partito dalla pistola. Saltò dal suo nascondiglio, travolgendo il suo capo; i due caddero a terra.

Ignorando il dolore, Lord colpì il volto di Hayes con un pugno, ma quest'ultimo usò le gambe come leva per ribaltare l'avversario e sbatterlo con la schiena a terra. Le pietre affilate che si piantarono nel dorso di Lord contribuirono ad acutizzarne ulteriormente la sofferenza.

Un istante dopo, Hayes passò all'attacco.

Akilina e Thorn cominciarono a correre in direzione dello sparo. Il suolo s'indurì e apparvero massi tutt'intorno. Sentirono due persone che ansimavano, impegnati in una colluttazione. La foresta si dissolse. Di fronte a loro, Taylor Hayes e Miles Lord stavano lottando. «Falli smettere!» implorò la donna. Thorn, però, non fece ricorso alla propria arma.

Lord vide Hayes rialzarsi e saltargli addosso una seconda volta. Con quel po' di forza che fu sorpreso di ritrovarsi ancora in corpo, riuscì ad assestare un sinistro contro la mandibola dell'avversario e a destabilizzarlo. Doveva trovare la pistola che Hayes aveva lasciato cadere dopo essere stato colpito dal sasso.

Con un calcio della gamba destra si tolse di dosso Hayes, rotolò su se stesso, riacquistò l'equilibrio e si sollevò sulle ginocchia. Ne aveva abbastanza di rocce che logoravano il suo corpo già provato; la spalla sanguinava di nuovo, ma non si sarebbe lasciato abbattere. Quel figlio di puttana doveva essere fermato una volta per tutte, subito.

Perlustrò a tentoni la terra buia in cerca della pistola, senza riuscire a vederla. Gli sembrò di scorgere due sagome tra gli alberi al di là degli affioramenti rocciosi, ma non riuscì a focalizzare l'immagine. Probabilmente si trattava di Orleg e Droopy, che assistevano divertiti allo spettacolo: i due criminali possedevano la facoltà di stabilire il vincitore con un proiettile ben indirizzato.

Lord afferrò Hayes per la vita e lo trascinò con sé verso un cumulo granitico; sentì qualcosa cedere nel corpo dell'avversario, forse una costola. Hayes urlò, poi passò al contrattacco, conficcando i due pollici nel collo di Lord ed eseguendo un rapido, profondo movimento rotatorio sulla trachea. Lord si ritrovò senza fiato e, proprio nel momento in cui stava per riprendersi, Hayes lo colpì in pancia con un ginocchio, facendolo barcollare verso il limite del dirupo.

Quando vide Hayes balzare in avanti e fare perno su una gamba per lanciarsi con un altro calcio contro di lui, Lord si preparò a parare un secondo attacco. L'altro, però, aveva percepito la sua mossa, e si fermò in anticipo.

Così il piede di Lord incontrò soltanto l'aria.

Akilina vide Lord roteare su se stesso per aver parato un calcio mancato, cadere sulle ginocchia e guardare Hayes.

Thorn s'inginocchiò di fronte al *borzoi*, e lei fece lo stesso. L'animale ringhiò, senza mai staccare lo sguardo dalla scena di lotta che si svolgeva nell'ombra. Le mandibole si serrarono un paio di volte, lasciando intravedere zanne affilate.

«Sta decidendo», sussurrò Thorn. «La sua vista è assai più acuta della nostra.»

«Usa la pistola!» lo incalzò lei.

Thorn le rivolse uno sguardo eloquente. «Ricordati della profezia.»

«Non essere stupido, fermali subito!»

Il *borzoi* fece un passo avanti.

«Usa la pistola, o io userò il fucile», lo avvertì.

L'avvocato le posò con delicatezza una mano sul braccio. «Abbi fede.» La voce e i modi di quell'uomo comunicavano qualcosa d'inspiegabile.

Lei non disse più nulla.

Thorn si rivolse al cane. «Calma, Alessio. Calma.»

Lord riuscì a rialzarsi e ad allontanarsi dal ciglio del burrone. Hayes aveva bloccato l'attacco e sembrava intento a recuperare fiato.

«Coraggio, Miles», disse Hayes. «Finiamola una volta per tutte. Siamo soltanto tu e io, senza vie d'uscita. Per andartene devi passare sopra il mio cadavere.»

Si mossero in cerchio, come gatti. Lord procedeva verso destra, in direzione del bosco; Hayes verso sinistra, in direzione del dirupo.

All'improvviso, Lord la vide. La pistola si trovava sulle rocce, a meno di due metri da lui. Anche Hayes tuttavia l'aveva individuata e con un balzo la impugnò ancora prima che lui riuscisse a raccogliere le forze per muoversi.

Un secondo dopo, Hayes aveva l'arma in mano, il dito sul grilletto e la canna puntata direttamente contro l'avversario.

Akilina vide il *borzoi* correre, senza aver ricevuto comandi da parte di Thorn. Sembrava che l'animale avesse preso l'iniziativa dopo aver individuato il momento giusto in cui entrare in azione e il punto esatto in cui attaccare. Probabilmente il cane aveva riconosciuto Lord dall'odore del suo sangue... O forse era stato influenzato dallo spirito di Rasputin. Chi poteva dirlo? Hayes si accorse dell'animale soltanto un secondo prima che gli si scagliasse addosso, facendolo cadere all'indietro.

Lord colse l'attimo e spinse Hayes e il cane giù dal burrone. Si udì un grido nella notte, sempre più lontano a mano a mano che i due corpi svanivano nell'oscurità. Un istante dopo ci fu il tonfo sordo della carne contro la terra, accompagnato da un mugolio che gli spezzò il cuore. Non riuscì a scorgere il fondo del burrone.

Ma non ce n'era bisogno.

Udì passi giungere in fretta da dietro.

Si voltò di scatto, aspettandosi di vedere Droopy e Orleg, ma vide comparire invece Akilina e Thorn.

La donna lo abbracciò con trasporto.

«Piano», gemette lui per il dolore alla spalla.

Akilina allentò la presa.

Thorn guardò giù dal dirupo.

«Mi dispiace per il cane», disse Lord.

«Lo amavo molto», replicò Thorn. «Ma ora è tutto finito. La scelta è stata compiuta.»

In quel preciso momento, su quel volto, imperturbabile e lucido, illuminato dal bagliore di un quarto di luna, Miles Lord vide il futuro della Russia.

51

L'interno della cattedrale della Dormizione riluceva del bagliore di centinaia di luci e candele. L'illuminazione eccezionale del vasto ambiente era dovuta anche alla presenza delle telecamere. La cerimonia veniva trasmessa in diretta e in mondovisione. Lord si trovava vicino all'altare, in un posto d'onore, accanto ad Akilina. Sopra di loro, quattro ordini di icone d'oro tempestate di gioielli brillavano, come per segnalare il senso di giustizia che dominava l'atmosfera.

Nella parte anteriore c'erano i due seggi per l'incoronazione, uno dei quali era appartenuto al secondo zar Romanov, Alessio. Il trono dello zar, coperto da quasi novemila gemme – tra cui diamanti, rubini e perle –, era antico di trecentocinquant'anni e, nell'ultimo secolo, era rimasto chiuso in un museo. Il giorno precedente era stato trasportato lì dall'armeria del Cremlino. Michael Thorn sedeva su di esso.

Accanto a lui, sul trono d'avorio, c'era la moglie Margaret. Quel trono era stato portato in Russia nel 1472 da Sofia, la sposa bizantina di Ivan il Grande, il sovrano noto per aver dichiarato: «Due Rome caddero, la terza sta e una quarta non vi sarà». Invece, in quella gloriosa mattina di aprile, stava per nascere una quarta Roma, e il sacro e il secolare stavano per fondersi di nuovo in un'unica entità: lo zar.

La Russia era di nuovo governata dai Romanov.

Il pensiero di Taylor Hayes riapparve all'improvviso nella mente di Lord. Anche allora, sei mesi dopo la sua morte, non era ancora completamente emersa la vera portata del complotto. Secondo alcune voci, persino il patriarca della Chiesa ortodossa russa, Adriano, vi sarebbe stato coinvolto; il religioso tuttavia aveva subito negato, e non erano state addotte prove in grado di dimostrare il contrario. L'unico cospiratore sicuro si era rivelato Maxim Zubarev, l'uomo che aveva torturato Lord a San Francisco. Prima che le autorità riuscissero a interrogarlo, però, il suo corpo era stato trovato in una fossa fuori Mosca, con due fori di pallottole nel cranio. Il governo sospettava un complotto di ampia estensione, *mafija* inclusa, eppure non si erano ancora trovati testimoni in grado di chiarire cosa fosse accaduto.

Era una minaccia che gravava seriamente sulla neonata monarchia, e Lord era molto preoccupato per Michael Thorn, sebbene l'avvocato del North Carolina avesse dato prova di grande coraggio. Il popolo russo era rimasto affascinato dalla sua sincerità e persino le sue radici americane cominciavano a essere viste come un elemento positivo; i leader mondiali si erano proclamati sollevati del fatto che una superpotenza con armi nucleari fosse retta da una persona di rilievo internazionale. Ma Thorn aveva sottolineato più volte la sua identità di Romanov, precisando che nelle sue vene scorreva sangue russo e che intendeva ristabilire l'autorità della sua famiglia su una nazione in cui i suoi avi avevano regnato per più di tre secoli.

Aveva annunciato di voler costituire subito un gabinetto di ministri che lo aiutasse a governare. Aveva nominato consigliere Semjon Paščenko, incaricandolo di strutturare il governo. Era prevista inoltre l'elezione di una Duma, che sarebbe stata investita dell'autorità necessaria a impedire al monarca di avere un potere assoluto. Il principio della sovranità della legge sarebbe stato rispettato e la Russia avrebbe dovuto sforzarsi di entrare nel nuovo millennio: l'isolazionismo non era più contemplabile.

Un uomo schietto sedeva sul trono dei diamanti, accanto alla propria consorte, ed entrambi sembravano pienamente consapevoli delle responsabilità cui andavano incontro.

La chiesa era piena di dignitari provenienti da ogni parte del mondo, tra cui i reali d'Inghilterra, il presidente degli Stati Uniti e i primi ministri e i capi di Stato di tutte le principali nazioni.

Era sorto un gran dibattito intorno al nome del nuovo zar: avrebbe dovuto chiamarsi Michele II o Michele III? Il fratello di Nicola II, infatti, si chiamava Michele e aveva regnato soltanto un giorno, prima di abdicare anche lui. La Commissione per lo zar tuttavia aveva posto termine a ogni discussione, stabilendo che Nicola II aveva abdicato soltanto a proprio nome, non anche per suo figlio Alessio; a lui dunque sarebbe succeduto il figlio, non il fratello, il che significava che soltanto i discendenti diretti di Nicola avevano diritto a salire sul trono. Michael Thorn, dunque, in qualità del più vicino erede diretto maschio, sarebbe stato proclamato zar col nome di Michele II.

Il giorno dopo la morte di Taylor Hayes, un amico di Thorn che lavorava nell'ufficio del procuratore capo del North Carolina aveva inviato a Genesis un rappresentante del dipartimento di Stato. Era stato poi contattato l'ambasciatore degli Stati Uniti in Russia, il quale si era immediatamente presentato di fronte alla Commissione per lo zar riferendo quanto era emerso a undicimila chilometri di distanza. Il voto finale era stato quindi rimandato per consentire all'erede di comparire dinanzi alla commissione, cosa che era accaduta tre giorni dopo. Il mondo intero aveva seguito la vicenda.

Il test del DNA aveva confermato l'identità di Michael Thorn in quanto discendente diretto di Nicola e Alessandra; la struttura genetica del mitocondrio era identica a quella di Nicola e conteneva persino la stessa mutazione che gli scienziati avevano riscontrato all'atto del ritrovamento delle ossa dello zar. La probabilità di errore era inferiore allo 0,001 per cento.

Rasputin aveva visto giusto un'altra volta. «Dio offrirà un modo per dimostrare la correttezza della rivendicazione.»

E c'era un altro aspetto della profezia di Rasputin che si era rivelato corretto. «Dovranno morire in dodici prima che la risurrezione possa dirsi completa.» I primi quattro morti a Mosca, tra cui Artemij Belij, poi la guardia della Piazza Rossa, il socio della Sacra Compagnia di Paščenko, Iosif e Vasilij Maks; infine Feliks Orleg, Droopy e Taylor Hayes. Una processione di undici cadaveri tra la Russia e gli Stati Uniti.

Bisognava annoverare un altro nome nell'elenco dei morti per far tornare i conti: Alessio, il *borzoi*.

Il cane era stato sepolto nel cimitero, a pochi passi dal suo omonimo; Thorn, infatti, aveva ritenuto che l'animale si fosse meritato il diritto di riposare in eterno accanto ai Romanov.

Lord focalizzò la sua attenzione verso l'altare, dove Michael Thorn si era appena alzato dal trono, imitato dagli astanti. Thorn indossava una veste di seta che gli era stata posta sulle spalle due ore prima, durante il primo atto della cerimonia d'incoronazione; si aggiustò le pieghe e s'inginocchiò con grazia, mentre tutti gli altri rimanevano in piedi.

Il patriarca Adriano si avvicinò.

Nel silenzio che seguì, Thorn si mise a pregare.

Adriano unse la fronte dell'uomo con l'olio santo e amministrò il sacramento. In un edificio costruito dai Romanov, protetto dai Romanov e infine perso dai Romanov, un nuovo Romanov aveva assunto lo scettro del potere, sottratto in passato con l'omicidio e l'avidità.

Il patriarca posò la corona in testa a Thorn che, dopo essere rimasto un istante in preghiera, si alzò e si avvicinò alla moglie, anche lei vestita con uno splendido abito di seta. La donna si alzò e s'inginocchiò di fronte al marito, il quale le posò in testa la propria corona e poi se la rimise sul capo. Infine Thorn accompagnò di nuovo la moglie al trono e le sedette accanto.

Una processione di dignitari russi si avvicinò per giurare fedeltà al nuovo zar: tra generali e ministri, c'erano anche i due figli di Thorn e molti eredi della famiglia Romanov, incluso Stefan Baklanov.

L'ex candidato aveva evitato lo scandalo, negando qualsiasi coinvolgimento e sfidando chiunque a provare il contrario. Si era inoltre dichiarato completamente estraneo ai fatti e aveva annunciato che sarebbe stato una buona guida per il Paese. Lord aveva notato l'astuzia: chi avrebbe mai potuto farsi avanti per svelare il tradimento di Baklanov, se non i soci cospiratori? Il popolo russo aveva dunque continuato ad apprezzare la sua schiettezza e a porre il personaggio al centro dell'attenzione. Lord sapeva per certo che Baklanov aveva giocato un ruolo importante nel complotto, perché glielo aveva rivelato Maxim Zubarev, descrivendolo come «una marionetta accondiscendente». Era stato in dubbio se denunciare Baklanov, ma

Thorn lo aveva dissuaso, convincendolo a lasciar perdere la questione in ragione delle già eccessive polemiche in merito. Era stata una decisione saggia? Chissà. Lord guardò Akilina, che seguiva la cerimonia con occhi lucidi, e le prese delicatamente una mano. Era bellissima con quel vestito azzurro pallido ricamato d'oro; glielo aveva regalato Thorn, e lei aveva accettato il dono con immensa gratitudine.

Il Corvo e l'Aquila si fissarono. Lei ricambiò la sua carezza con una leggera stretta della mano e, nel suo sguardo, Lord lesse affetto e ammirazione. Forse amava quella donna. Nessuno dei due era sicuro di ciò che stava accadendo loro. Lui era rimasto in Russia perché Thorn li aveva voluti accanto entrambi e gli aveva persino chiesto di diventare suo consigliere personale. Era americano, sì, ma il passato lo aveva segnato: era il Corvo, colui che aveva contribuito alla risurrezione del sangue dei Romanov. In quell'ottica, la sua presenza in quella cerimonia – così integralmente russa – aveva un senso.

Tuttavia Lord non aveva ancora deciso se rimanere in Russia. Pridgen & Woodworth gli aveva offerto una promozione, proponendogli di prendere il posto di Taylor Hayes come capo della sezione di diritto internazionale. L'offerta lo allettava, ma era Akilina a trattenerlo dall'accettare; non voleva lasciarla. Ma lei aveva espresso il desiderio di vivere e lavorare accanto a Thorn.

La cerimonia si concluse e la nuova coppia di regnanti uscì dalla chiesa, indossando – proprio come Nicola e Alessandra nel 1896 – due mantelli di broccato col ricamo dell'aquila a due teste dei Romanov.

Lord e Akilina li seguirono fuori, nell'atmosfera frizzante di quel giorno speciale.

Le cupole dorate delle quattro cattedrali circostanti sfolgoravano nel sole di mezzogiorno. Alcune vetture attendevano di accogliere lo zar e la zarina, ma Thorn rifiutò; si tolse il mantello e la sopravveste e condusse la moglie attraverso il selciato, verso il muro nordorientale del Cremlino. Lord e Akilina li accompagnarono; l'uomo aveva notato lo sguardo vibrante sul volto di Thorn e anche lui, inspirando una boccata d'aria fresca, si sentì avvolgere dall'atmosfera di ringiovanimento che invadeva la nazione. Il Cremlino era di nuovo la fortezza dello zar, «la roccaforte del popolo», come l'aveva definita Thorn.

Alla base del muro nordorientale partiva una scala di legno che saliva per diciotto metri, fino a raggiungere la sommità dei bastioni. Lo zar e la zarina salirono lentamente, seguiti da Lord e Akilina. Al di là del muro si apriva la Piazza Rossa, dove, al posto del mausoleo di Lenin e delle tribune degli onori, c'era una distesa acciottolata. Il mausoleo era stato rimosso per ordine di Thorn, e così era successo per le tombe di Sverdlov, Brežnev, Kalinin e di tutti gli altri, che erano stati spostati da un'altra parte. Era rimasto soltanto Yuri Gagarin; il primo uomo nello spazio meritava un posto di rilievo, e sarebbe stato affiancato in futuro da altre persone, oneste e per bene, la cui vita sarebbe stata giudicata degna di onore.

Lord guardò Thorn e sua moglie avvicinarsi a una piattaforma, abbastanza alta da portarli al di sopra del muro. Lo zar si lisciò l'abito e si voltò. «Mio padre mi aveva raccontato di come mi sarei sentito in questo momento. Spero di essere all'altezza.»

«Lo sei», lo rassicurò Lord.

Akilina abbracciò Thorn, e lui ricambiò il gesto d'affetto.

«Grazie, mia cara. In un'altra epoca saresti stata giustiziata sul posto: nessuno può toccare lo zar in pubblico.» Un sorriso increspò le sue labbra. Quindi si voltò verso la moglie. «Sei pronta?»

La donna annuì, anche se Lord lesse un'evidente apprensione nei suoi occhi. Come biasimarla? Stavano per rendere giustizia a un torto secolare, per far pace con la storia. Anche Lord aveva deciso di far pace con la propria coscienza: non appena tornato a casa, avrebbe fatto visita alla tomba di suo padre. Era giunto il momento di dire addio a Grover Lord. Akilina aveva avuto ragione a dirgli che suo padre era stato investito di un compito importante: aveva plasmato suo figlio nell'uomo che era diventato, sebbene non con l'esempio, ma con gli errori. Eppure sua madre amava ancora teneramente quell'uomo e avrebbe continuato a farlo per sempre. Era ora che lui smettesse di odiarlo.

Thorn e la moglie salirono i tre piccoli scalini che conducevano sulla piattaforma di legno.

Lord e Akilina si avvicinarono al parapetto.

Al di là del muro del Cremlino, videro una folla che si stendeva a perdita d'occhio; le agenzie di stampa avevano contato due milioni di persone confluite a Mosca negli ultimi giorni. Ai tempi di Nicola II, l'incoronazione sarebbe stata celebrata in pompa magna, ma Thorn aveva rifiutato: una nazione in bancarotta non poteva permettersi simili lussi. Così l'erede aveva ordinato la costruzione della piattaforma e aveva fatto annunciare che sarebbe apparso a mezzogiorno esatto. Quando l'orologio della torre suonò dodici rintocchi, Lord notò la puntualità del nuovo zar.

Gli altoparlanti installati tutt'intorno alla Piazza Rossa pronunciarono parole destinate a echeggiare nella nazione intera. Lo stesso Lord fu travolto dall'entusiasmo e commosso da un annuncio che per secoli aveva rappresentato il coro unanime con cui i russi avevano cercato una guida. Quattro semplici parole furono pronunciate attraverso quei microfoni. Anche lui si ritrovò a ripeterle, con gli occhi umidi di lacrime per il loro significato.

« Lunga vita allo zar! »

NOTA DELL'AUTORE

L'idea di scrivere questo libro mi è venuta durante un tour del Cremlino. Come per il mio primo romanzo, *The Amber Room*, volevo raccogliere informazioni accurate. La storia di Nicola II e della sua famiglia è affascinante e, per molti versi, la verità sul loro destino è assai più intrigante che nella finzione. A partire dal 1991, anno in cui i resti reali furono riesumati dal loro anonimo sepolcro, è sorto un acceso dibattito, tutt'ora in corso; secondo alcuni, infatti, mancherebbero i resti di due figli dello zar. In un primo momento, stando all'analisi dei reperti ossei eseguita da un esperto russo e dalla successiva sovrapposizione fotografica, risultarono mancanti Alessio e Maria. Poi fu uno studioso americano, dopo l'esame di campioni di denti e ossa, ad affermare l'assenza di Alessio e Anastasia. Ho scelto Anastasia soltanto per l'interesse che si è sviluppato nel corso degli anni intorno alla sua figura.

Ancora qualche precisazione.

In Russia esiste davvero un movimento monarchico come quello descritto nel capitolo 21, ma la moderna Sacra Compagnia è una mia invenzione. I russi sono inoltre affascinati dal concetto di nazione (capitolo 9), un'ideologia che seduce molto le masse. Quella usata nella storia – Dio, lo zar, il Paese – l'ho pensata io, nella sua semplicità. I russi hanno altresì un debole per le commissioni e affidano di norma le decisioni importanti a una rappresentanza della collettività. Mi è sembrato naturale che il nuovo zar fosse scelto in quel modo.

I flashback (capitoli 5, 26, 27, 43 e 44) che narrano l'esecuzione dei Romanov e gli avvenimenti successivi, inclusa l'assurda sistemazione dei cadaveri, sono basati su fatti reali. Ho cercato di ricostruire quegli eventi rispettando il più possibile le relazioni dei partecipanti, che tuttavia risultano spesso contraddittorie. Naturalmente la fuga di Alessio e Anastasia è frutto della mia immaginazione.

La lettera di Alessandra (capitolo 6) è fittizia, tranne per lo stile e buona parte della prosa, copiata parola per parola da altre lettere dei due regnanti, che si amavano con sincerità e passione.

La deposizione di una guardia di Ekaterinburg – figura non storica – citata nel capitolo 13 fa parte di un resoconto vero.

Le profezie di Rasputin sono riportate correttamente, a parte la sezione relativa alla «resurrezione dei Romanov», da me inventata. Non si sa ancora se tali premonizioni siano state fatte dallo stesso Rasputin in vita, oppure redatte dalla figlia dopo la sua morte. È evidente tuttavia come Rasputin riuscisse davvero a condizionare lo stato di salute dell'emofiliaco Alessio; i suoi sforzi in merito, narrati nel prologo, sono tratti da resoconti reali.

Le informazioni sul conto di Feliks Jusupov sono vere, a parte il suo coinvolgimento in un piano per il salvataggio di Alessio e Anastasia. Purtroppo, a differenza del mio Jusupov, che in definitiva è un brav'uomo, il personaggio storico non si è mai reso conto della follia dell'omicidio di Rasputin e delle nefaste ripercussioni di quel gesto sulla famiglia imperiale.

Il personaggio di Jakov Jurovskij, il terribile bolscevico che uccise Nicola II, è ritratto accuratamente e, in molte occasioni, ho riportato le sue esatte parole.

Le opere citate di Carl Fabergé corrispondono a quelle vere, a parte il duplicato dell'*Uovo con mughetti*, che non ho potuto evitare d'inserire: quale posto migliore dove ritrovare i ritratti segreti degli eredi sopravvissuti?

L'albero della principessa descritto nei capitoli 40 e 42 fiorisce nel North Carolina orientale. Anche la storia del suo legame etimologico con la famiglia imperiale russa è veritiero. Le bellissime Blue Ridge Mountains avrebbero potuto davvero offrire un nascondiglio perfetto per i fuggischi russi, perché – come dice Akilina nel capitolo 42 – l'area è molto simile, sotto diversi punti di vista, ad alcune zone della Siberia.

Il *borzoi* – o levriero russo – che riveste un ruolo determinante nella storia (capitoli 46, 47, 49 e 50) è una razza canina dinamica, e il suo legame con la nobiltà russa esiste davvero.

Sia chiaro che Nicola II non fu affatto un sovrano benevolo

e generoso: le osservazioni negative che Miles Lord fa su di lui nel capitolo 23 sono giuste. Nonostante questo, ciò che accadde ai Romanov fu una terribile tragedia; anche tutti gli altri omicidi che hanno colpito la famiglia, e cui si è fatto cenno, sono accaduti: venne attuato un vero e proprio sforzo sistematico per sradicare l'intero lignaggio. Anche la paranoia di Stalin nei confronti di tale dinastia corrisponde al vero, come la sua decisione di cancellare ogni memoria a essa legata (capitoli 22, 23 e 30).

Immaginare una risurrezione proietta un significato preciso su quella terribile morte; purtroppo, in realtà, il destino di Nicola II, di sua moglie e delle loro tre figlie non fu così romantico. Come descritto nel capitolo 44, dopo l'esumazione del 1991 i resti dei Romanov rimasero sullo scaffale di un laboratorio per più di sette anni, mentre due città – Ekaterinburg e San Pietroburgo – lottavano per il loro possesso. Infine l'ennesima, famigerata commissione scelse San Pietroburgo e fece seppellire i membri della famiglia imperiale in pompa magna, accanto ai loro antenati.

La decisione di seppellirli insieme sembra particolarmente adeguata, dal momento che le testimonianze concordano nel definire i Romanov una famiglia molto unita e amorevole.

Così sia, per sempre: riposino in pace.

RINGRAZIAMENTI

Grazie a Pam Ahearn, mia agente e amica, che mi ha istruito molto, anche suggerendo il titolo migliore per questo libro. Grazie, poi, a tutto il gruppo della Random House: Gina Centrello, che mi ha offerto una grande occasione; Mark Tavani, i cui saggi consigli permeano ogni pagina di questo volume; Kim Hovey, capo di un eccellente team pubblicitario, di cui fa parte Cindy Murray; Beck Stvan, l'artista che ha ideato la bellissima copertina dell'edizione americana; Laura Jorstad, redattrice dall'occhio di falco; Carole Lowenstein, che ha dato una splendida veste grafica alle pagine dell'edizione americana. Infine grazie a tutti coloro che si sono occupati del marketing, della promozione e della vendita: senza il loro devoto impegno, non saremmo arrivati da nessuna parte. Grazie infinite anche a Dan Brown: si è rivolto con sincera gentilezza a un novellino come me, dimostrando che il successo non compromette la generosità. Come per The Amber Room, non posso dimenticare Fran Downing, Nancy Pridgen e Daiva Woodworth. Tutti gli scrittori dovrebbero avere la fortuna di essere circondati da un gruppo di critici tanto preziosi. Infine un ringraziamento speciale a mia moglie Amy e a mia figlia Elizabeth che, insieme, rendono la mia vita interessante e magnifica.

www.tealibri.it

Visitando il sito internet della TEA potrai:

- **Scoprire subito le novità dei tuoi autori e dei tuoi generi preferiti**
- **Esplorare il catalogo on line trovando descrizioni complete per ogni titolo**
- **Fare ricerche nel catalogo per argomento, genere, ambientazione, personaggi... e trovare il libro che fa per te**
- **Conoscere i tuoi prossimi autori preferiti**
- **Votare i libri che ti sono piaciuti di più**
- **Segnalare agli amici i libri che ti hanno colpito**
- **E molto altro ancora...**

Finito di stampare
nel mese di giugno 2009
per conto della TEA S.p.A.
dal Nuovo Istituto Italiano d'Arti Grafiche - Bergamo
Printed in Italy

TEADUE
Periodico settimanale del 3.9.2008
Direttore responsabile: Stefano Mauri
Registrazione del Tribunale di Milano n. 565 del 10.7.1989